Bibliothèque des Histoires

MARCEL GAUCHET

LA RÉVOLUTION DES POUVOIRS

LA SOUVERAINETÉ, LE PEUPLE
ET LA REPRÉSENTATION
1789-1799

GALLIMARD

La Révolution française :
expérience politique, expérience de pensée

Ce que la Révolution française a perdu en tant que *modèle*, elle l'a gagné en tant que *problème*. Plus elle s'éloigne comme source d'inspiration, plus elle s'impose comme un passage obligé pour la compréhension de notre univers politique. Mieux elle nous apparaît, avec le recul, dans sa dimension d'échec, mieux nous mesurons les impasses de la tradition qu'elle a engendrée, plus elle devient un repère indispensable pour penser le fait démocratique dans son déploiement sur deux siècles.

Car elle reste en même temps l'insurpassable révolution des *fondements* et des *fins* de la politique selon les Modernes. Elle n'a pas seulement installé les droits de l'homme au commencement, dans la plénitude de leur rôle générateur. Elle a aussi et surtout fait valoir avec la même radicalité l'exigence de leur traduction dans une plénitude de la souveraineté collective – trait déterminant pour expliquer l'empire que ses formules ont si longtemps exercé sur les esprits. C'est ce lien entre le projet d'émancipation des individus et la visée du pouvoir de la société sur elle-même qui l'a constituée en expérience exemplaire.

Et c'est précisément en regard de l'éclat avec lequel elle a de la sorte mis en avant les *bases* et le *but* que ressort son échec sans appel sur le chapitre des *moyens* propres à concrétiser pareilles ambitions. Les dix années de Révolution se ramènent sous ce jour à l'histoire d'une errance et d'une impuissance autour des voies et des ressorts du gouvernement représentatif. Errance d'autant plus frappante qu'elle est de toutes les phases. Sous des modalités différentes, elle est à l'œuvre aussi bien dans la modération que dans l'extrémisme. Si elle est patente en 1793, dans le temps de l'acmé et du terrorisme ultra-démocratique, elle obère d'entrée l'inspiration des Constituants et leur version de la monarchie constitutionnelle, comme elle continuera de grever la tentative de stabilisation de la République bourgeoise en 1795. Impuissance d'autant plus éloquente qu'à tous les moments les acteurs ont prétendu, avec autant de constance que de superbe, faire rationnellement découler ces formes institutionnelles impraticables des principes fondateurs et des finalités qu'elles étaient supposées servir.

Jamais, sans doute, dans l'histoire, les principes n'auront été placés avec cette fermeté au poste de commandement ; jamais l'objectif de fond n'aura été posé et poursuivi avec cette intensité ; jamais la volonté de rigueur dans la démarche n'aura pu à ce point prévaloir ; et cela pour produire une série de régimes mort-nés, intrinsèquement antipolitiques, ou bien inapplicables, en fait, lorsqu'ils n'ont pas été appliqués, comme celui que prévoyait la constitution de 1793, ou bien voués tantôt au dysfonctionnement, tantôt à la trahison de leur raison d'être quand on les a vus en pratique. Tel est le contraste qui fait de l'expérience révolutionnaire un objet éminemment philosophique et, maintenant que la cause est jugée, un repoussoir unique pour apprécier l'effectivité du processus représentatif. Car nous ne pouvons ignorer désormais que ce n'est qu'en tournant le dos à la vision révolutionnaire de la politique que les démocraties sont parvenues à se stabiliser et à s'enraciner. Les enseignements de leur dernière phase de consolidation, depuis 1945, sont, à cet égard, d'une force irrécusable : aux antipodes de l'unité ardemment cultivée par les hommes de 1789, c'est par la division sous toutes ses formes que les démocraties se sont pacifiées. Qu'il s'agisse de l'élévation du pouvoir exécutif, de la place ménagée à la discorde des intérêts ou, plus récemment, de l'intronisation du juge, l'ordinaire de nos régimes gravite autour de ce que répudiaient nos glorieux et malheureux devanciers.

Ce sont ces enseignements, d'ailleurs, qui ont fini par dissiper les ultimes séductions du modèle révolutionnaire, tant dans sa version parlementaire modérée que dans sa version autoritaire-populiste-jacobine. S'il y a sens à dire « terminée » l'époque ouverte par la Révolution, c'est en ceci que nous avons laborieusement appris à surmonter les apories en lesquelles les révolutionnaires s'étaient enferrés et qu'ils ont durablement transmises à leurs successeurs. Nous savons que la bonne marche du gouvernement représentatif exige des moyens qui se situent à l'opposé de ceux dictés par la déduction à partir de la liberté et de l'égalité des individus. Les fins mêmes poursuivies par les révolutionnaires, à savoir l'entière puissance du corps politique à l'égard de lui-même, supposent de tout autres vecteurs que ceux auxquels ils pensaient en raison devoir recourir. C'est ici le point crucial : la clôture et le déplacement qui se jouent aujourd'hui ne sauraient paresseusement s'interpréter en termes de réduction des ambitions, voire de deuil de l'idéal, au profit d'une vue purement pragmatique et minimale du fonctionnement de la démocratie. Il n'y a pas abandon des fins : il y a révision obligée et drastique des moyens. S'impose irrésistiblement l'idée que le but ne peut être atteint que par des chemins différents – et pas n'importe lesquels : des chemins tenus à l'origine pour les plus contraires à l'idéal. Formidable paradoxe, ce sont ceux-là qui s'avèrent les plus efficaces au service même de l'idéal.

C'est en fonction de ce déport que la comparaison avec la révolution américaine prend tout son sens et tout son poids. Car les Américains, après tout, ont réussi, au même moment, là où les Français ont échoué. Ils ont su monter des mécanismes constitutionnels pertinents et durables pour donner corps à la souveraineté populaire. Ils ont pu le faire parce que, à la différence des Français, pour des motifs de tradition, de position et de circonstances, ils ne se sont pas trouvés sous la double pression de la logique impérative des fondements et de l'appel non moins impérieux de la figure finale du collectif souverain. Ils avaient, en 1787, à construire un gouvernement fédéral efficace, par rapport à une formule d'union défaillante (les articles de Confédération de 1781) et non pas à établir la

Nation dans ses droits. La chose était faite. Elle s'était jouée au travers d'une rupture captatrice avec « la liberté des Anglais ».

Il était sorti de cette situation singulière d'appropriation dans le refus une culture originale, récupérant quelques-uns des caractères fondateurs de la tradition britannique pour les retourner contre leur terre d'origine, à commencer par la revendication d'une juste représentation, reprise des sources du Parlement d'Angleterre pour l'opposer à ses abus. Adjoignons-y le sentiment individuel et défensif des droits, à distance et en dehors de toute autorité, la méfiance envers la corruption des pouvoirs, et l'on obtient une politique de l'émancipation qui va exactement au rebours de celle que la situation dicte, en 1789, de ce côté-ci de l'Atlantique. La conquête de la liberté, pour les Français, de par la confrontation avec l'autorité royale, passe par la communion mystique de la Nation avec l'assemblée de ses représentants. Elle requiert d'épauler inconditionnellement ceux qui parlent au nom du « tout » qui, hier, n'était « rien », et non de vérifier la conformité de l'action des représentants aux intérêts des représentés ; elle demande de mettre toutes les volontés en commun, au lieu d'en appeler par priorité à la protection des légitimes prérogatives de chacun ; et, paradoxalement, à la mesure de la suspicion éprouvée vis-à-vis d'un « mauvais » pouvoir, celui des étrangers à la Nation qui entourent et égarent le monarque, elle pousse à l'adhésion d'enthousiasme au « bon » pouvoir, celui qui exprime l'unanimité nationale, pouvoir contre lequel il serait sacrilège d'envisager de se prémunir.

Les Américains n'avaient pas, comme les Français, à asseoir les prérogatives d'un corps politique un et indivisible ; ils n'avaient pas à le faire advenir en dissolvant les compartimentages et distinctions de l'ancienne société ; ils n'avaient pas à le légitimer au moyen d'une consécration des droits de chacun conçue pour accroître la puissance du tout. Le problème des Constituants de Philadelphie, était, sans doute, d'affermir l'autorité du centre. Mais ils avaient à le résoudre dans le cadre d'une fédération où la consistance des États d'origine est intangible et où le canevas obligé est le partage

entre les pouvoirs dévolus à l'ensemble et les attributions
conservées par les unités premières. À quoi il convient d'ajouter les leçons de plusieurs années déjà de gouvernement populaire qui poussaient à disperser les foyers d'autorité dans
l'espoir de neutraliser les « factions » par leur multiplicité
même [1]. Davantage, alors que, pour les Français, l'appel aux
droits générateurs du pacte social s'impose comme le moyen
d'introniser et de magnifier le pouvoir national, l'habileté va
conseiller aux hommes du premier Congrès, deux ans après
Philadelphie, de balancer l'appesantissement de l'autorité
fédérale par une protection affirmée des libertés individuelles.
Ce sera la fonction du *Bill of Rights* ratifié en 1791. Le point
d'orgue achève d'illustrer l'écart des contraintes de définition
qui ont engagé les Américains à privilégier le montage pragmatique des pouvoirs par rapport à l'enchaînement rigoureux
des principes : à tous les niveaux, l'impératif d'énergie dans la
constitution du gouvernement se présente pour eux combiné
à l'exigence de limitation [2].

1. Cf. la pénétrante mise au point de Philippe RAYNAUD dans son article
« Révolution américaine » du *Dictionnaire critique de la Révolution française*, sous
la direction de François FURET et Mona OZOUF, Paris, Flammarion, 1988, ainsi
que son étude « De la liberté au pouvoir. Réflexions sur le patriotisme américain », *La Pensée politique*, n° 3, 1995.
2. Marie-France TOINET éclaire le contraste de manière suggestive en se plaçant sur le terrain de l'État. Aux alentours de 1787-1789, observe-t-elle, les situations des États-Unis et de la France sont « presque inverses ». Les Français ont un
État et aspirent avant tout à la liberté individuelle. « Celle-ci sera établie, certes
lentement et imparfaitement, aux dépens de la constitutionnalité étatique et, en
conséquence, de la démocratie : il faudra deux siècles pour parvenir à équilibrer à
peu près les deux piliers qui fondent celle-ci. » Les Américains, eux, en revanche,
ont la liberté, mais ne disposent pas d'un État constitutionnel, qu'ils vont entre-
prendre de construire, « lentement, mais irréversiblement », à partir de 1787.
« Cet État se fonde aux dépens de la liberté individuelle et, sans doute, à ceux de
la démocratie : deux cents ans seront à peine suffisants pour rééquilibrer État et
libertés, ces éléments constitutifs de la démocratie. La meilleure preuve de cette
différence est que les Français en 1789 établissent la Déclaration des droits avant
la Constitution, alors qu'en 1787, les Américains élaborent la Constitution
nationale, mais oublient, volontairement, le *Bill of Rights* » (« États-Unis : l'État
tentaculaire, irrésistiblement inefficace », *in* Noëlle BURGI, éd., *Fractures de l'État-
Nation*, Paris, Kimé, 1944, p. 94).
Le constat convainc tant en ce qui concerne la divergence et la prégnance des
situations initiales qu'en ce qui concerne la convergence des trajectoires sur la
longue durée. Il manque toutefois à Marie-France Toinet d'entrer dans les conséquences qui en résultent quant à la forme des processus fondateurs et quant au
style de chacun des parcours. Quelle idée de la liberté individuelle s'ensuit il

D'où, aussi, pendant longtemps, le modeste rayonnement du modèle qu'ils ont produit en regard des promesses de puissance sociale inscrites dans le modèle français. Reste que, sur la durée, ce sont les Américains qui se sont avérés avoir raison, du point de vue même des objectifs visés par les Français. C'est ce modèle conçu en vue d'autres priorités qui s'est imposé en pratique comme le plus apte à donner au moins un commencement d'expression à la prise souveraine de la collectivité sur elle-même. Il aurait pu succomber sous le coup de l'intégration de cette exigence, telle qu'elle s'est épanouie à l'ère des masses ; il s'y est révélé au contraire éminemment adapté. C'est cette capacité d'accueil qui fait son actualité. On peut, il est vrai, s'y tromper, de par la conjoncture dans laquelle s'effectue cette « revanche de Montesquieu sur Rousseau », comme disent un peu vite nos augures, conjoncture marquée par la consécration de l'indépendance individuelle sous tous ses aspects et par l'éclipse de cette revendication de puissance collective que la Révolution française avait fait pas-

---

pour les Français, dès lors qu'elle est conçue de l'intérieur de l'État et en fonction de sa conquête – vraie raison de la place inaugurale attribuée à la Déclaration ? Quel idéal de la politique peut-il en découler ? De cette appropriation de l'État sous le signe de la liberté naît presque fatalement une valorisation unilatérale de la participation à la puissance publique, comme une image de celle-ci étroitement assujettie à la vision inclusive de la citoyenneté. D'où la difficulté à garantir les libertés individuelles initialement proclamées. Car le problème n'est pas que ces droits soient « abstraits », comme Marie-France Toinet m'en impute la thèse – ils le sont ni plus ni moins que les droits allégués par les Américains –, il est que l'emploi dans lequel ils sont mobilisés empêche de leur donner une consistance défensive à part de leur inscription politique affirmative. Chez les Américains, à l'opposé, la construction de la puissance publique en extériorité par rapport au domaine des libertés acquises interdit d'abord de perdre celles-ci de vue – elles doivent rester le socle intangible –, tout en autorisant, ensuite, une certaine indépendance du raisonnement politique proprement dit vis-à-vis de leurs exigences – elles sont le but à atteindre ou à respecter, pas le patron sur lequel se coucher à tous les instants. Indépendance où peut se loger une défiance de principe à l'endroit des empiétements ou du débordement des pouvoirs que la visée d'une maximisation de la part du citoyen dans le souverain écarte par principe. Indépendance qui donne son vrai sens à l' « oubli » du *Bill of Rights* dans un premier temps et à sa récupération limitative dans un second temps. Chaque tradition, autrement dit, est commandée par ce qu'elle possède dans la recherche de ce qu'elle n'a pas, avec des effets diamétralement différents quant aux conditions dans lesquelles chacune de ces quêtes sous contrainte est susceptible de se dérouler. Tirer ce prolongement de son hypothèse eût épargné à Marie-France Toinet une inutile diatribe contre une interprétation dont elle est en réalité fort proche.

ser des livres dans le monde. Mais il ne s'agit que d'une conjoncture, et il faut savoir regarder au-delà d'une éclipse, même durable : la pleine possession de soi du corps politique est l'horizon constitutif des démocraties. En quoi Rousseau, en tant que le penseur par excellence de la constitution de la communauté des individus en *sujet* dans l'élément de la souveraineté, est destiné à demeurer à jamais leur prophète. Tôt ou tard, on en verra reparaître l'exigence ouverte. Simplement, il lui faudra emprunter d'autres canaux que ceux dans lesquels elle s'est une première fois coulée, en 1789, sous le patronage de Rousseau. Ceux-là mêmes pour lesquels les Américains ont opté, dans les pas de Montesquieu, ces canaux si longtemps soupçonnés, et pas entièrement à tort, d'être conçus pour différer ou diluer le gouvernement du peuple par le peuple. C'est de là, pourtant, que devra repartir tout projet d'approfondissement de la démocratie, de l'enregistrement et de l'élucidation de ce détour paradoxal qui fait que le *moins* américain est le vecteur obligé du *plus* à la française. Penser la démocratie aujourd'hui, c'est devoir penser la *convergence* des deux révolutions de la fin du XVIIIᵉ siècle. C'est, autrement dit, devoir affronter la question de savoir comment s'opère l'articulation de cet horizon final que représente la puissance de la collectivité sur elle-même, expression suprême de la puissance primordiale attachée aux individus, avec la pratique d'un régime à base de limitation des pouvoirs les uns par les autres. L'avenir de la démocratie, si étrange ou hérétique que l'idée puisse paraître, est dans l'association de Montesquieu et de Rousseau, dans l'hybridation qui achèvera de faire entrer l'absolu de la souveraineté dans les prudentes institutions de la liberté.

La voie royale pour entrer dans l'analyse de cette improbable conjonction est la voie historique. Le devenir politique français depuis deux siècles en offre le cas d'école : l'implantation de la démocratie contre les démocrates mêmes, contre les valeurs, les préjugés et les conceptions des héritiers républicains de la Révolution, y compris lorsqu'elle s'est accomplie au travers de leur action. C'est là le véritable classicisme de l'histoire de France : il ne réside pas dans son rôle à l'avant-garde des révolutions, comme le voulait Marx ; il tient à la difficulté exemplaire que la démocratie – le gouvernement représentatif à base de droit des individus – y a rencontrée pour trouver une forme fonctionnelle et pacifiée. Difficulté exemplaire, parce que difficulté liée à des motifs fondamentaux de doctrine. C'est cette lutte d'accommodation entre les principes et la pratique, entre le travail de refoulement et le retour du refoulé qu'il s'agit de scruter : elle recèle les secrets de la synthèse problématique dont notre monde est fait. L'expérience révolutionnaire ne constitue pas seulement en la matière le moment matriciel où se fixent les conceptions et les formes politiques destinées à dominer pour longtemps les âmes et les événements [1]. Elle est également un moment unique de réflexion de cette tradition en train de coaguler comme tradition sur elle-même et sur ses impasses. Un moment de réflexion qui reste largement à redécouvrir : il a été négligé aussi bien par une historiographie célébratrice occupée de ses seuls grands hommes, Robespierre, Saint-Just ou Babeuf, que par une historiographie dénonciatrice portée à ne voir là qu'utopie bavarde et vaines élucubrations. Or c'est peut-être la dimension la plus originale de ces années que la façon dont l'expérience de pensée s'entrelace à l'expérience politique, et pas qu'au titre d'un impénitent besoin de théoriser, tout autant au titre de la capacité critique. Rien de ce qui a été édicté ou édifié qui n'ait été dûment justifié, mais aussi âprement discuté, contradictoirement disséqué. Il est possible à toutes les étapes de reconstituer par l'intérieur les motifs qui ont fait prévaloir la dictature des principes face aux objections formulées au nom du praticable. Car celles-ci n'ont jamais manqué. Pas une de ces pierres d'achoppement qui nous sont devenues flagrantes à la lumière de l'expérience ultérieure, pas une des contradictions ou des irréalités de la vision politique dominante dans ses versions successives qui n'ait été sentie et signalée sur l'heure, souvent avec une admirable pénétration,

---

1. Pour l'analyse de l'effet de répertoire et de répétition des différentes phases révolutionnaires durant le XIXᵉ siècle français, cf. François FURET, « La Révolution dans l'imaginaire politique français », *Le Débat*, nᵒ 26, septembre 1983, et *La Révolution, 1770-1880*, Paris, Hachette, 1989.

par d'éminents ou obscurs protagonistes et témoins. De sorte que ce corpus océanique nous offre, pour peu qu'on entreprenne sérieusement de l'explorer, un point d'appui inestimable pour mettre en perspective le processus complexe au fil duquel le régime représentatif est tant bien que mal parvenu à exorciser ses démons doctrinaires d'origine. Ce qui s'est produit et vérifié *depuis* a été aperçu et pensé en quelque manière *alors*. Nous pouvons étayer l'analyse du déploiement démocratique, tel qu'il s'est effectué au rebours des principes révolutionnaires, sur les diagnostics et les propositions des contemporains mêmes de la Révolution.

Soit l'exemple du pouvoir exécutif. Les révolutionnaires, comme on sait, pour des raisons où la force des circonstances rejoint le poids de l'héritage, donnent de la suprématie généralement admise du pouvoir législatif une version particulièrement radicale, tendant à confiner l'exécutif, conformément à sa dénomination, dans une fonction strictement subordonnée d'exécution et d'application des lois. Doctrine qui a la rigueur du raisonnement pour elle et qui formera très durablement l'une des pierres angulaires de la tradition républicaine. Or la faille fondamentale de l'idée, du point de vue même des exigences du gouvernement par représentation, a été impeccablement diagnostiquée d'entrée de jeu par celui qui demeure le grand méconnu parmi les interprètes immédiats de l'événement : Necker [1]. La suite des temps a amplement confirmé les vues qu'il exposait avec une belle lucidité dès 1792. La stabilisation des régimes représentatifs est, en effet, passée pour un de ses moments principaux par le rehaussement et l'élévation à la prééminence de la fonction exécutive. Le phénomène reste pour l'essentiel à penser. Faire la théorie de la démocratie aujourd'hui, c'est expliquer en quoi ce pouvoir de décision et d'action est au moins autant,

1. Outre l'ouvrage d'ensemble d'Henry GRANGE, *Les Idées de Necker*, Paris, Klincksieck, 1974, je me permets de renvoyer à mon article « Necker », du *Dictionnaire critique de la Révolution française, op. cit.* Significativement, il est rangé dans la rubrique « Acteurs », en dépit de sa focalisation presque exclusive sur les écrits que l'auteur a consacrés à la lecture critique de la politique révolutionnaire, après sa sortie de fonctions : le ministre malheureux n'a pas été jugé digne de figurer dans la rubrique « Interprètes et historiens ».

sinon plus, « représentatif », *par sa nature même*, que le pouvoir d'expression de la volonté générale qui se matérialise dans l'édiction des lois. Davantage, il faut éclaircir pourquoi il l'est dans son aspect le plus choquant au regard de l'impersonnalité de la loi, de sa généralité anonyme, tant célébrée par les révolutionnaires pour ses vertus libératrices : son aspect *personnifié*. En quoi le *vide* du pouvoir qui résulte de son caractère de délégation exige-t-il néanmoins son *identification* dans un individu ? Voilà le genre d'énigmes auxquelles il suffit de se frotter pour mesurer combien peu nous savons ce que c'est en vérité que la « représentation ». On ne s'en dépêtre pas en se contentant d'opposer les nécessités restrictives du réel aux revendications de l'idéal. C'est de tout autre chose qu'il s'agit : les restrictions du réel sont, en l'occurrence, le véhicule des revendications de l'idéal. L'anonymat du pouvoir, tel qu'il découle de la réfraction du collectif en son lieu, demande, pour être senti et reconnu, sa ferme association à une personne, aux antipodes de la figure acéphale cultivée par la Révolution dans son effort pour dominer la figure royale (mais conformément à l'intuition pénétrante de quelques observateurs d'alors). C'est ce type de confrontations entre la logique des principes de droit et la logique intrinsèque du politique que nous avons à démêler si nous voulons élever la pratique démocratique à son concept. La scène révolutionnaire nous offre, en sus du spectacle de cette tension à son maximum de clarté, le concours d'un labeur souvent remarquable pour la penser. En quoi le détour par le passé pourrait se révéler, une fois encore, le plus court chemin pour entrer dans le présent.

C'est un autre aspect du même problème de la représentation que voudrait mettre en relief la présente étude. La vision de la suprématie absolue du législatif qu'on a précédemment soulignée entraîne avec elle deux conséquences. D'abord, la concentration de cette puissance suprême dans une assemblée unique, comme la seule forme appropriée pour mettre en œuvre une souveraineté essentiellement indivisible. Ensuite, la réduction tendancielle du pouvoir judiciaire au rang de simple branche de l'exécutif, celle chargée de veiller, au sens strict, à l'*application* des lois, de sorte que les pouvoirs véritables se ramènent à deux. Comme dira Mirabeau, répercutant une solide vulgate, « deux pouvoirs sont nécessaires à l'existence et aux fonctions du corps politique : celui de vouloir et celui d'agir » [1]. Encore ces deux pouvoirs sont-ils dans une relation telle que l'action se borne à faire matériellement prévaloir les règles définies par la volonté. Or pareille organisation, supposée, dans sa simplicité et sa rigueur, traduire avec la plus grande fidélité possible l'idéal du gouvernement de la Nation par elle-même, va s'avérer le trahir en tous points. Par ses défaillances fonctionnelles, pour commencer, qu'il s'agisse de la bonne marche de l'établissement politique ou de la garantie des droits des citoyens. Mais, beaucoup plus profondément, par son impuissance à donner forme à cette prise du corps politique sur lui-même, qui fait le vrai fond de la « souveraineté du peuple ». Cette vision dominante de la nature et de l'articulation des pouvoirs va se révéler foncièrement méconnaître les exigences d'une bonne représentation. Elle passe à côté de ce que représenter veut dire ; elle ignore ce qui est à représenter et les voies par lesquelles le faire passer.

Le problème a été très tôt aperçu dans la Révolution. Dès au moment de la discussion sur le veto royal, début septembre 1789, il se trouve un certain nombre d'acteurs et d'observateurs pour formuler à ce propos des interrogations et des suggestions qui ne cesseront plus de courir et de travailler jusqu'à la constitution de l'an VIII. Chaque moment de crise et de redéfinition institutionnelle, en 1791, en 1793, en 1795, en 1797, les ramène et les amplifie. La préoccupation des auteurs s'exprime en particulier dans la recherche de mécanismes ou d'instances destinés à compléter ce dispositif des deux pou-

---

1. Discours sur le droit de veto, 1ᵉʳ septembre 1789, *Archives parlementaires*, 1ʳᵉ série, t. VIII, p. 538 (également dans *Les Orateurs de la Révolution française*, François FURET et Ran HALÉVI, éd., Paris, Gallimard, 1989, p. 674). Mirabeau ne fait, bien sûr, que reprendre l'analyse du « gouvernement en général » proposée par le *Contrat social* : « Toute action libre a deux causes qui concourent à la produire, l'une morale, savoir la volonté qui détermine l'acte, l'autre physique, savoir la puissance qui l'exécute [...] Le corps politique a les mêmes mobiles ; on y distingue de même la force et la volonté ; celle-ci sous le nom de *puissance législative*, l'autre sous le nom de *puissance exécutive* », Jean-Jacques ROUSSEAU, *Œuvres complètes*, Paris, Gallimard, 1964, t. III, p. 395.

voirs hiérarchisés dont ils discernent l'insuffisance. Il faut un troisième pouvoir (voire un quatrième, pour ceux qui continuent d'admettre la tripartition classique, car nul n'attend du judiciaire, dans tous les cas, qu'il puisse remplir cette carence), pour que le système des institutions se boucle sur lui-même et fonctionne de manière efficiente et harmonieuse. C'est la série de ces propositions qu'on entreprendra d'examiner.

Cette quête d'un hypothétique ou problématique pouvoir supplémentaire ne constitue, certes, qu'un courant minoritaire au sein de la réflexion révolutionnaire, même s'il lui est arrivé d'avoir des porte-parole illustres, comme Sieyès en l'an III, même si elle a fini par trouver un débouché officiel dans le Sénat de l'an VIII [1]. Elle n'en ouvre pas moins, en son insistance marginale, sur ce qui a formé le cœur de l'expérience de l'impossible qui se déploie et se répète, sous différents visages, de 1789 à 1799 ; elle éclaire par contraste, audelà, le principe des dispositions qui ont rendu possible le dépassement de la faillite initiale. Au travers de ces tentatives monotones en leurs tâtonnements pour concevoir un agencement des pouvoirs qui assurerait leur fidélité représentative, c'est une part de la vérité cachée de nos institutions qu'il nous est donné d'entrevoir. Il faut, en effet, une tierce instance, en plus du « vouloir » et de l' « agir », pour obtenir cette réflexivité collective, cette lisibilité de la société pour elle-même, cette figurabilité de sa capacité d'action sur elle-même en lesquelles consiste l'essence ultime du processus démocratique. C'est autour de cette dimension insaisissable et décisive que tournent obstinément nos faiseurs et rapetasseurs de constitutions, essaiera-t-on de montrer. Elle charge leurs constructions utopiques-critiques d'une portée prophétique.

1. C'est d'ailleurs à partir de la recherche des antécédents de la jurie constitutionnelle de Sieyès que l'existence de ce courant a été quelquefois entrevue. C'est notamment le cas de Paul BASTID dans son *Sieyès* (Paris, Hachette, 1939) qui signale un certain nombre des auteurs que nous aurons à considérer. Je serai plus systématique dans l'exhumation, sans pouvoir prétendre à l'exhaustivité.

L'ESSENCE REPRÉSENTATIVE
DE LA DÉMOCRATIE

Logique d'un parcours

Comment peut-il se faire que des propositions destinées à corriger ce que la politique révolutionnaire avait d'impraticable ou d'irréel se retrouvent en consonance avec les préoccupations dont l'organisation des pouvoirs est aujourd'hui l'objet, dans des démocraties puissamment enracinées ?

C'est à cette question que le présent chapitre s'efforce de répondre. Élucider les conditions qui président à cet improbable dialogue suppose de retracer le parcours du régime représentatif sur deux siècles. Il s'agit de montrer, d'un côté, comment ce que l'ambition et l'impasse révolutionnaire font apparaître par contraste a été au cœur du déploiement effectif des démocraties dans la durée. Il s'agit de montrer, de l'autre côté, comment les évolutions actuelles du fonctionnement de nos régimes ramènent avec elles des interrogations quant aux véritables raisons d'être de leur architecture institutionnelle qui nous renvoient, loin en arrière, aux réflexions sur les voies de la souveraineté populaire et sur la nature de la représentation suscitées, voici deux siècles, par l'impuissance à la maîtriser.

L'exécution d'un tel programme tient forcément de la gageure. Même resserré à l'essentiel, l'exposé de l'argument exige une étendue qui, toute insuffisante qu'elle doive demeurer, n'en risque pas moins de rompre le fil de l'enquête et d'installer un livre dans le livre. Dans l'autre sens, l'extrême concentration du propos menace de le rendre inutile à force d'aridité.

En dépit des périls criants de l'entreprise, je n'ai pas cru pouvoir en faire l'économie. Par souci de rigueur, d'abord, car une

chose est d'admettre en général que « toute histoire est contempo-
raine », autre chose est d'éclaircir, sur un cas précis, le double
mouvement qui nous rend le passé lisible et qui redonne vie à la
voix des morts dans le présent. Mais aussi, et surtout, en raison de
l'enjeu attaché à cet aller et retour, pour l'accès privilégié à
l'essence du phénomène démocratique qu'il nous ouvre. Le chemin
est difficile, mais nous n'en avons pas de meilleur pour saisir par
quels canaux l'intrication de la souveraineté du peuple et de la
représentation, ces termes que Rousseau jugeait antinomiques et
que les révolutionnaires ont essayé de marier sans y parvenir, a
fini par devenir l'âme de la politique selon les droits de l'individu.
   Je précise toutefois que la lecture du chapitre n'est aucunement
indispensable à la démonstration historique proprement dite. Le
lecteur prioritairement occupé de pensée politique aura intérêt à
aborder celle-ci après avoir traversé des considérations qui en
définissent l'horizon spéculatif. Le lecteur d'abord curieux de la
Révolution française pourra les enjamber pour n'y revenir
qu'après coup.

   Qui ne l'accorderait aujourd'hui ? La démocratie est expérience et histoire ; elle se déploie et se métamorphose dans le
temps ; elle se révèle et se renouvelle au fil d'un tâtonnement
qui ne cesse d'en infléchir les voies et d'en enrichir les formes.
Il y a loin de la République parlementaire façon 1880 à la
démocratie des partis des années 1960, avec son couronnement par un « principat » et son arrière-fond d'État-
providence [1]. Encore ce modèle s'éloigne-t-il à son tour, sup-
planté qu'il est par une configuration inédite où l'opinion
acquiert le premier rang, tandis que s'affirme parallèlement le
rôle du juge [2].

   1. La notion de « principat » est reprise de Bertrand DE JOUVENEL, l'un des
premiers à avoir discerné la signification et la portée des phénomènes de personnalisation du pouvoir au cours des années 1960. Cf. *Du Principat et autres*
réflexions politiques, Paris, Hachette, 1972.
   2. De ces transformations, Bernard MANIN a donné un tableau aussi perspi-
cace que fermement dessiné, axé pour l'essentiel sur les élections, dans une étude
de 1991, « Métamorphoses du gouvernement représentatif », maintenant reprise
dans son livre : *Principes du gouvernement représentatif*, Paris, Calmann-Lévy,
1995. L'image esquissée ici voudrait embrasser plus large, à la fois dans la description du présent et dans la perspective historique.

L'interprétation paraît s'imposer d'elle-même : cette mutation continue relève tout simplement du travail d'adaptation exigé par les apports et les défis imprévisibles du devenir. Imprévisible, ainsi, au regard de la philosophie des droits de l'homme et des pensées classiques de la liberté, le séisme de la révolution industrielle et la fracture béante qu'il ouvre au beau milieu du XIXᵉ siècle. Pour plus d'un siècle, le prolétariat qui en surgit et la question sociale qui en résulte feront figure de corps étrangers inassimilables par les principes libéraux. L'intégration l'emportera, pour finir, sur la perspective de la rupture révolutionnaire. Mais la résorption de la sécession ouvrière par le système politique et le traitement de la question sociale par le montage d'une machine à redistribuer auront appelé des changements fondamentaux tant du mécanisme représentatif lui-même que du mode d'administration des affaires collectives.

Tout aussi inattendues, les données techniques et culturelles qui sont venues bousculer, dans la période récente, les équilibres qui s'étaient tant bien que mal établis autour de la compétition des partis dans un système de représentation des forces sociales. L'éclatante réussite de la formule depuis 1945 n'a pas peu contribué, du reste, à modifier de l'intérieur les termes du problème. Prospérité matérielle et pacification politique ont conjugué leurs effets pour libérer une puissante dynamique d'individualisation. Au rebours de la mobilisation collective de la phase précédente, ce sont l'érosion des appartenances, la distanciation vis-à-vis des encadrements de tous ordres, de parti ou d'Église, de classe ou de conviction, qui sont devenues les phénomènes moteurs. Elles ont conféré un relief nouveau à la vieille figure indifférenciée de l'*opinion,* cette voix anonyme et toute-puissante à laquelle tous concourent sans que personne puisse s'en prétendre le dépositaire ou l'incarnateur (ce qui en fait une figure éminente de la *généralité* démocratique). Cette consistance renouvelée eût pu rester sans conséquences majeures si elle n'avait trouvé entre-temps, avec le sondage, sa technique d'objectivation et de mesure. Encore les effets de ce premier levier seraient-ils restés limités sans le formidable amplificateur introduit par la télévision. Sur la base des pouvoirs de l'image s'établit une société d'information prêtant corps à cet insaisissable partenaire avec lequel les acteurs politiques se voient contraints de chercher un lien direct. Toute l'organisation du suffrage s'en trouve changée et, au-delà d'elle, toute la relation entre gouvernants et gouvernés. Autres développements qu'on n'escomptait pas, le triomphe de l'État protecteur et de l'État organisateur a modifié du dedans à la fois la demande de protection et la demande d'organisation. La réconciliation des masses avec les valeurs fondatrices de l'univers démocratique assurée par la reconnaissance des droits sociaux s'est prolongée dans une reviviscence du souci des libertés individuelles. L'État de droit succède à l'État-providence comme horizon normatif. De l'équité entre groupes, la priorité passe à la défense de la personne contre les abus de la puissance publique ou les empiétements de la majorité, défense dont le juge s'impose comme le bras armé naturel. Dans le même temps, d'autre part, le haut degré de cohésion produit par une rationalisation administrative sans précédent a fait resurgir l'idéal d'une régulation automatique des phénomènes sociaux. L'État garant l'emporte sur l'État gestionnaire et planificateur, prenant directement en charge la conduite des affaires collectives. Il lui est enjoint de se cantonner dans une fonction d'arbitre ultime, au sein d'un espace polycentrique où chaque domaine s'ordonne de lui-même, selon son propre système de normes, moyennant une création permanente de droit dont le juge, de nouveau, est l'instrument tout désigné. Les réquisitions du fonctionnement social rejoignent de la sorte l'évolution des idéaux civiques pour conférer au pouvoir judiciaire une éminence qu'il n'avait jamais possédée [1].

Les leçons du parcours ne semblent pas laisser de place au doute. Nos régimes sont entraînés dans un travail de remodelage constant auquel conspirent les facteurs les plus variés, depuis les incidences incontrôlables de l'innovation matérielle

---

1. Philippe RAYNAUD a vigoureusement mis en lumière la signification et la portée de cette promotion de la figure du juge dans deux études, « Le juge, la politique et la philosophie », *La Pensée politique,* n° 1, 1993, et « Le juge et la communauté », *Le Débat,* n° 74, mars-avril 1993 (avec les commentaires de Pierre AVRIL, Pierre BOURETZ, Olivier CAYLA et Jacques LENOBLE).

jusqu'aux suites des tendances lourdes de notre monde, non moins surprenantes dans leurs expressions pour être bien identifiées dans leur ressort. L'invariable nécessité des principes fondateurs se borne à définir un cadre formel à l'intérieur duquel la substance du processus politique s'informe et se transforme selon la contingence.

L'analyse est juste, mais elle est insuffisante. Il se joue autre chose dans cette trajectoire, et c'est cet autre chose que le matériel exhumé ici est susceptible de nous aider à penser. Au milieu de cette sédimentation aléatoire, il y va *aussi* du dépli d'un principe, de l'explicitation et de la matérialisation progressives d'une *loi de composition* de nos régimes. La veine singulière de la réflexion révolutionnaire qu'on se propose de suivre a pour propriété remarquable d'en éclairer la teneur.

Elle jette une vive lumière, en effet, sur la raison d'être de dispositifs qui se sont imposés un peu partout au cours des dernières décennies, comme les cours constitutionnelles, sans qu'on se soit beaucoup préoccupé d'en justifier l'existence en théorie. Elle donne à comprendre que de tels mécanismes, loin de se réduire à de tardifs surgeons d'un perfectionnement empirique de l'ordre juridique des démocraties, relèvent de l'essence même du système représentatif, dont elle oblige à reconsidérer la nature et les voies. Cette capacité prémonitoire est sans mystère. Elle s'explique fort bien par la situation qui est celle des esprits dont nous avons à considérer la pensée durant les années 1789-1799. Ils sont aux prises avec un effort unique pour mettre en œuvre, sous divers visages, l'idéal d'une pleine possession de soi du corps politique. Ils ont pour cible commune les impasses de la double doctrine de l'unité des pouvoirs et de l'identification du pouvoir au peuple par laquelle cette tentative passe en pratique. Pareille fin exige de tout autres moyens, font-ils valoir. Car l'originalité de leur démarche critique est de reprendre l'objectif à leur compte, au lieu de simplement en dénoncer l'utopie. Ils n'opposent pas une vue pragmatique des conditions d'un gouvernement libre à la politique selon les principes : ils se situent eux aussi sur le terrain des principes. Ils se tiennent dans la tension entre les réquisitions de l'idéal et les contraintes du praticable. Cela les conduit à développer une philosophie alternative du régime représentatif, insistant, en rupture avec la pensée dominante, sur la fonction que remplit la représentation dans cette saisie de soi du corps politique, une représentation conçue comme mise à distance, comme séparation, et requérant à ce titre la pluralité des pouvoirs comme sa condition. Pluralité des pouvoirs qui suppose elle-même comme sa clé de voûte l'existence d'un pouvoir tiers d'une nature très spéciale, que de fortes et contradictoires contraintes de définition enferment dans le rôle de gardien de la constitution. C'est de l'intérieur d'un réexamen en règle des voies de la souveraineté, à l'épreuve des apories de la politique de l'Un, qu'on en arrive à l'idée d'un pouvoir sur les autres pouvoirs, pouvoir qui n'a de sens que comme garantie des pouvoirs du peuple, et qui ne peut consister que dans un pouvoir de juger. Ce que nous sommes tentés de prendre aujourd'hui pour un dispositif purement technique se découvre participer, dans la lumière de cette réflexion inaugurale, d'une organisation d'ensemble du processus représentatif. Ainsi la vérité informulée de notre monde, par un de ces retours en spirale chers à Michelet, nous arrive-t-elle d'un passé oublié.

Car, pendant longtemps, l'intime accointance de cette réflexion critique avec l'utopie à laquelle elle s'oppose l'a repoussée dans le même Panthéon, peu fréquenté, des pensées à la fois sublimes et sans suite. Mais force est de constater que ce qui semblait relever d'une spéculation à jamais désincarnée s'est réalisé sous nos yeux. Les derniers développements du mode de fonctionnement démocratique nous ramènent à ces calculs d'origine et nous en font mesurer la portée anticipatrice. Ils nous révèlent que la concomitance entre la promotion du juge et l'empire de l'opinion, loin de procéder du hasard, obéit à une formule raisonnée. Du même coup, c'est tout le cheminement qui a mené à ces ultimes raffinements qui prend une autre couleur. Dans sa longue marche à l'enracinement, le régime représentatif semblait avoir résolument et définitivement tourné le dos à l'inspiration initiale des révolutionnaires. En réalité, il s'agissait là aussi de la poursuite du même objectif par des moyens opposés, moyens dont les derniers en date nous renvoient aux premiers auxquels on avait songé, dans le temps même de la Révolution. C'est que si, depuis deux siècles, le déploiement de la démocratie est celui des vecteurs et des voies de cette prise sur soi et de cette disposition du soi du corps politique que la Révolution pose comme son suprême impératif et dont elle manque de bout en bout la concrétisation, il a fallu la lente accumulation de beaucoup de préalables avant d'en arriver à ces parachèvements dont la notion avait été posée d'entrée. La pression explicite et directe du but avait obligé à les définir tout de suite, indépendamment de toute perspective de praticabilité. Dans la réalité, le parcours a suivi l'ordre inverse : on a commencé par les conditions de viabilité et les impératifs élémentaires du fonctionnement politique, pour tardivement en venir à ces raffinements institutionnels, dans l'entier oubli, d'ailleurs, des conjectures d'origine quant à leur nécessité. Mais maintenant que la boucle est bouclée, que l'ensemble des composantes est en place, nous sommes en mesure à la fois de rendre à ces propositions leur signification primitive et de retracer la gestation qui a fini par conduire à en retrouver la portée prédictive.

LES TROIS PHASES DE LA DÉMOCRATIE

Comprise sous cet angle, l'histoire de la démocratie représentative – je reviendrai sur l'accouplement des deux termes – se laisse découper en trois moments.

Le premier d'entre eux correspond à ce que j'appellerai la victoire du principe de pluralité, faute d'une meilleure notion englobante. La religion française de l'unité lui a conféré un relief plus saillant qu'ailleurs dans l'histoire de ce pays, mais le phénomène est général, car il ne faudrait pas surestimer la tolérance des Fondateurs américains à l'égard des « factions », non plus que l'importance du partage anglais entre Whigs et Tories. Elles rendent simplement plus aisée l'évolution vers la consécration en bonne et due forme du clivage partisan, mais la vérité est que celui-ci ne s'impose pleinement, et de manière assez remarquablement synchrone, que dans les années 1820. C'est de 1826 que date au Royaume-Uni la formule de reconnaissance de l' « opposition de sa Majesté ». Les campagnes présidentielles de 1824 et de 1828 marquent une décantation décisive du système bi-partisan, aux États-Unis. Dans la France de la Première Restauration, au même moment, c'est sous le signe de l'affrontement symbolique entre l'Ancien Régime et la Révolution que cristallise l'opposition entre droite et gauche [1]. De concert avec la division partisane se trouve consacrée la différence représentative, l'existence d'une scène à part où la division politique du pays est faite pour être projetée et figurée, tandis que l'opinion garde la liberté de se manifester en dehors de la sphère de la décision politique. Dimension dont l'établissement a revêtu une portée particulièrement cruciale, en France, étant donné la prégnance de l'image identificatoire du pouvoir représentatif, que ce soit sous les traits bonapartistes de son incarnation plébiscitaire ou sous les traits révolutionnaires, tantôt de l'assemblée qui parle à la place du peuple, tantôt du peuple qui gouverne directement au travers de l'assemblée. Mais dimension dont la conquête forme partout le pivot de l'entrée dans l'ère contemporaine de la représentation. Le dégagement définitif de la figure du Premier ministre britannique, au lendemain de la réforme électorale de 1832, fournit de ce point de vue le repère le plus sûr. Chef du cabinet, désigné par le suffrage, responsable devant le Parlement par-dessus lequel il peut en appeler au peuple par la dissolution : se concrétise exemplairement autour de son rôle ce jeu des différences et des dissociations, dissociation du gouvernement et du roi, dissociation du gouvernement et du Parlement, dissociation du Parlement et du peuple, qui va désormais de plus en plus clairement constituer l'âme du processus représentatif.

---

1. Je reviens en conclusion sur la voie anglaise vers le clivage partisan, cf. plus loin pp. 260-264. Sur les États-Unis, cf. Richard HOFSTADTER, *The Idea of a Party System. The rise of legitimate opposition in the United States, 1780-1840*, Berkeley, University of California Press, 1969. Pour la France, je me permets de renvoyer à mon article « La droite et la gauche », dans *Les Lieux de mémoire*, t. III, *Les France*, vol. I, Paris, Gallimard, 1992.

Pluralité des forces en présence, donc, pluralité des lieux de l'espace politique, pluralité des organes politiques. À cet égard, de nouveau, il faut faire une place à part à l'expérience française : son monisme initial la fait revenir de loin. Sous couvert du maintien de la pure doctrine va s'insinuer peu à peu la reconnaissance en acte des nécessités qu'officiellement on réprouve. Il est vrai que la tentative malheureuse de 1848 pour faire droit à la consistance autonome de l'exécutif provoquera une crispation traumatique autour de la foi traditionnelle dans l'omnipotence de l'assemblée. Mais à défaut d'accorder l'indépendance au gouvernement, c'est le principe du bicamérisme qui va entrer dans les mœurs, du sein même de la prééminence parlementaire. La consolidation de la République après 1875 ne se conçoit pas sans le rôle de frein et de contrepoids qu'a rempli le Sénat. Il n'est pas jusqu'à l'idée d'un contrôle de la légalité des actes de cet organe souverain théoriquement infaillible en sa suprématie qui ne va faire lentement son chemin par le canal discret du Conseil d'État. La souveraineté du peuple entre irrésistiblement dans les faits, mais en tournant non moins invinciblement le dos à cette recherche d'unité, d'identité, de proximité du corps politique à lui-même dans tous ses instruments et dans toutes ses parties que les hommes de 1789 tenaient pour la condition impérative de son advenue. Comme si l'histoire leur infligeait un démenti complet tout en donnant corps à leurs plus chères espérances : la vérité des régimes qui substituent l'élection à l'hérédité, c'est, à n'en pas douter, la démultiplication des foyers du processus politique, la différenciation des instances, le jeu des écarts entre pouvoirs comme entre peuple et pouvoir. En réalité, il apparaît, un siècle après ces parages de 1900 où l'on pouvait croire la cause tranchée sans appel, que les choses sont sensiblement plus compliquées : écarts, différences ou dissociations sont au service de cette appréhension de soi qui semblait s'éloigner comme un inaccessible mirage. Ce sera la leçon finale d'un âge de fer où les démocraties auront à dompter une crise atteignant leurs fondements et dont de bons esprits purent croire un temps qu'elle leur serait fatale.

La victoire du principe de pluralité va déboucher, en effet, sur une tourmente majeure. Les prodromes de ce second moment courent et creusent dès les années 1880, mais ce sont les carnages de 1914-1918 qui vont en déchaîner la violence et le vertige. Tout se joue comme si l'on assistait à un passage à la limite de cette dynamique pluraliste ou de cette logique dissociative, jusqu'au point de paraître interdire quelque saisie d'ensemble que ce soit. D'où, devant cette menace d'un éclatement immaîtrisable, les tentatives hyperboliques pour retrouver l'un collectif qui se dérobe. Jusqu'alors, la poussée des différences s'effectuait dans le cadre d'une cohésion globale largement inquestionnée. La perspective change quand, à l'expression de la diversité des opinions, succède la manifestation d'intérêts inconciliables, quand, avec le parti ouvrier de masse, le spectre de la guerre des classes s'installe au foyer de la vie politique. N'était que cela. Mais, au même moment, l'élargissement des fonctions de l'État, à la fois appelé et redouté, fait surgir, au lieu et place de l'instrument d'exécution annoncé, l'autre spectre du monstre bureaucratique incontrôlable, en sa marche anonyme et en sa croissance aveugle. Par ailleurs, encore, la division du travail social atteint un degré critique qui tend à rendre indéchiffrable la coordination d'ensemble des activités. Et, parmi celles-ci, la réorganisation de l'économie, sous les traits de la grande entreprise dépendante du marché financier, confère à la prophétie de l'universelle soumission aux lois d'airain du capital un angoissant surcroît de crédibilité. Tandis que, dans le creuset de l'indifférenciation urbaine, l'individu achève de se désinscrire et de se délier, la communauté se délite en foule anomique. Autant de dérives grosses d'un péril de dislocation face auquel les régimes délibératifs semblent condamnés par leur incurable faiblesse.

C'est par rapport à ce défi multiforme que doit s'entendre la riposte totalitaire en son appel inouï à la force et à l'autorité. Le danger de la division et du chaos réactive la religion révolutionnaire de l'unité. Davantage, il la transporte jusque chez les héritiers de la Contre-Révolution. Alors que son idéal politique s'estompait, la volonté jacobine est appelée à une seconde vie par la société nouvellement advenue et par la dessaisie généralisée dont elle porte la hantise. Ce qu'il s'agit cette fois de surmonter, à quoi les hommes de 1793 ne pouvaient pas avoir songé, c'est l'impossibilité d'une maîtrise sensée de l'ensemble social, la perte de la cohérence et de la puissance collectives. Au-delà des luttes intestines, contre la soustraction de la machine étatique à la prise, contre l'anonymat de la domination administrative, intolérable lorsqu'elle embrasse tant de choses, contre la dispersion des êtres et la fermeture des sphères d'activité chacune sur elle-même, contre la dictature de la dynamique capitaliste et le règne de l'abstraction monétaire, il s'agit d'instaurer ou de restaurer une société pleinement au fait d'elle-même et dotée de la complète disposition d'elle-même. Une société qui, grâce au primat retrouvé du politique, grâce à l'organisation, grâce à la subordination de chacun à l'intérêt du tout et au chef qui le personnifie, grâce à la mobilisation générale des énergies, restitue à ses membres la certitude d'un monde lié et d'une destination commune. L'entreprise est susceptible de deux versions antagonistes, selon qu'elle emprunte à l'imaginaire de la tradition hiérarchique et de la nation charnelle, ou selon qu'elle se réclame de l'aboutissement eschatologique de l'histoire universelle et de la réconciliation de l'humanité avec elle-même. En réalité, elle est habitée par le passé lors même qu'elle se veut purement moderne ; au travers de cette fantasmagorique communion de la collectivité autour de son pouvoir et de ses raisons, elle renoue avec la forme ancienne des sociétés de religion. Et lorsqu'elle croit rompre avec la modernité démocratique au nom du sang, du sol et des maîtres, elle est infiltrée par ses valeurs ; à son corps défendant, ce sont elles qu'elle accueille et célèbre en exaltant la nation comme conjonction des volontés. Conservatrice ou progressiste, la révolution est contradictoire au plus intime d'elle-même, et c'est à ce foyer que s'alimente sa démesure.

Le miracle, le mot n'est pas trop fort, est que non seulement les démocraties aient survécu à ce formidable assaut sur deux fronts mais, surtout, qu'elles soient parvenues à remédier à leurs failles internes et à intégrer en les domptant les réquisitions de leurs adversaires. Car il n'y a pas à s'y tromper, le secret de cette troisième phase de leur histoire qui s'ouvre en 1945, phase de consolidation victorieuse, a résidé dans leur capacité à tirer la leçon des révolutions totalitaires. Moyennant l'adoption maîtrisée d'une série de dispositions destinées à répondre à cette exigence d'une prise sur l'ensemble que les dictatures totales entendaient comme l'absolue priorité, nos régimes ont réussi à rester libéraux et pluralistes tout en désamorçant ces conséquences de la liberté et de la pluralité qui semblaient devoir les vouer indéfiniment au refus radical.

Pas de réduction forcée à l'unité, pas de planification autoritaire ni d'embrigadement corporatiste, mais la construction d'un appareil de connaissance, de prévision et de pilotage de l'économie, d'une machine administrative à réduire l'opacité des acteurs les uns pour les autres, la complexité des évolutions spontanées ou l'anarchie des marchés, afin de faire rentrer la totalité de l'existence sociale dans l'horizon de l'intelligible et du maîtrisable. Grâce à la création de cet espace d'inter-déchiffrabilité, la différenciation des sphères d'activité a pu se déployer à une échelle inconnue jusqu'alors.

Pas de nation exclusive et vindicative, mais l'édification, au travers de l'État-providence, d'une puissante solidarité redistributive. Cohésion matérielle et pacifique dont l'incomparable force permet, par ailleurs, de laisser s'exprimer l'antagonisme de classe sans qu'il paraisse menacer l'existence même de la collectivité. Le renforcement consociatif du cadre national le fait apparaître, si virulent soit-il, comme destiné au compromis.

Pas de *Führerprinzip* ni d'égocratie, mais une forte personnalisation des exécutifs qui laisse la séparation et l'emprise de l'État s'affirmer tout en la mettant sous contrôle et en la balançant par un affermissement de la responsabilité politique. Plus de différence que jamais, donc, mais une différence dominée. S'il est une leçon de l'échec totalitaire, en effet, c'est celle-là : l'indivision communielle de la collectivité autour du pouvoir et de son chef, loin de rendre à ses membres le sentiment d'une maîtrise de leur destin, achève de les soumettre à un arbitraire incompréhensible. La sécession de l'État et son extériorité cognitive sont indispensables à la définition d'une prise possible sur l'ensemble social en tant qu'ensemble. Il faut en passer par elles. En même temps, elles font peser une menace sur cette unité du tout qu'elles rendent concevable. D'où le besoin de les équilibrer par une forte identification du pouvoir à un homme, avec le lien direct au citoyen qu'elle autorise et ce retournement rassurant de l'autorité personnelle contre l'anonymat bureaucratique auquel elle prête corps.

Le cas de figure est typique du complet renouvellement de la nature et de la signification du principe pluraliste qui s'est opéré en profondeur au cours de cette période de stabilisation de l'après-guerre. D'un pluralisme politique qui supposait la cohésion et l'identité collectives comme des données préalables et comme ses conditions d'expression, on est passé à un pluralisme élargi à la société tout entière et produisant la cohésion collective à partir de ce qui la met en péril. Cela en fonction de la logique paradoxale du lien social que la grande crise du premier XXe siècle a mis à nu et contraint d'assumer : le vecteur est contradictoire avec le but, l'unité passe par la division, la disposition de soi exige le détour de la soustraction à soi. De même qu'il n'est pas moyen de faire l'économie du risque de l'extériorisation de l'État, mais qu'il faut apprendre à le gouverner, de même il n'est pas possible de faire l'économie des discordes civiles et de l'opposition frontale entre démunis et privilégiés, dominants et dominés. Car c'est seulement en allant au bout de ce qui divise individus et groupes sur le juste et l'injuste de leurs positions et rétributions respectives que leur coexistence leur devient représentable et gouvernable dans ses enjeux d'ensemble. Pourquoi ? Vers où ? La saisie de l'être-ensemble s'opère par le conflit sur sa forme. Il s'agit seulement d'inscrire cet affrontement inévitable et salubre dans un cadre où la force de ce qui lie individus et groupes est suffisamment attestée pour que les antagonismes ne fassent que conférer un surcroît de nécessité au lien plutôt que de conspirer à le défaire. De même encore n'y a-t-il d'autre voie que de laisser faire la division du travail et la différenciation des sphères d'activité. Car ce n'est que de l'intérieur de ce mouvement de spécification, à la faveur de la tension entre local et global, que leur place singulière au sein d'un ordre d'ensemble devient déchiffrable et définissable pour les acteurs. La question est de produire les repères qui permettent de vérifier la compatibilité et la commensurabilité entre ces mondes d'expérience en démultiplication constante. Voilà comment l'idéal de maîtrise collective réinventé par les révolutions du XXe siècle, loin d'avoir été emporté dans la déroute des régimes totalitaires, est passé dans le fonctionnement des démocraties. Les totalitarismes l'avaient fourvoyé dans leur tragique échec. Les démocraties l'ont rendu apprivoisable et praticable. Elles ont montré le chemin dans lequel sa réalisation est envisageable, si elles ne l'ont intégralement réalisé. Ce qui le rend méconnaissable de prime abord tient au fait qu'il emprunte des voies qui se situent à l'opposé des canaux qu'imaginaient ses promoteurs initiaux. Ils redoutaient le danger que les partis faisaient courir à l'indispensable unanimité populaire ; c'est par l'antagonisme réglé des intérêts et des convictions que passe le dégagement de la volonté générale. Ils craignaient tout ce qui, dans la vie sociale, sépare, isole, dissout ; or ce sont le détour par le dehors et le passage par la scission qui s'avèrent aptes à produire ce qu'une fausse concorde et une proximité illusoire sont impuissantes à opérer. Surtout, ce qu'ils ne pouvaient imaginer, en leur idéal d'une pure citoyenneté au sein d'une communauté purement politique, c'est l'intrication du social et du politique au travers de laquelle s'est matérialisée cette puissance du collectif à l'égard de lui-même.

C'est cette incorporation massive du social dans le politique qui explique, d'ailleurs, la manière dont le système représentatif a trouvé son équilibre durant cette phase décisive de consolidation. Il repose centralement sur l'articulation entre un exécutif personnalisé et le conflit de classes institutionnalisé. L'ascension de l'exécutif à la prédominance répond à des motifs directement politiques. Elle est voulue comme un remède à l'impotence acéphale des régimes parlementaires. Mais elle correspond aussi à la prépondérance naturelle du pouvoir d'administration et d'action lorsque le processus démocratique met en branle la totalité du corps social, jusque dans le plus concret détail. Ce n'est plus la généralité de la loi qui fournit l'outil approprié d'une telle ressaisie de l'expérience collective dans son effectivité. Celle-ci suppose la décision singulière et la détermination d'objectifs spécifiques ; elle requiert la précision et la mobilité du règlement, la souplesse et l'adaptabilité de la norme. À ce déplacement de l'axe du pouvoir pour le mettre en mesure de répondre à ce que représenter veut dire lorsqu'il s'agit de la sorte tout à la fois d'embrasser l'ensemble et de descendre dans l'élémentaire correspond le centrage du processus politique sur l'antagonisme et le compromis de classe. Il assure la projection et la présence de la société dans la réalité nue de ses partages et la vérité matérielle des intérêts qui la composent au cœur de la décision politique, au cœur des arbitrages et des choix du souverain. On discerne la signification profonde qu'il convient d'accorder au fait que nos démocraties sont devenues sociales. Il n'est pas le résultat d'une évolution de hasard. Il renvoie aux modalités sous lesquelles a trouvé à s'incarner cette puissance d'intervention du corps collectif sur lui-même, cette puissance de production de lui-même que les hommes de 1789 ambitionnaient sur le terrain de la pure politique. L'État social, loin d'avoir entraîné le politique hors de son orbite, est le visage sous lequel l'idéal démocratique a commencé d'acquérir sa traduction opératoire. Il est en cela ce qu'il y a de plus politique dans nos régimes.

L'OPINION ET LE JUGE

Or, sur la base de cette stabilisation et à partir de son dispositif central, nous avons assisté, depuis les années 1970, à de nouveaux développements qui ont la particularité de nous ramener, eux, à la problématique explicite de la Révolution. Que ce soit au travers de la démocratie des partis ou de l'État social, on n'avait cessé jusque-là de s'écarter de son langage, de ses conceptions et, plus largement encore, du cercle du concevable pour ses acteurs. Avec le couple de l'opinion et du juge, on revient bizarrement à l'intérieur du cercle, on renoue avec des questions auxquelles les révolutionnaires se sont

ouvertement confrontés. Car tel est le nouvel équilibre qui
s'est peu à peu dessiné. À partir de l'articulation entre exécutif
personnalisé et conflit de classes institutionnalisé, on a vu se
dégager par différenciation, non tant pour s'y substituer que
pour la compléter, le duo inédit formé, d'un côté, par le pouvoir arbitral du juge et, de l'autre côté, par le pouvoir informel
de l'opinion.

Duo inédit dans sa concrétisation, mais pas inédit pour la
spéculation, puisqu'il est au centre des réflexions et propositions critiques suscitées par l'impuissance à mettre valablement en œuvre le principe représentatif durant la Révolution
française. Ce retour à l'inaugural pour tardivement le vérifier
comme, dans l'autre sens, la capacité d'anticipation de ces
réflexions inaugurales cessent d'être mystérieux si l'on veut
bien considérer que ces développements récents ont pour
fonction de compléter le système représentatif, et, oserait-on
dire, de le rendre véritablement d'ordre représentationnel.
Nous avions un appareil de prise en charge essentiellement
pragmatique, axé sur la connaissance et la transformation du
social. C'est à une double extériorisation que nous avons
assisté, avec l'affirmation de l'opinion comme instance globale, au-delà de la société concrète et de ses stratifications, et
avec l'élévation du juge comme pouvoir de dernier ressort, au-
delà de la tâche gestionnaire des pouvoirs de gouvernement.
L'opinion comme mise en images et en signes, comme mise
en représentation de l'indépendance de la société par rapport
aux pouvoirs. Le juge comme rappel de l'action publique à sa
règle, comme renvoi réflexif de l'action conduite au nom du
peuple aux principes par rapport auxquels elle prend sens. On
discerne ici comment les deux phénomènes se nouent. En
rappelant les gouvernants et les représentants à la limite de
droit de leurs entreprises et, par conséquent, à la source de
leurs pouvoirs, le juge donne à lire la distance qui les sépare
du collectif souverain d'où leur mandat émane. Il rend tangible l'écart entre les délégués et la puissance de délégation,
puissance dont la pesée de l'opinion constitue l'ombre portée
dans les intervalles du suffrage. En sens inverse, c'est parce
qu'il existe cette extériorité de l'opinion par rapport à la

sphère des pouvoirs que se trouve marquée la place d'un tiers-arbitre, fondé à juger les actes des pouvoirs au nom de cette puissance ultime que l'opinion n'incarne nullement, mais dont elle signale en permanence l'intervention virtuelle. La rencontre s'effectue assez naturellement, à partir de là, avec une problématique révolutionnaire née pourtant d'une tout autre préoccupation : celle des impasses où conduit l'idée d'une unité de pouvoir en acte, associant mystiquement le peuple en corps aux opérations du législatif, tandis que l'exécutif se borne à prolonger la réflexion du législateur dans le réel. Contre cette concentration illusoire où s'abolit toute possibilité de se donner une image de soi et de penser une action sur soi, la question de nos auteurs est en vérité celle des conditions auxquelles quelque chose comme un régime de représentation est possible. Non seulement, répondent-ils, il exige une authentique pluralité de pouvoirs, mais il suppose un pouvoir spécial, un pouvoir qu'on n'avait pas encore conçu, un pouvoir qu'on pourrait appeler séparateur, venant en tiers entre le législatif et l'exécutif pour garantir leur disjonction, mais venant en tiers aussi entre les pouvoirs et l'opinion. Ce n'est que moyennant cette triplicité bien particuli` `e que la représentation peut fonctionner. Car, et c'est le point capital, la représentation n'est pas qu'un mécanisme de transfert de la puissance du tout à un organe spécialisé. Elle est un processus de figuration du collectif aux yeux de ses acteurs et de figuration de la prise du collectif sur lui-même.

C'est très exactement cette dimension scénographique et symbolique de la représentation qui est en train de se réinventer devant nous. Nos régimes avaient laborieusement percé le secret de la saisie effective de l'ordre et du devenir social. Cela ne suffit pas. Au-delà de l'efficacité gestionnaire et transformatrice, il est indispensable que cette recherche de soi soit figurée, que cette puissance sur soi soit représentée. D'où cette sécession de l'opinion, avec le processus de réflexion qu'elle induit entre le pôle du pouvoir et le pôle de la société. D'où cette promotion du juge, avec la garantie d'un pouvoir sur les pouvoirs qu'elle introduit vis-à-vis du peuple souverain. Ainsi voyons-nous entrer dans les faits, au terme d'un parcours de deux siècles, ce qui avait été théorisé au commencement, en fonction d'une difficulté extrême à s'assurer de la formule représentative. Les parachèvements de celle-ci ne font pas que confirmer la leçon des errements initiaux : ils obligent, en outre, à reconsidérer ce que c'est au juste que la « représentation » dans le régime représentatif.

On n'a pas trop de peine à reconstituer les enchaînements qui ont précipité l'avènement de ce double contrôle – contrôle par en dessus et contrôle par en dessous, contrôle côté peuple et contrôle côté pouvoirs –, à partir de l'articulation antérieure entre peuple et pouvoirs. La personnalisation de l'exécutif a entraîné comme d'elle-même le contournement des implications partisanes, en mettant l'accent sur la reconnaissance dans des images aux dépens de l'adhésion à un programme, en faisant appel au rapport direct avec le citoyen individuel bien plutôt qu'à la solidarité d'un groupe, d'un milieu ou d'une classe. L'identification du gouvernement à un homme a littéralement suscité en face d'elle un interlocuteur nouveau, à la fois désigné pour être interpellé sans intermédiaire et formé de pures capacités individuelles d'opiner. Ce n'est certes pas que la figure de l'opinion constitue une nouveauté. Elle est de naissance une figure éminente du monde des individus : la figure idéale de l'ensemble qu'ils forment lorsque chacun n'y est regardé que dans l'isolement de sa faculté singulière de jugement. Elle est à ce titre depuis toujours un double inséparable de l'univers du suffrage. Ce qui est nouveau, c'est le rôle politique qu'elle a conquis, et ce qui est étonnant, c'est le retour à cette vérité native qui a accompagné sa métamorphose en un acteur civique qu'elle n'avait jamais vraiment été. Car il est frappant de constater que l'opinion telle qu'on la traque ou telle qu'on l'invoque aujourd'hui, ce n'est pas l'opinion qui se manifeste bruyamment, collectivement et solennellement sur la place publique ; c'est celle, latente, ou virtuelle, qui se cache dans la multitude ou se garde par-devers soi. C'est l'opinion générale, y compris celle des gens qui n'ont pas réellement d'opinion, et non pas l'opinion déterminée ou avancée des gens qui ont à cœur de peser sur la chose publique. C'est le désengagement, en un mot, que consacre cette opinion triomphante, qui retrouve, par sa double propriété d'extension à tous et de stricte réduction à ses composantes individuelles, la pureté la plus classique de la notion. Et c'est du côté de ce désengagement qu'il faut chercher le secret de sa puissance. On voit bien le support technique qu'elle a trouvé dans les transformations de l'appareil d'information, on comprend comment la redéfinition personnalisante des pouvoirs lui a ménagé un point d'application dans le système politique, mais les deux facteurs mis bout à bout ne suffisent pas à expliquer son ascension. Encore est-il indispensable pour ce faire de prendre en compte la dynamique culturelle qui l'a portée au sein d'une société jusqu'alors structurée par l'appartenance et l'adhésion. Ce que les citoyens ont si volontiers épousé dans cette intronisation-restauration de l'indépendance du for privé, c'est la promotion de la posture du spectateur ou de l'analyste au détriment de celle de l'acteur ou du militant. Il y aurait, par ailleurs, à montrer ici, car toutes choses se tiennent, comment ce glissement s'étaye sur la logique de décroyance, de distanciation et d'objectivation qui est cognitivement celle du *nouveau média-roi*, la télévision, indépendamment de sa force de pénétration. L'un des traits les plus remarquables du mécanisme représentatif, en effet, c'est de dédoubler le citoyen entre un rôle d'observateur et un rôle de protagoniste : il est un témoin de l'alchimie électorale à laquelle il participe. Le gouvernement des partis ne lui offrait que la partialité de l'engagement. Sans aucunement supprimer celle-ci, le gouvernement d'opinion lui offre, en outre, d'être pris en compte dans son retrait de spectateur. L'implication est relativisée au profit de la distance, qu'elle soit celle de l'impartialité, de la critique ou de l'indifférence, en même temps que la relation indépendante et directe aux gouvernants est valorisée aux dépens des médiations mobilisatrices.

La mise en scène de l'opinion complète, en réalité, le dispositif de la représentation sociale. Par un côté, elle apporte aux agents sociaux une seconde façon d'être citoyens, en tant que purs individus, à part des obligations que leur crée la société réelle et ses clivages contraignants. Par l'autre côté, en face d'un pouvoir que son mode de désignation rend fatalement partisan, elle dresse un pôle de jugement où c'est l'universalité anonyme des intérêts et des convictions du corps entier qui s'exprime. En regard des intervalles de la sanction électorale, elle prête consistance symbolique à la continuité du contrôle d'un suffrage virtuel. Par rapport à une formule de représentation qui privilégie la projection des forces sociales au lieu du pouvoir, l'opinion incarne la résurgence de la politique pure, sous les traits du citoyen isolé et d'une généralité collective irréductible au décompte des adhérents et des voix. De là l'irrépressible montée de sa légitimité, en dépit – ou à cause – de son caractère insaisissable.

L'élévation du juge dans l'ordre politique s'alimente aux mêmes sources. Elle aussi a été portée par l'affirmation de l'individu, sous l'aspect de la revendication de ses droits. Elle aussi est à situer dans la ligne des efforts pour dominer les dangers de la délégation dont l'assignation de la responsabilité gouvernementale à un dirigeant bien identifié a constitué une étape marquante. Du côté de l'individu, on ne saurait accorder trop d'importance aux évolutions internes du monde advenu avec l'État-providence. Elles sont loin de rendre compte de l'ensemble des phénomènes qui ont contribué à imposer un recours croissant aux voies juridiques, mais elles font ressortir avec une particulière netteté, sur un terrain stratégique, ce type de logique qui a conféré une nécessité nouvelle à la convocation d'un arbitre entre l'individu et l'État. C'est par sa réussite même que l'État protecteur s'est trouvé pris à son propre piège, en fonction des effets individualisants de sa logique collectiviste. Le projet de justice sociale et l'idéal d'une collectivité solidaire le font procéder, dans un premier temps, sans problème, par une redistribution administrative entre groupes et classes de revenus. Mais il va finir par se déclarer une tension entre la cible et les moyens. La cible, ce sont les personnes, auxquelles il s'agit de garantir autonomie et dignité contre les aléas de l'existence, qu'elles soient malades, infirmes ou âgées. À cet égard, les résultats vont passer toutes les espérances : on aura assisté à une institution de l'individu à une échelle jamais vue, à une émancipation par la protection dont la nature hautement paradoxale mériterait de retenir davantage. Pour la première fois dans l'histoire, une société, au travers d'un renforcement inouï des moyens de la puissance publique, a massivement travaillé à rendre ses membres indépendants, en les déliant de l'obligation de compter sur les autres. Avec pour résultat de modifier les principes de légitimation de l'entreprise aux yeux de ses bénéficiaires. Cet individu établi dans son indépendance grâce à la collectivisation des risques de dépendance en vient à regarder les créances qu'il tire sur le collectif comme autant de droits individuels et universels. La garantie sociale, de relative aux possibilités globales et de subordonnée à des appartenances et à des objectifs qu'elle était initialement, devient inconditionnelle. De là une situation inédite où l'individu se trouve fondé à en appeler contre la collectivité au nom de droits qui, en même temps, n'ont d'existence que par les moyens que la collectivité met à leur service. Il ne s'agit plus ici, comme dans le cas des droits-libertés, de protéger les prérogatives inaliénables de l'individu contre les empiétements de l'État : il s'agit d'obliger l'État à satisfaire aux demandes de l'individu. Ils ne s'opposent pas. Ils sont partenaires dans une relation contentieuse qui ne peut trouver son issue que dans un arbitrage indépendant en droit. Glissement exemplaire dont on retrouverait le principe, *mutatis mutandis*, à propos des difficultés de l'État organisateur, sollicité et récusé du même mouvement. C'est sous le poids de tensions analogues qu'il a été conduit à s'en remettre de plus en plus volontiers à l'autorité d'instances régulatrices indépendantes. D'une manière générale, c'est le besoin de libéralisation créé par le succès de l'étatisation qui provoque de partout l'appel à une médiation judiciaire, afin de gérer cette relation de dépendance complexe entre la puissance publique et des administrés qu'elle a fini par autonomiser en les encadrant. On n'avait certes pas attendu la dernière décennie, là non plus, comme dans le cas de l'opinion, pour découvrir l'éminente utilité du juge. Mais c'est à la faveur d'une configuration très spécifique, et dans un emploi bien déterminé, que son rôle dans le fonctionnement social a pris cette importance de premier ordre.

LA MISE EN SCÈNE DE LA SOUVERAINETÉ

Outre ces motifs généraux de promotion, son intervention sur le terrain politique participe de l'effort continué pour maîtriser l'organisation représentative et désamorcer les périls qui en sont inséparables. Elle complète le pas déterminant qu'a marqué en la matière la propulsion de l'exécutif au premier plan et sa ferme indentification dans une personne. Il ne faut pas s'y méprendre, c'est cette saisissabilité nouvelle des pouvoirs qui a éteint la contestation de l'usurpation et de l'irresponsabilité parlementaires. En clarifiant le face à face entre le responsable du gouvernement et le peuple qui désigne et sanctionne, elle a aussi mis en lumière l'utilité de l'immixtion d'un arbitre entre les deux pôles. La prise des représentants sur les représentés, croix de tout système représentatif, est assurée de manière incomparablement plus efficace si, en sus de la sanction électorale qui n'intervient qu'à des intervalles plus ou moins éloignés, une instance arbitrale est là pour vérifier en permanence que les pouvoirs délégués, quels qu'ils soient, restent dans les limites imparties à la délégation. Cet appel à la fonction de surveillance achève de prendre tout son sens si on le rapporte à l'extranéité conquise simultanément par l'opinion. Il en forme, en fait, le symétrique. La différence du peuple-source, telle que la consistance autonome de l'opinion l'atteste et la rappelle, acquiert sa pleine portée, en effet, lorsque par ailleurs les pouvoirs que le peuple délègue sont placés sous l'inspection d'un pouvoir chargé de veiller à ce qu'ils n'outrepassent pas leur mandat. Un pouvoir qui ne doit pas à proprement parler en être un, du reste, sauf de quoi il tendrait à absorber ces pouvoirs délégués situés sous sa coupe, auquel cas le problème ne serait que déplacé d'un cran. Un pouvoir qui n'est pas non plus à proprement parler représentatif : il n'est pas là pour contraindre les représentants à gouverner conformément au vœu des représentés – il deviendrait alors le vrai représentant et l'on retomberait dans l'aporie précédente. Sa mission n'a d'efficacité que par les bornes où elle reste cantonnée : elle s'arrête à contrôler que les représentants gouvernent dans des limites où le principe même de la souveraineté du peuple, tel que la constitution le matérialise, est sauf. On discerne ici les redoutables problèmes de définition que pose un tel méta-pouvoir et les raisons qui le réduisent presque fatalement, même en partant d'une extension maximale, au rôle de tribunal de la constitution.

Mais les propriétés de l'opinion, regardée dans sa neuve puissance politique, ne sont pas moins ambiguës. Elle n'est pas faite tant pour peser et pour influencer de manière directe que pour signifier l'irréductible transcendance du souverain par rapport à ceux qui gouvernent en son nom. Elle ne se présente pas comme le vrai pouvoir, destiné à se substituer aux pouvoirs désignés ; elle vaut rappel de ce que la source du pouvoir est ailleurs. C'est en cela qu'elle forme en quelque façon système avec le pouvoir de contrôle du juge. Elle est au fond d'une nature similaire. Le principal n'est pas dans leur rôle de fait, même s'il ne doit pas être négligé. Les barrières que le juge constitutionnel oppose aux entreprises des gouvernements sont bien réelles, et la pression de l'opinion sur leur conduite n'est pas à démontrer. Probablement même, d'ailleurs, ne saurait-on échapper à la question de l'institutionnalisation référendaire de cette puissance opinante. Un pouvoir est d'autant mieux assis dans sa fonction symbolique qu'il correspond à une procédure réelle. L'ériger en un rouage reconnu est sans doute le moyen le plus sûr, du reste, de dissiper les fantasmes de débordement et de le ramener à sa juste place : le « tribunal » de l'opinion, à l'instar du juge, ne dispose pas d'un pouvoir d'initiative ; il se borne à répondre, ponctuellement, aux questions qu'on lui pose. Il est en cela le contraire d'un pouvoir proprement politique, en charge par essence de dispenser une vision globale de la société et de son devenir. Lui n'a aucune vocation à totaliser ses réponses en une image cohérente. En quoi la figure de l'opinion est énigmatique et destinée à le rester : elle est insaisissable comme ensemble – elle « n'existe pas », si l'on veut, mais elle n'en est que plus présente. Cette inconsistance globale est en même temps, en effet, ce qui lui assigne ses limites dans le réel, et ce

qui lui procure sa force symbolique. Elle est ce qui la rend
apte à la double fonction de représentation *temporelle* qu'elle
remplit de concert avec le juge. Au travers et au-delà de leurs
interventions ou pressions ponctuelles, il leur revient fondamentalement de compléter la *périodicité* du contrôle du suffrage par la *continuité* d'un contrôle qui ne se relâche jamais [1].
Mais un contrôle, insistons-y, c'est le point capital, qui ne se
situe pas du tout sur le même terrain que le suffrage. Il
n'entame en rien les fonctions des représentants ; il n'introduit aucun partage de légitimité à leur détriment ; il n'institue
pas une concurrence des représentations. Le juge constitutionnel n'est pas en charge de représenter la souveraineté du
peuple, au sens où il serait mandaté pour la mettre en œuvre,
concurremment aux pouvoirs qu'il surveille, il est en charge
de *mettre en représentation* le fait qu'elle doit avoir le dernier
mot. De même l'opinion ne constitue-t-elle aucunement un
substitut ou même un relais du corps électoral absent. Elle se
borne à donner corps au présent à la perspective de sa décision
future, à signifier la dépendance des dirigeants désignés envers
la source de leur légitimité, à créer une scène où la relation
complexe entre représentants et représentés – relation à la fois
d'*autorisation*, obligeant les élus à prendre le risque de parler à
la place de leurs électeurs, et de *subordination dernière* –
devient elle-même l'objet d'une représentation permanente [2].
Par cette pure virtualité, par cette réserve où il est de son
essence de demeurer, elle éclaire cette puissance ultime de

1. Je rejoins ici l'intuition de Dominique Rousseau relativement à ce qu'il
appelle la « démocratie continue », distincte aussi bien de la démocratie directe
que de la démocratie repésentative, et caractérisée par le « travail politique »
qu'elle permet à l'opinion d'effectuer : « le contrôle continu et effectif, en dehors
des moments électoraux, de l'action des gouvernants » (*La Démocratie continue*,
sous la direction de Dominique ROUSSEAU, Paris, L.G.D.J.-Bruylant, 1995,
p. 25). L'enjeu de ce contrôle, ajouterai-je toutefois, est autant dans la figuration
symbolique de cette permanence que dans sa pesée effective.
2. Représentation dans son double aspect, de liberté d'initiative des représentants et de soumission au jugement des représentés. Y compris dans cette mise en
scène active, l'opinion reste une puissance passive qui se modèle exactement,
quoi qu'on en ait pu dire, sur la forme classique du lien entre électeurs et élus. Si
elle incite ces derniers à se préoccuper davantage qu'autrefois d'anticiper sur les
attentes du public, elle ne leur épargne aucunement le risque inhérent à l'acte de
donner voix à la collectivité, de par la liberté attachée à leur mandat.

choix à laquelle elle renvoie sous un jour qu'aucun corps électoral actuel ne possédera jamais. Elle en donne à discerner la
transcendance temporelle. Elle signale qu'au-delà de toute
option ou décision adoptée au présent la possibilité d'autres
options ou d'autres décisions au futur reste entière. Le choix
souverain ne s'épuise pas dans son acte. Il demeure indéfiniment ouvert et réversible. Il subsiste égal à lui-même en sa
liberté, indépendamment des actualisations successives qu'il
reçoit. Car le peuple qui choisit et qui vote n'est jamais lui-
même que le représentant momentané de la puissance du
peuple perpétuel, celui qui perdure identique à lui-même au
travers de la succession des générations et qui constitue le
véritable titulaire de la souveraineté. On ne comprend rien
aux ressorts profonds du fonctionnement démocratique si
l'on ne prend garde à ce statut équivoque de la souveraineté
qui en réserve la propriété à la nation toujours subsistante
dans le temps. D'aucuns ont cru pouvoir en conclure qu'elle
n'était qu'une ombre ou un fantôme verbal. À tort : elle est
l'âme du régime. Mais ce qui est vrai, c'est que le peuple
actuel ne dispose jamais de la plénitude de la souveraineté. Il
l'incarne à titre précaire et révocable, avec ce que cela lui
impose comme limite, d'avoir à garder intact le principe qui
le fonde dans son acte. Ce que l'opinion, par son inépuisable
latence, par le caractère toujours virtuel de ses manifestations,
se trouve exactement apte à signifier. Elle matérialise autant
qu'elle peut l'être cette puissance potentielle qui ne se concré-
tisera jamais tout à fait et qui n'aura jamais fini de s'exprimer.
Elle ne se contente pas de faire passer les élus sous les fourches
caudines d'une vérification continuée de l'adéquation de leur
conduite au vœu des électeurs. Elle double le suffrage par
l'indication de ce qu'il porte plus et autre chose que la positi-
vité de ses résultats, de ce qu'il est habité par la différence du
peuple empirique et du peuple juridique – peuple juridique
qui, s'il ne s'exprime que par les instantanés du peuple empirique, ne l'en déborde pas moins par la continuité de sa durée.
En prêtant un corps subtil à cet être idéal, l'opinion contribue
à installer symboliquement l'exercice de la souveraineté dans
l'ouverture d'un temps sans terme.

Elle n'est pas la seule. Elle est rejointe dans ce rôle, de nouveau, par l'opération du juge. Sans doute cette dernière est-
elle tournée d'abord, là aussi, contre les usurpations des pouvoirs délégués. Il s'agit de tenir les pouvoirs constitués dans les
limites que leur a tracées le pouvoir constituant, tel que le
peuple souverain, seul, en détient le principe. Mais les choses
ne s'arrêtent pas à ce cas simple, et elles se compliquent singulièrement lorsqu'on en vient à l'épineuse question de l'éven-
tuelle fonction antimajoritaire des cours constitutionnelles.
Le juge est fondé, le cas échéant, nous dit-on, à mettre en
échec une majorité électorale dûment et légalement formée si
elle entreprenait d'attenter à certains principes constitutionnels. À quoi il n'est pas difficile d'objecter que, dans un système qui ne reconnaît d'autre source de légitimité que la souveraineté du peuple, on ne conçoit pas bien de quoi pourrait
durablement se soutenir une telle opposition, qui aurait tout
au plus portée momentanée de retardement. Objection imparable : dans les faits, le peuple empirique finira toujours par
avoir raison du peuple juridique. L'éventualité de la décision
antimajoritaire garde cependant toute sa signification, qui est
double. Signification logique, pour commencer : les principes
auxquels le peuple ne peut déroger sont ceux qui le fondent
dans sa capacité politique et qui justifient l'écriture même
d'une constitution. En défendant des individus contre les
empiétements de la majorité, par exemple, le juge défend en
réalité le principe même des droits individuels inaliénables,
principe hors duquel il n'est pas de souveraineté du peuple
concevable. S'il s'oppose au peuple, c'est afin de lui éviter de
se mettre en contradiction avec lui-même. Le juge, en d'autres
termes, est le gardien du principe de composition du corps
politique. Il est en charge de le maintenir inaltéré, c'est-à-dire
de préserver les conditions qui rendent sa puissance souveraine égale à elle-même à tous les instants du temps. Cela
nous fait glisser vers la seconde signification de la décision
antimajoritaire, qui est précisément l'appel au peuple perpétuel contre le peuple actuel. Si une majorité, même considérable, même écrasante, peut ne pas valoir pour le peuple souverain, c'est qu'elle n'est jamais que la majorité d'un moment,

alors que le détenteur authentique de la souveraineté est celui qui siège et se forme, au-delà de l'instant, dans la continuité de la durée. Cette dimension s'exprime au mieux dans la *temporalisation* du pouvoir constituant qui résulte presque immanquablement de l'ascension du contrôle constitutionnel. Elle tend à faire prévaloir l'interprétation continuée du même texte, la modification insensible par lectures et relectures successives, contre les brusques changements de constitution. C'est qu'il y a le risque, en effet, qu'un peuple actuel usurpe dans le présent de sa volonté une puissance qui n'appartient qu'au peuple transcendant qui ne cesse de se forger au travers de la sédimentation du devenir. Puissance que le changement graduel, attentif à la solidarité qui lie le présent au passé, soucieux de ne pas hypothéquer le futur par des décisions absolues, est mieux en mesure de traduire. Au péril, cette fois, d'en renvoyer l'exercice par le peuple dans le temps mythique de la fondation et d'aboutir à une confiscation de fait par les professionnels de l'interprétation. Jusqu'en cette extrémité, le déplacement parle quant aux raisons de l'intervention du juge et quant aux conditions de l'exercice de la souveraineté. Il ne s'agit pas seulement de marquer la dissociation entre représentants et représentés de manière à faire clairement paraître de quel côté se situe la source du droit. Il peut s'agir aussi de dissocier le peuple authentiquement constituant du peuple du moment, lorsque celui-ci s'en arroge indûment les attributs alors qu'il n'en fournit qu'une actualisation relative et passagère. Il est ainsi représenté que le souverain véritable se tient au-delà du présent, dans la permanence qui lie entre elles ses expressions et ses incarnations successives. Continuité du contrôle au nom de la constitution, continuité du contrôle de l'opinion : ce qui se trouve indiqué au travers de ce double encadrement des pouvoirs effectivement exercés, c'est la continuité d'une puissance qui transcende le temps, même si elle y est entièrement inscrite, et qui transmue l'ensemble des acteurs politiques en ses délégués.

La souveraineté, autrement dit, est d'essence représentative – elle ne s'exerce que par représentation. À la lettre, personne n'est souverain, ni, bien sûr, les délégués du peuple, ni le peuple, qui ne tranche lui-même qu'au titre de la matérialisation éphémère d'un peuple qui le déborde de toutes parts en sa perpétuité. Voilà ce que signe l'arrêt protecteur du gardien de la constitution – mais la voix intarissable et mouvante de l'opinion ne fait pas signe vers autre chose. Non seulement, donc, la souveraineté n'admet que des représentants, mais il est représenté qu'il en est ainsi. Tel est le sens des transformations du mécanisme représentatif qui se déroulent sous nos yeux : elles achèvent de mettre en évidence l'extension qu'il convient d'accorder à la notion de représentation et la centralité de son acception scénographique au sein du fonctionnement démocratique. Essentiellement représentative, la démocratie l'est en ceci que, loin de se réduire à l'exercice en acte de la souveraineté du peuple, elle exige inséparablement la mise en scène institutionnelle de cette souveraineté dans sa véritable nature. Elle est quête d'une disposition collective de soi, mais une disposition qui n'existe qu'à la condition de se signifier elle-même et à laquelle il n'est pas moins indispensable de se figurer que de s'effectuer.

C'est là justement la dimension que la politique de la Révolution française a par excellence manquée. D'où la stature de repoussoir inaugural, d'anti-type monumental qu'elle acquiert en regard des développements ultérieurs. Pour elle, dans la ligne vive de son mouvement, en tout cas, il n'y a que la souveraineté dans la plénitude la plus concrète de son effectuation. Aussi, jamais la conjonction des pouvoirs et l'absorption du peuple dans le pouvoir ne sont suffisamment assurées, même si c'est sous des formes opposées qu'on les recherche. D'où aussi le fait que, par contrecoup, à la mesure de la radicalité de ce recouvrement et à la faveur d'un permanent remords, elle ait pu permettre une première théorisation institutionnelle des conditions de l'alliance entre démocratie et représentation. Car ils sont un nombre significatif parmi les révolutionnaires, y compris pour quelques-uns parmi les plus radicaux, à entrevoir avec plus ou moins de netteté, contre leur cher Rousseau qu'ils portent simultanément au pinacle, que la représentation, loin de se réduire à un pis-aller, forme le levier d'une souveraineté populaire réellement constituée. Le peuple n'est souverain que s'il est expressément marqué qu'il l'est, et pas seulement dans les textes. Loin que l'approfondissement de cette souveraineté passe forcément par davantage d'inclusion dans les pouvoirs et de resserrement du lien entre les pouvoirs et le souverain, il demande la disjonction des pouvoirs et la dissociation du peuple et du pouvoir. Ces séparations rendant manifeste le caractère de délégation de la délégation n'auront leur pleine efficacité que s'il est, en outre, établi un pouvoir arbitre prêtant visage, dans son mécanisme même, à l'ultime suprématie du peuple sur ses délégués. Grâce à l'institution d'un tel tiers, la représentation de la représentation et le contrôle des représentants se bouclent de concert.

Soit la problématique même que le dépli lent et continu du principe représentatif fait revivre et vérifie au milieu de nous. Ces spéculations appelées, en leur fulgurance inutile, par l'épreuve d'une incompréhensible impuissance sont au cœur des altérations qui sont en train de bouleverser l'image familière que nous nous formions du processus démocratique. Comme toujours dans le temps d'apaisement d'une longue crise, nous étions tentés de la croire définitive. Nous n'aurons connu en réalité que le bref répit d'un moment d'équilibre. L'histoire s'est remise en marche, dans une autre direction. Un résultat à peine acquis, d'autres fronts s'ouvrent, des questions inattendues émergent ou réémergent. Depuis un siècle, le problème central était ailleurs. Le dispositif de saisie concrète du soi collectif qu'on a vu se mettre en place au travers de la démocratie sociale une fois solidement stabilisé, un autre problème surgit et passe au premier plan, lourd de difficultés et de perplexités inédites : celui de sa saisie symbolique. La prise active requiert désormais d'être complétée par une prise réflexive.

Il serait naïf de ne voir unilatéralement dans l'irruption du nouvel impératif qu'un signal d'étape dans la marche triomphale de la démocratie vers le progrès, en oubliant ses incidences déstabilisatrices. Il est manifeste, en effet, qu'il soulève autant de questions qu'il en résout. La montée en puissance des institutions de contrôle entraîne aussi une oligarchisation croissante de la vie publique. Le règne de l'opinion et du droit ne va pas sans une inquiétante perte de substance de la délibération et de la décision politiques. À tel point qu'on peut se demander si la mise en représentation de la souveraineté populaire ne tend pas à se substituer à son exercice effectif. Sans doute cette dérive paradoxale donne-t-elle la juste mesure des incertitudes où nous entrons. Nous y retrouvons sous un nouveau jour le paradoxe constitutif du lien social qui fut au centre des dilemmes et des déchirements de l'âge précédent : le collectif ne s'appréhende dans son unité qu'au travers des scissions qui semblent devoir interdire son rassemblement ; c'est dans ce qui le sépare de lui-même qu'il s'établit et devient gouvernable comme ensemble. Tant bien que mal dominé sous une série de ses aspects, il reparaît ici sous un autre, comme écartèlement entre les nécessités de la figuration et la réalité de l'effectuation. L'exigence de représenter la puissance collective se met à vider de son sens le fait d'y participer. Le danger n'est plus, dorénavant, de voir la revendication de démocratie directe perdre de vue la nécessaire mise en scène de cette capacité de l'ensemble social à décider de lui-même ; il est de voir les réquisitions de la machinerie symbolique neutraliser le concours actif des citoyens.

La Révolution française a rêvé d'une unité du corps politique permettant à l'action et à la réflexion de coïncider. La coïncidence s'est révélée aveugle ; il a fallu laisser se déplier les partages grâce auxquels une saisie de soi et une figuration de soi deviennent possibles. C'est l'action sur soi qui s'est naturellement imposée comme la priorité. À présent que ses voies ne sont à peu près trouvées, c'est la réflexion de soi qui prend le relais comme problème. Elle aussi, elle n'a de réalité que processuelle, loin de la chimère de sa concentration actuelle dans une conjonction unanime des volontés. Elle n'a de chance d'advenir que moyennant sa dispersion agissante dans les rouages d'une machinerie à base de différences et de mises à distance. Elle aussi, elle nous confronte à son tour au risque d'un retournement des moyens contre la fin. Il va falloir

apprendre à en maîtriser les détours, à subjuguer ces mécanismes qui, pour l'heure, débilitent la communauté des
citoyens autant qu'ils la confortent. Ce n'est pas demain que
nous tiendrons ensemble sous une forme réconciliée la matérialité de la représentation sociale et la réflexivité scénographique de la disposition de soi.

Ce qui paraît sûr, c'est qu'il y a eu tournant et relance. Les
démocraties sont reparties à la recherche d'elles-mêmes, dans
une direction imprévue. C'est cette quête où nous sommes
emportés qui nous permet de retrouver, loin en arrière, le sens
de ces textes de la Révolution qui s'acharnent à en traquer
l'insaisissable. Voici un quart de siècle encore, ils nous
seraient restés lettre morte. Les incertitudes où nous sommes
jetés leur redonnent vie. Elles rendent son exemplarité à cette
recherche grandiose et vaine pour percer le secret de l'architecture des pouvoirs. Mais ce que le souci du présent rend
possible, il justifie aussi qu'on l'accomplisse. Car nous
n'avons pas tant de chemins pour nous hisser à la hauteur de
notre futur. Déchiffrer les vestiges et les témoignages de ce
prodigieux effort pour dominer le mystère de l'ordre représentatif est encore l'une des moins mauvaises façons de s'équi-
per pour affronter les ténèbres qui sont devant nous.

I

DE LA CONSTITUANTE À LA CONVENTION

Nécessité d'un tiers-pouvoir

LA DOCTRINE RÉVOLUTIONNAIRE
DES POUVOIRS

Il est indispensable, pour comprendre comment le problème va se poser, de repartir de la situation matricielle à la faveur de laquelle s'opère la cristallisation de la politique révolutionnaire, soit : la bataille des deux légitimités. En face de la légitimité historique de la royauté, que nul ne conteste, se dresse une assemblée qui se donne pour représentante de la légitimité actuelle de la nation. Sauf que, dans ce rôle, l'Assemblée qui s'est autoproclamée « nationale » et « constituante » souffre d'un sensible déficit de légalité. D'où, comme je me suis efforcé de l'établir ailleurs, la nécessité où elle se trouve de faire appel aux fondements mêmes du droit, entendus dans leur acception, et donc leur autorité, la plus universelle possible [1]. Elle va en quelque sorte laisser la parole aux principes. Cette constitution qu'elle n'a pas mandat d'établir, elle va la faire sortir d'une source incontestable, les droits de l'homme, par un enchaînement irréfragable de raisons. D'où, parallèlement et inséparablement, la nécessité de précipiter l'avènement de cette nation au nom de laquelle les Constituants parlent sans qu'elle existe tout à fait encore. La « destruction entière du régime féodal » consommée au 4 Août, la dissolution de la société des ordres et des corps y pourvoiront. Car la Nation ne peut véritablement apparaître

1. *La Révolution des droits de l'homme*, Paris, Gallimard, 1989.

et se manifester que s'il s'avère qu'elle n'est pas un « composé d'ordres », mais une « agrégation d'individus » – pour que quelque chose comme une volonté générale puisse prendre corps, il faut qu'il n'y ait plus, « en France, que l'individu ou la somme totale des individus » [1]. Table rase de l'ancien ordre juridique et refondation *ex nihilo* du lien social vont de pair. Mais on ne saurait trop souligner le lien qui unit cette radicalité de la démarche des Constituants dès leurs premiers pas, en août 1789, à la modération qui leur interdit toute mise en cause frontale de la monarchie et du monarque. C'est parce qu'ils excluent de s'en prendre à la royauté qu'ils se vouent à cette entreprise exorbitante : la déconstitution en règle de l'ancienne société et la recomposition d'une nouvelle. Il leur faut balancer cette formidable puissance symbolique qui s'impose à eux par une puissance supérieure qu'ils ne peuvent espérer trouver que dans la force originelle du droit de nature, dans l'autorité de l'acte constitutif du pacte social et dans la légitimité d'une Nation rendue à sa condition primordiale de source de toute légitimité. Il n'est pas jusqu'aux arguments réalistes qu'on trouve souvent invoqués en faveur de l'inéluctabilité bienfaisante de l'héritage monarchique, comme la nécessité d'un exécutif concentré et vigoureux dans un grand pays, doté de surcroît de forces considérables en raison de son rôle dans le concert des puissances, qui ne se retournent en autant d'invites à accroître les moyens de droit du pouvoir qui devra dominer et conduire par la loi cette « autorité étendue, immense », déposée dans les mains du roi, ainsi que la qualifiera Sieyès [2]. On pourrait même parler d'un véritable cercle de renforcement mutuel entre patriotisme et monarchisme : n'est-ce pas un don du ciel, après tout, pour un corps politique qui rentre dans la plénitude de ses prérogatives, que d'avoir à sa disposition le bras armé capable de les traduire à

---

1. Les formules sont reprises d'une brochure de GUIRAUDET parue en 1789 au moment de la convocation des États généraux, *Qu'est-ce que la Nation et qu'est-ce que la France ?*, respectivement p. 104 et p. 72 (elle est reproduite dans le volume I de la série *Aux origines de la République, 1789-1792*, Paris, Edhis, 1992).
    2. Dans son *Dire sur le veto royal*, sur l'analyse duquel nous revenons longuement un peu plus loin.

coup sûr en actes ? Rabaut Saint-Étienne l'exprimera d'une admirable formule dont la symétrie suggère assez la dynamique à l'œuvre entre les pôles : « Il n'y a rien à mes yeux de plus grand qu'un roi exécuteur infaillible de la volonté infaillible de tous [1]. » Car plus cet exécuteur infaillible est grand, plus il faut que l'infaillibilité du législateur qui lui commande soit d'une majesté irrésistible.

La démesure rationaliste et artificialiste qui allait marquer toute l'expérience révolutionnaire ne reconnaît pas d'autre origine : elle est la rançon paradoxale d'une retenue première. En pratiquant l'exercice périlleux de l'uchronie, on oserait dire que, si les Français avaient été délivrés d'emblée de l'hypothèque monarchique et avaient eu, à l'instar des Américains, à concevoir la construction d'une république, ils se seraient montrés infiniment plus prudents et pragmatiques qu'ils ne l'ont été. La fatale assomption du legs royal les promettait à un détour par les fondements et à une navigation déductive riches en écueils, sans parler des menaces de radicalisation que portait intrinsèquement cette coexistence de deux principes de légitimité. Comme Rabaut Saint-Étienne devait lucidement l'écrire un peu plus tard : « L'Assemblée nationale avait ce désavantage terrible et qui l'a longtemps contrariée, de constituer une monarchie en ayant déjà le monarque [2]... »

C'est en fonction de cette équation singulière que s'opère ce que j'ai proposé d'appeler la *rencontre* avec Rousseau. Qu'on l'ait beaucoup ou peu lu avant la Révolution est de faible importance : il est l'auteur de la situation. Il est le penseur exactement approprié à ce que le génie des circonstances enjoint de penser : l'ajustement d'une prépondérance absolue de la souveraineté législative, comprise dans la plénitude de son expression, c'est-à-dire comme perfection de la volonté collective découlant de la composition des pures volontés individuelles, avec la survivance d'un exécutif de forme monarchique. On conçoit aisément les motifs logiques qui répugnent au partage d'une telle puissance souveraine entre

1. *Archives parlementaires*, t. VIII, p. 571.
2. *Précis de l'histoire de la Révolution française* (1791). Je cite d'après l'édition des *Œuvres* de RABAUT SAINT-ÉTIENNE, Paris, 1821, t. II, p. 179.

deux assemblées. Si l'on y ajoute les motifs conjoncturels faisant redouter les reviviscences aristocratiques d'une chambre haute, on mesure ce que la religion de l'assemblée unique avait d'inévitable.

Par ailleurs, les parlements de l'Ancien Régime restaient sur la plus déplorable image, tant pour l'exercice de la justice ordinaire que pour l'abus conservateur qu'ils avaient fait de leur participation au législatif, sous forme de leur droit d'enregistrement et de remontrances. Adjoignons encore à ce repoussoir l'image-force de la loi comme expression par excellence de la puissance de la Nation, expression dont la généralité impersonnelle constitue la garantie principale de la liberté, et l'on obtient la double exclusion formulée dès le 14 août par le pourtant fort modéré Bergasse dans un mémorable rapport destiné à fixer pour longtemps la philosophie de l'institution judiciaire : les tribunaux et les juges ne sauraient avoir part active à la formation de la loi ou influer sur elle en quelque manière que ce soit ; latitude ne saurait être laissée aux juges d'interpréter la loi – « ... Le pouvoir judiciaire sera donc mal organisé, si les dépositaires de ce pouvoir ont une part active à la législation, ou peuvent influer, en quelque manière que ce soit, sur la formation de la loi [...] le pouvoir judiciaire sera donc mal organisé, si le juge jouit du dangereux privilège d'interpréter la loi ou d'ajouter à ses dispositions... » [1]. Double limitation qui place le troisième pouvoir nominalement maintenu dans une position à ce point subordonnée que sa consistance propre en devient improbable.

S'agissant maintenant des rapports entre les pouvoirs, il n'y aura pas de partisans plus sourcilleux de leur *séparation* que nos Constituants. Sauf qu'ils entendent d'abord protéger par là l'entière souveraineté législative récupérée par la représentation nationale contre les empiétements de l'exécutif. D'où, corrélativement, le rejet de l'*équilibre* ou de la *balance* des pouvoirs au profit de leur unité d'action, telle qu'elle résulte de l'exacte division de leurs sphères respectives. Intervient, en

---

1. *Rapport sur l'organisation du pouvoir judiciaire*, *Archives parlementaires*, t. VIII, pp. 440-450 (*Les Orateurs de la Révolution française*, François FURET et Ran HALÉVI, éd., Paris, Gallimard, 1989, pp. 103-133).

outre, ici, pour expliquer l'attraction de ce système de
« l'emploi direct des forces », l'idée de l'accroissement global
de puissance qu'entraîne l'ajustement de pouvoirs qui, au lieu
« de se nuire, de se balancer ou de se mitiger », possèdent « la
plus grande force possible, chacun dans leurs districts séparés,
sans que l'un cherche à gagner sur l'autre » [1]. Elle jouera un
grand rôle dans l'imaginaire révolutionnaire et dans la conviction de frayer une voie originale par rapport au précédent
anglais théorisé par Montesquieu.

Tels émergent et se fixent, dans l'été 1789, les traits principaux d'une doctrine de l'organisation des pouvoirs qui va
demeurer *en son fond* remarquablement invariable tout au
long de la Révolution, y compris au milieu de ses tentatives de
révision, comme en l'an III. Une doctrine aussi *plastique* dans
ses expressions que *stable* dans ses articulations, faut-il préciser
pour écarter les perplexités que la formulation pourrait faire
naître. Elle est modérée d'intention chez les Constituants,
mais la radicalité des principes par laquelle passe cette modération même la rend susceptible de versions extrêmes, comme
celles qu'on verra à l'œuvre en 1793 – entre maintenir un roi
et aboutir à une quasi-résorption de l'exécutif, il y a une
énorme différence pratique, qui n'empêche pas la continuité
des logiques entre les deux conceptions. Et c'est toujours cette
logique qui continue de commander l'effort autocritique de
1795. Pas de débat plus faux, à cet égard, que celui portant
sur l'inspiration libérale ou illibérale de la Révolution. Les
principes sont évidemment libéraux, mais on n'a rien dit
quand on a enregistré cette évidence, car la logique présidant
à leur expression effective, elle, en son fond, ne l'est pas. Elle
peut demeurer suffisamment discrète, comme dans un premier temps, pour laisser la libéralité des principes occuper le
devant de la scène. Mais, même alors, elle reste suffisamment
prégnante pour qu'on puisse basculer, sans solution de continuité aucune, dans une version franchement autoritaire. Sauf
à distinguer les deux plans, la discussion est promise à une
confusion inextricable.

1. GUIRAUDET, *Qu'est-ce que la Nation et qu'est-ce que la France ?, op. cit.*, p. 77.
L'expression d' « emploi direct des forces » est du duc de La Rochefoucauld.

Pour en arriver au problème de la représentation qui nous occupera plus particulièrement, il faut prendre en compte un élément supplémentaire découlant lui aussi de cette situation séminale de confrontation. Le besoin de maximiser la légitimité dressée en face de la légitimité monarchique va déterminer *une identification de la représentation à la Nation* lourde de conséquences. Là encore, cette identification pourra prendre des formes très différentes. Elle oscillera entre deux versions à la fois opposées et à ce point complémentaires qu'on verra les mêmes individus passer sans difficulté de l'une à l'autre : d'un côté, la « représentation absolue », pour reprendre une expression critique du discours révolutionnaire, érigeant les délégués en organes exclusifs de la Nation, de l'autre côté, l'ouverture participative de la représentation, exigeant la co-présence active du corps politique. Dans l'un et l'autre cas, la dimension du rapport réfléchi entre les pôles distincts du pouvoir et de la société est perdue. C'est autour de ce point que va tourner toute la difficulté révolutionnaire à établir et à faire fonctionner le régime représentatif. C'est lui qu'on se propose d'éclairer à partir des réflexions qui ont su, à chaud, discerner la cause du mal, de façon plus ou moins aiguë, et qui ont tenté d'y porter remède.

Il y aurait à montrer, dans le cadre d'une généalogie systématique de l'esprit révolutionnaire dont ce n'est pas le lieu, comment, avec cette identification du pouvoir et de la société, c'est une dimension symbolique essentielle de l'ancienne société qui fait retour au milieu des principes modernes. C'est justement la situation de rupture avec l'ancien ordre monarchique à l'intérieur d'une monarchie conservée qui crée les conditions d'une pareille emprise du passé. Elle pousse les Constituants, pour dissocier la légitimité propre de la Nation dont ils se veulent les représentants de celle du Roi, à reprendre à leur compte l'ancienne figure symbolique de l'indissociation du royaume et du roi – c'est à une mobilisation de l'imaginaire monarchique contre la monarchie que l'on assiste. Cette figure identificatoire est d'ailleurs l'une des clés principales de l'étrange rousseauisme des plus philosophes parmi nos députés, c'est-à-dire de ce qui leur permet d'être convaincus de leur fidélité à l'inspiration du *Contrat social*, lors même qu'ils savent pertinemment contrevenir à ses réquisitions en admettant la représentation. C'est qu'à la différence de la représentation selon les Anglais d'après laquelle Rousseau en jugeait, estiment-ils, la représentation telle qu'ils l'aménagent respecte l'expression unitaire et globale du corps politique qu'il avait en vue. Simples indications sur la manière dont les pesanteurs de l'histoire ont pu se nouer avec les prestiges de la théorie, de par l'appel des circonstances, pour enfermer d'entrée et irrémédiablement les révolutionnaires dans la poursuite de l'Un, au lieu de la recherche d'une relation, en dépit des suggestions correctives que nous allons examiner.

L'APPEL AU PEUPLE

Les deux volets sont en place, la logique dominante et le sentiment de ses difficultés, chez les mêmes auteurs souvent, dès le débat sur le veto royal, fin août-début septembre 1789. En un sens, tout est dit au cours de ces quelques jours de discussion et dans la floraison des prises de position que la question suscite. La suite ne fera que confirmer la profondeur du problème posé, amplifier les effets de la vulgate qui s'installe et développer les inquiétudes qui affleurent ou les critiques qui s'ébauchent.

La page de la Déclaration des droits une fois tournée, arrive le moment de vérité des « principes du gouvernement monarchique » : quelle sera l'exacte répartition des pouvoirs entre la Nation qui vient d'établir de la sorte la base de ses droits et le Roi ? Le détenteur du pouvoir exécutif aura-t-il part au législatif ? Le sort en sera jeté, c'est le principe d'une stricte séparation qui s'impose en même temps qu'une doctrine identificatoire de la représentation. La formation de la loi ne saurait appartenir qu'à la Nation seule, telle qu'elle est mystiquement toute présente dans l'assemblée de ses représentants. Toutefois, la crainte de voir ces représentants investis de la plénitude de la volonté générale trahir le vœu des représentés sera assez forte pour que la solution moyenne du veto suspensif l'emporte, l'appel au peuple qu'il revient à établir devant permettre au détenteur de la souveraineté de conserver le dernier mot [1]. C'est le travail de cette tension entre l'appel irrépressible d'une idée-force et l'inquiétude à l'égard de ses conséquences qui confère au débat, au-delà de ses enjeux politiques immédiats, une profondeur préfiguratrice.

On repère l'écartèlement à l'œuvre, par exemple, jusque chez un Sieyès, l'un de ceux, pourtant, qui, dans la discussion, font jouer le plus rigoureusement la logique des principes pour exclure toute forme de veto. Cela sur la base d'un double argument : la complétude de la volonté générale et son identification complète à son expression représentative. Du point de vue de la formation de la loi, expose l'abbé dans une perspective rousseauiste stricte, il n'y a à considérer que les volontés individuelles, le roi lui-même ne pouvant être regardé dans ce processus que comme un individu parmi les autres. Une fois ce concours assuré, il ne saurait y avoir quelque chose à y ajouter : « Tout ce qui peut y être s'y trouve déjà ; rien ne lui manque : il ne pouvait y avoir que des volontés ; elles y sont toutes [2]... » La volonté générale, en d'autres termes, opère une sommation qui ne laisse subsister aucune *extériorité*. Second temps de la démonstration : il s'agit de montrer qu'il ne saurait davantage y avoir d'extériorité de la nation par rapport à la représentation. On s'écarte fortement, pour le coup, de Rousseau, sauf qu'il faut bien mesurer que, dans l'esprit de Sieyès, l'infidélité n'est que le moyen d'un perfectionnement. Victime d'un préjugé primitiviste, Rousseau a ignoré les ressources de la division du travail, grâce auxquelles les citoyens, « sans aliéner leurs droits, en commettent l'exercice » [3]. Avec l'immense progrès que représente le système du « concours médiat », il est possible d'obtenir l'équivalent exact de la participation démocratique au sein d'une petite république où le

1. Je rejoins sur ce point l'analyse de Keith BAKER dans ses articles « Constitution » et « Souveraineté » du *Dictionnaire critique de la Révolution française*, sous la direction de François FURET et Mona OZOUF, Paris, Flammarion, 1988, ainsi que dans « Fixing the French Constitution », in *Inventing the French Revolution*, Cambridge, Cambridge University Press, 1990.
2. *Dire de l'Abbé Sieyès sur la question du veto royal*, Paris, 1789, p. 8.
3. *Ibid.*, p. 14.

peuple est constamment assemblé à l'échelle d'un grand pays prioritairement industrieux et commerçant. Rien ne se perd dans la transmission, à tel point que, dans la délibération des députés, c'est la nation en son entier qui prend présence et voix. Elle n'a pas d'autre organe. Elle n'existe pas en dehors de la représentation : elle ne fait qu'un avec elle, elle s'y trouve toute incorporée. D'où le rejet de l'idée d'appel au peuple comme « impolitique », puisqu'elle admet une distance là où il devrait être acquis que « le peuple ne peut parler, ne peut agir que par ses représentants »[1]. Aussi ne peut-on se contenter de faire unilatéralement valoir la pénétration de Sieyès lorsqu'il souligne la différence entre la démocratie des Anciens et le gouvernement représentatif des Modernes. Il ne faut pas prêter moins d'attention à ce qu'il conserve de l'idéal d'unité en acte du corps politique, qui le conduit à une philosophie qu'on peut à bon droit, en effet, appeler de la « représentation absolue ». Philosophie qui méconnaît entièrement, elle, en revanche, ce trait capital du régime représentatif qu'est l'extériorité d'expression de la société par rapport au pouvoir délégué. Où l'on discerne, d'ailleurs, que l'opposition entre le « concours médiat » de la représentation et le « concours immédiat » de la démocratie exige d'être nuancée. Le gouvernement représentatif ne repose aucunement sur le transfert de compétences à la fois intégral et sans retour postulé par Sieyès dans le cadre d'un partage collectif des tâches bien compris. Il suppose une tension maintenue entre le « pouvoir commis » et le « pouvoir commettant », pour parler toujours le langage de notre auteur, qui, pour passer par le renoncement à la *participation* directe, n'en mobilise pas moins une forme d'*implication* où la manifestation des opinions à part et en face de celle des représentants joue un rôle essentiel. Soit très exactement la dimension que les révolutionnaires des divers bords, entre ultra-représentation et ultra-démocratie, échoueront à saisir.

On notera au passage la conjonction significative, sur ce terrain, du propos de Sieyès avec celui du futur grand pourfendeur de la « représentation absolue », justement, à savoir

---

1. *Ibid.*, p. 19.

Robespierre. Lui aussi dénonce comme « chimérique » le
« prétendu appel au peuple » [1]. Lui aussi pose comme
« évident », pour rejeter le « monstre inconcevable » du veto
royal, que « la volonté des représentants doit être regardée et
respectée comme la volonté de la Nation » [2]. Son argumentation en faveur d'un « corps unique de représentants »,
détenteur exclusif du pouvoir d'expression de la volonté
nationale, n'a pas l'envergure théorique de celle de son collègue. Elle a l'avantage, en revanche, d'être limpide quant aux
motifs stratégiques qui président à pareille position. « En un
mot, résume-t-il, ou bien vous placerez la puissance législative
dans chaque assemblée de district, ou vous la confierez à
l'Assemblée nationale. Dans le premier cas, celle-ci est super-
flue, dans le second, au lieu de l'énerver et de l'avilir, vous
devez lui laisser toute la force et toute l'autorité dont elle a
besoin pour défendre la liberté dont elle est la gardienne
contre les entreprises toujours formidables du pouvoir exécutif [3]. » Le rôle du rival et repoussoir royal apparaît ici avec
une parfaite clarté. Seule une assemblée concentrant en elle
l'autorité de la Nation entière peut valablement balancer une
puissance aussi « formidable ». Laisser à l'exécutif le moyen de
jouer les assemblées du peuple contre l'assemblée de ses représentants, c'est promettre celle-ci à l'anéantissement. Comme
quoi les circonstances poussaient à une identification que les
plus hauts motifs de la spéculation encourageaient par ailleurs. Il est intéressant de voir Robespierre l'épouser sous le
jour de sa version ultra-représentative. Il pourra basculer tac-
tiquement du côté de sa version ultra-démocratique. Sur le
fond, il ne s'en dépêtrera jamais.

Sieyès, en même temps, pour y revenir et pour en finir avec
lui, n'ignore pas les périls qui peuvent surgir de l'indépendance qu'il attribue à la « législature nationale ». Il juge simplement ces maux susceptibles de remèdes dans le cadre qu'il a
défini. L'importance qu'il attache à la distinction entre *pouvoir
constituant* et *pouvoirs constitués* ne peut que le rendre sensible

1. *Archives parlementaires*, t. IX, p. 82.
2. *Ibid.*, p. 79.
3. *Ibid.*, p. 82.

à l'éventualité où l'un de ces derniers sortira des « limites qui lui sont prescrites par la constitution.» Soit, admet-il, mais la seule solution en pareil cas consistera dans l'appel, de la part du pouvoir qui s'estime lésé par les empiétements d'un autre, à « la délégation extraordinaire du pouvoir constituant » [1]. C'est ainsi que la notion américaine de « convention » fait son entrée dans la langue constitutionnelle des révolutionnaires français, où elle connaîtra quelque fortune, comme « l'unique tribunal où ces sortes de plaintes puissent être portées » [2]. De même est-il vrai, admet Sieyès, qu'une assemblée est sujette à la précipitation et à l'erreur. Défaillances qu'on préviendra efficacement, plaide-t-il, en partageant fonctionnellement une instance faite pour rester « une et indivisible » en trois sections, de manière à ralentir, à multiplier et à enrichir la discussion des projets. C'est au-dedans même de l'institution que le correctif doit se trouver, et non au-dehors, comme le voudraient les partisans du veto suspensif. « Le premier qui, en mécanique, fit usage du *régulateur* se garda bien de le placer hors de la machine dont il voulait modérer le mouvement trop précipité [3]. » L'esprit de ces deux solutions aux deux problèmes envisagés n'est pas sans témoigner d'une intéressante divergence. D'un côté, avec le modèle du régulateur, prévaut une exigence d'immanence, sous forme d'un mécanisme autocorrecteur. De l'autre côté, avec l'appel non pas au peuple, dans le cadre d'élections régulières, mais au pouvoir constituant (c'est-à-dire à d'autres représentants), l'emporte, en sens opposé, la mobilisation de l'instance par excellence externe au processus politique ordinaire, celle qui en est la source et le principe de définition. On devine, en présence d'un tel écartèlement, que le point d'équilibre ne sera pas commode à trouver.

Le sentiment de la difficulté où il se met est, du reste, assez puissant chez Sieyès pour se trahir par des reprises périphériques de l'idée qu'il repousse centralement. Il a ainsi une étrange note incidente pour tirer une conséquence des plus

1. *Dire* [...] *sur la question du veto royal*, op. cit., p. 23.
2. *Ibid.*
3. *Ibid.*, p. 29.

inattendues de l'idée selon laquelle « le Chef de la nation ne peut être qu'un avec elle » – idée au nom de laquelle il rejette précisément la participation du Roi à la formation de la loi autrement que comme « premier citoyen » votant individuellement comme les autres. Il convient de regarder, explique-t-il, ce premier citoyen « comme le *Surveillant* naturel, pour la Nation, du pouvoir exécutif. J'identifie le Roi avec la Nation ; ensemble, ils font cause commune contre les erreurs et les entreprises du Ministère » [1]. Il y aurait beaucoup à dire sur ces quelques lignes. Bornons-nous pour le moment à noter le rôle de la dissociation qu'opère Sieyès entre le roi et le pouvoir exécutif – dissociation contraire à l'usage savant, mais conforme au préjugé populaire distinguant le bon prince de ses mauvais conseillers. Elle contient en germe la distribution nouvelle des pouvoirs qu'il développera six ans plus tard lors des débats sur la constitution de l'an III. Ce qui nous intéresse immédiatement réside dans l'opération que cette dissociation lui permet, qui consiste à récupérer l'un des principaux arguments des tenants du veto, à savoir la nécessité d'attribuer une fonction de *surveillance* au roi, tout en le retournant contre l'exécutif. Mirabeau exposait, par exemple, le 1er septembre, sans prononcer le mot, que tout système représentatif engendre « une espèce d'aristocratie de fait » que l'alliance du prince et du peuple est indispensable pour contrebalancer [2]. Le terme est là, en revanche, chez le comte d'Antraigues, le lendemain, qui demande « quel sera donc le surveillant du pouvoir législatif » si l'on ôte au roi la sanction [3]. Dans un discours non tenu à la tribune, mais imprimé, comme beaucoup lors de ce débat, Gaultier de Biauzat ramassera l'idée dans une belle formule en parlant de « *la nécessité d'un surveillant pour la Nation sur les représentants de la nation même* » [4]. Ce sont tous ces propos, et bien d'autres encore, que Sieyès a en tête lorsqu'il s'exprime à son tour le 7 septembre. Son geste vaut aveu de vulnérabilité. Il lui faut reprendre quelque part au passage, fût-ce en la détournant, et au prix

1. *Ibid.*, p. 4.
2. *Archives parlementaires*, t. VIII, p. 538.
3. *Ibid.*, p. 545.
4. *Archives parlementaires*, t. IX, p. 61.

d'une acrobatie sophistique, cette exigence d'établir un pouvoir surveillant que, par ailleurs, tout son dispositif tend à exclure. L'idée fera son chemin dans son esprit.

L'anti-type de Sieyès, du point de vue de la philosophie de la représentation, est fourni dans le débat par l'un de ses proches, et il n'y a pas lieu de s'en étonner. Car, encore une fois, on a affaire à des versions antagonistes d'un même schème fondamental. C'est dans le discours de Rabaut Saint-Étienne, le 4 septembre, que la leçon « démocratique » de l'unité de la nation et de la représentation trouve sans doute son expression la plus ferme. Son propos, de façon générale, offre l'une des illustrations les plus frappantes de l'ambition rationaliste à l'œuvre chez une part au moins des Constituants. Ainsi, lorsqu'il écarte les prétendues leçons de l'expérience en faveur du système anglais de l'équilibre : « Le législateur ne l'a pas calculé, c'est le hasard qui l'a fourni. » L'heure n'est plus à se contenter d'aussi faibles appuis : « C'est dans la nature même du pouvoir législatif qu'il faut chercher les preuves de l'utilité de sa division [1]. » Or, entreprend-il de démontrer, « le souverain est une chose une et simple, puisque c'est la collection de tous sans en excepter un seul ; donc le pouvoir législatif est un et simple » [2]. À l'instar de Sieyès, il est convaincu de la possibilité de concilier le plein exercice de la souveraineté, tel que défini par Rousseau, avec l'emploi de représentants. Celui-ci, souligne-t-il fortement, n'implique aucune aliénation : les vingt-cinq millions d'individus qui composent le souverain délèguent de l'*autorité*, mais en aucun cas ils ne se dessaisissent de leur *pouvoir* qui est inaliénable et qui doit demeurer indivis. Dans cette logique, il en arrive à soutenir qu'en réalité « la nation ne se dessaisit pas du pouvoir législatif » que l'Assemblée exerce pour elle. Autrement dit, sur la base des mêmes prémisses exactement, il développe une théorie de la représentation aux antipodes de celle de Sieyès. Il va même jusqu'à reprendre le jargon juridique de l'abbé en parlant de « procureurs fondés » pour désigner les mandataires « chargés de porter la parole » pour tous les membres de l'asso-

---

1. *Archives parlementaires*, t. VIII, p. 568.
2. *Ibid.*, p. 569.

ciation. Lorsque ces représentants « chargés des volontés d'autrui » se réunissent pour en former une seule, explique-t-il, « leurs volontés particulières ne sont que la *représentation* des volontés particulières, et leur volonté générale n'est que la *représentation* de la volonté générale ; les mandataires représentent les volontés par leur dire, comme ils représentent les citoyens par leurs personnes. Ils représentent tout et ne se substituent en rien. Ce ne sont donc pas réellement les représentants qui font la loi, c'est le peuple dont les représentants ne sont que l'organe : donc c'est lui qui a le pouvoir législatif, et l'assemblée générale ne l'a pas. Donc le pouvoir législatif est resté un et simple, il n'a point été divisé... » [1]. Et, en effet, à partir du moment où, au travers de la séparation de fait des représentants, c'est néanmoins « l'unité de tous ensemble » qui est supposée s'exprimer, il n'y a que deux possibilités. Ou bien la Nation ne parle que par ses représentants, ou bien les représentants ne font que porter la parole de la Nation. Le choix est entre une logique de la *substitution* (Sieyès) et son symétrique inverse, une logique de la *participation* (Rabaut). Certes, cette participation demeure d'un ordre mystique, en ce premier moment ; elle se borne à une co-présence en esprit rendant la représentation transparente aux représentés (car il ne s'agit aucunement, chez Rabaut, d'en revenir à un quelconque mandat impératif). Mais on devine la facilité avec laquelle elle peut glisser vers l'exigence d'une concrétisation active. La revendication de démocratie directe, ou d'une insertion participante quelconque du peuple dans le processus représentatif, entrevoit-on ici, a ses racines profondes dans le nœud initial de la problématique révolutionnaire de la représentation.

Rabaut Saint-Étienne est en la matière l'orateur le plus systématique et le plus tranchant. Mais il est loin d'être isolé. Dans la même ligne d'inspiration, les formulations éloquentes surabondent chez les plumes et les voix du parti patriote plaidant comme lui le rejet du veto absolu et l'unité de l'organe

---

1. *Ibid.*, p. 570. Précisons bien que le propos s'insère à l'intérieur d'une authentique philosophie moderne de la représentation : Rabaut proscrit explicitement les mandats impératifs, au profit de « pouvoirs simples et libres » (p. 571).

souverain. Rabaut lui-même se prononce en faveur du veto suspensif, comme « un appel que le magistrat suprême fait des représentants de la nation à la nation elle-même » [1] — comme un moyen, autrement dit, de resserrer l'unité substantielle du pouvoir législatif par-delà l'indispensable division fonctionnelle en représentants et en représentés. Pétion, le 5 septembre, le dit de manière encore plus explicite : « Rien n'est plus propre à créer l'esprit public, à répandre la lumière et l'instruction, à inspirer l'amour de la liberté et de la vertu, que de faire participer tous les citoyens aux affaires publiques, en appelant devant eux, comme devant le tribunal suprême, tous les différends qui peuvent s'élever entre les pouvoirs qu'ils ont constitués [2]. » Le même a, par ailleurs, un propos qui mérite d'être relevé pour la volonté d'orthodoxie rousseauiste qu'il révèle. Du point de vue du concours de la totalité des volontés individuelles à la formation de la loi, expose-t-il tranquillement, tous les régimes sont équivalents, « l'état démocratique ne doit avoir à cet égard aucun avantage sur l'état monarchique, et ce n'est pas sans surprise que j'ai entendu avancer le contraire [3] ». Le recours aux représentants ne relève, il y insiste, que de la seule impossibilité matérielle absolue où une nation nombreuse se trouve d'agir directement par elle-même. Aussi, toute procédure ramenant, fût-ce à intervalles éloignés, quelque chose du vrai principe sera la bienvenue. Voilà comment, sur la base de prémisses intransigeantes, on peut se rallier à la solution apparemment moyenne et modérée du veto suspensif. Mais un Barère, de par le développement de la même idée, en arrive, lui, à exclure toute forme de veto royal au profit d'un veto autrement solennel : celui, automatique, impartial et général qui soumettrait les lois édictées par une assemblée à la ratification des assemblées élémentaires lors de l'élection des nouveaux députés. De la sorte, dit-il, serait « rendu à la nation l'exercice immédiat du pouvoir législatif que l'étendue de l'empire la forçait de confier à des représentants » [4]. Le cercle cette fois se

1. *Ibid.*, p. 571.
2. *Ibid.*, p. 584.
3. *Ibid.*, p. 582.
4. *Archives parlementaires*, t. IX, p. 57.

referme, la procédure de contrôle résorbe pratiquement en elle la délégation dont elle est censée surveiller les écarts. Tantôt la distance entre la représentation et le corps politique est niée, tantôt elle n'est reconnue que pour être autant que possible annulée. Toute la difficulté de l'aménagement du processus représentatif, mesure-t-on en regard, réside dans le délicat mariage entre la reconnaissance de cette différence et sa soumission à un contrôle qui la maîtrise sans en attaquer le principe.

Un sort particulier mérite d'être fait sous cet angle, au titre de l'acuité dans le repérage du problème, à la contribution de Bergasse au débat, un long *Discours sur la manière dont il convient de limiter le pouvoir législatif et le pouvoir exécutif dans une monarchie* [1]. Texte remarquable sous plus d'un aspect – pour le relais qu'il constitue, par exemple, entre le rationalisme politique des Lumières françaises et les doctrines libérales de la « souveraineté de la raison » qui s'épanouiront sous la Restauration. « La loi, écrit ainsi Bergasse, prise dans son acception la plus vraie, n'est que l'expression de la raison universelle. Il n'y a que la raison universelle qui ait le droit de commander ; c'est en elle seule que réside la souveraineté véritable [...]. La loi est l'opposé de la volonté simple. Partout où il n'y a que volonté, il y a despotisme, partout où il existe un accord de la raison et de la volonté, il y a loi [2]. » Mais l'intérêt majeur du texte réside dans l'esquisse d'une théorie du rôle de l'opinion dans le régime représentatif qui illumine par contraste la faille du raisonnement majoritaire. Bergasse appartient au groupe des Monarchiens, les battus de la discussion. Comme eux, il plaide, sans surprise, pour les deux chambres (dont il fait valoir la version américaine) et pour le veto royal « absolu ». Son argumentaire sur le sujet et sur les inconvénients de la formule du veto suspensif est, en revanche, original, même si l'originalité consiste, en l'occurrence, dans l'amplification de thèmes dont l'amorce se trouve dans l'analyse de

1. Il est reproduit *ibid.*, pp. 109-122.
2. *Ibid.*, p. 114.

la constitution d'Angleterre par De Lolme [1]. Le veto suspensif revient à faire participer le peuple au processus législatif en le faisant voter d'une manière ou d'une autre sur les lois en litige. Épreuve, dit Bergasse, qui n'ira jamais sans risque de remise en cause et de la constitution et de l'exécutif suspenseur dans les bailliages. Outre ses périls du point de vue de la marche régulière des institutions, cette implication repose sur une erreur quant à la véritable formule du gouvernement d'opinion qu'est et que doit être le gouvernement représentatif. Il faut, en effet, que l'opinion publique soit juge. Mais elle le sera d'autant mieux, elle sera d'autant plus opinion que le peuple restera au-dehors de la décision proprement dite. Il faut que tout se passe entre les pouvoirs, et par conséquent que l'exécutif ait le moyen d'arrêter une loi sans le recours à une instance tierce. Ce qui ne veut pas dire qu'il ne sera pas sous la pression arbitrale de l'opinion, au contraire. C'est dans la mesure où celle-ci ne sera pas matériellement partie prenante qu'elle remplira pleinement son rôle arbitral. Le jeu *interne* des pouvoirs se limitant l'un l'autre produit un renvoi *externe* devant ce troisième terme, « dont le propre est de n'avoir aucun tribunal visible, dont cependant la puissance existe et se reproduit partout » [2]. Fécondité infinie et inattendue du *Contrat social,* c'est sur le modèle de la formation de la volonté générale que Bergasse conçoit en fait l'opinion publique. « Elle est véritablement le produit de toutes les intelligences et de toutes les volontés, écrit-il ; on peut la regarder en quelque sorte comme la conscience manifestée d'une nation entière [3]. » C'est la raison pour laquelle, « de

1. Jean-Louis DE LOLME, *Constitution de l'Angleterre, ou État du gouvernement anglais, comparé avec la forme républicaine et avec les autres monarchies de l'Europe,* 1ʳᵉ éd., 1771 et nombreuses rééd. Voir, en particulier, les chapitres IX, XII et XIII du livre second, « Pouvoirs que le peuple exerce lui-même ».

2. *Archives parlementaires,* t. IX, p. 120. Sur la formation de l'image du tribunal, voir notamment Mona OZOUF, « Le concept d'opinion publique au XVIIIᵉ siècle », in *L'Homme régénéré. Essais sur la Révolution française,* Paris, Gallimard, 1989, ainsi que Keith BAKER, « L'opinion publique comme invention politique », in *Au tribunal de l'opinion. Essais sur l'imaginaire politique au XVIIIᵉ siècle,* Paris, Payot, 1993.

3. *Archives parlementaires,* t. IX, p. 119. Par rapport au règne physiocratique de l'évidence, l'accent est ici clairement déporté vers la participation de tous à la formation de l'opinion comme raison.

toutes les puissances, elle est celle à laquelle on résiste le moins ». Ainsi en arrive-t-il à marier lui aussi Rousseau et la représentation, mais par un canal inhabituel. « Je voudrais beaucoup que vous examinassiez, demande-t-il, si ce n'est pas dans l'exercice de l'opinion publique que consiste la souveraineté d'un grand peuple [1]. » D'où son souci de lui conserver « toute son indépendance », de « faire en sorte qu'elle ne soit jamais que le résultat uniforme et tranquille de toutes les intelligences et de toutes les volontés ». Son extériorité par rapport à la sphère des pouvoirs constitués est la condition pour qu'elle règne. Il y aurait beaucoup à dire pour la portée prémonitoire de ce déplacement de la sphère et du point d'application de la volonté générale ; il dessine l'une des grandes lignes d'évolution du gouvernement des Modernes. On se contentera pour l'heure de souligner la pénétration avec laquelle Bergasse identifie la règle de fonctionnement du régime représentatif. Comment « élever le pouvoir du peuple au-dessus des autres pouvoirs » quand il délègue ses pouvoirs ? Ce qu'il discerne avec profondeur, c'est que pareille élévation exige paradoxalement la dissociation de la scène représentative et de la nation représentée, au rebours de la logique d'incorporation qui commande aussi bien chez Sieyès que chez Rabaut Saint-Étienne, avec toutes les apparences de la raison pour elle. Il nous éclaire, ce faisant, l'un des enjeux cachés de la bataille.

Il est à noter, d'ailleurs, que sa position n'est pas si éloignée sur le fond des avertissements que prodigue un Brissot, à l'extérieur de l'Assemblée, depuis sa tribune du *Patriote français*. En pratique, ils divergent considérablement, puisque Brissot est un adversaire résolu du veto définitif, derrière lequel il voit le « retour du despotisme ». Mais, à la différence de ses alliés naturels du parti patriote, il refuse tout autant le veto suspensif, comme l'absence de veto, avec un raisonnement appuyé sur l'exemple américain qui le rapproche singulièrement d'un Bergasse. L'appel aux bailliages ? C'est le « système de l'anarchie » assuré. Par ailleurs, on ne saurait méconnaître la nécessité de « donner un frein aux représen-

1. *Ibid.*, p. 120.

tants ». Les trois partis qui divisent l'Assemblée sont donc également mauvais. Il leur oppose « une autre sorte de veto », celui qui autorise le président américain à demander la remise en discussion d'un *Bill* adopté par les deux chambres, tout en l'obligeant à s'incliner si le texte bénéficie lors de cette seconde lecture d'une majorité des deux tiers. Comme Bergasse, Brissot a le vif sentiment de la différence représentative à tenir. L'interaction de pouvoirs qui constitue la clé d'une bonne représentation doit s'exercer dans sa sphère propre, à distance de la société. « Quand le pouvoir de faire la loi est délégué, écrit-il, alors c'est aux délégués à prononcer. Si l'on veut avoir un frein qui les retienne, il faut le choisir dans leur sein même. C'est ce qu'on a fait en Amérique. Le veto américain concilie tout ; il prévient le despotisme d'un seul ; il prévient les factions parmi les représentants ; il rend inutile l'appel au peuple et donne existence à la loi sans son concours [1]. » Et de vigoureusement s'étonner qu'un modèle aussi approprié n'ait jamais été cité dans l'Assemblée – « il est pourtant quelques membres qui connaissent bien les constitutions américaines » [2]. Mais c'est justement que, sur ce terrain, l'autorité des plus prestigieux précédents était de peu de poids face au déterminisme qui imposait de penser en termes d'identité de la représentation et de la nation.

À défaut de mention explicite, on serait tenté de croire, cependant, à une sorte d'incidence diffuse de l'esprit des institutions américaines. Il est frappant de constater, en effet, que c'est en particulier chez deux de ces connaisseurs dont Brissot déplore le silence que point un thème destiné à des développements récurrents, à savoir le besoin d'une institution supplémentaire pour régulariser la marche de ces deux pouvoirs affrontés. Veto royal ou pas, et quelles qu'en doivent être les modalités exactes, une instance spécifique est indis-

1. *Le Patriote français*, n° 35, 5 septembre 1789, p. 4. Cf. également le numéro du 4 septembre, pp. 3-4.
2. *Ibid.*, n° 35. Brissot revient à la charge le 14 septembre (n° 42, p. 1) en regrettant que le duc de La Rochefoucauld (le traducteur des constitutions américaines) « qui dans son petit discours sur la sanction royale a développé les meilleurs principes, n'ait pas dit un mot de ce veto américain qui devait bien lui être connu ».

pensable pour contrôler le travail de ce législatif unique et veiller à la protection des citoyens. Comme si ces admirateurs de l'Amérique épousaient trop, en la circonstance, la logique de la situation française pour en appeler à leur modèle favori, mais comme si, en même temps, la préoccupation oubliée resurgissait au milieu du modèle antinomique. Demeunier, ainsi, le 4 septembre, dans une intervention dont nous ne possédons que le résumé, après avoir classiquement plaidé la permanence du législatif, son unicité et l'exclusion de tout veto, introduit un important correctif dont le vocabulaire même paraît trahir une empreinte américaine. Il demande un « tribunal suprême », chargé d'une double fonction : d'une part le contrôle des pouvoirs d'exécution – il serait établi pour « juger les ministres prévaricateurs et les cours de justice » ; d'autre part, le ralentissement réflexif du pouvoir de législation – il jouerait comme un « tribunal de révision » présentant des observations à l'Assemblée pour qu'elle puisse revenir sur des choix précipités [1]. Où l'on retrouve le malaise vis-à-vis d'une délégation que son caractère monolithique et identificatoire interdit d'assumer comme telle – elle *est* littéralement ce qu'elle représente – mais sous les traits d'une solution nouvelle, celle d'un mécanisme à part, désigné pour veiller en fait à cette relation impensable entre représentants et représentés. Mécanisme pour la conception duquel, significativement, la transposition, même indirecte et lointaine, d'un pouvoir judiciaire à l'américaine, par ailleurs impossible dans le contexte français, ne semble pas tout à fait sans rôle. On relève des vues d'une inspiration analogue chez le duc de La Rochefoucauld, expressément interpellé par Brissot. Lui est partisan du veto royal en même temps que d'un « corps unique de législateurs ». Mais il juge, en outre, indispensable, au titre des « précautions à prendre pour que les délégués ne puissent pas subs-

1. *Archives parlementaires*, t. VIII, p. 565. Rapppelons que DEMEUNIER est l'auteur non seulement de *L'Esprit des usages et des coutumes des différents peuples*, mais aussi de deux ouvrages sur les États-Unis, un *Essai sur les États-Unis*, Paris, 1786, repris de sa contribution à l'*Encyclopédie méthodique. Économie politique et diplomatique*, et *L'Amérique indépendante, ou les différentes constitutions des treize provinces qui se sont érigées en républiques, sous le nom d'États-Unis de l'Amérique*, Gand, 1790, 3 vol.

tituer leur volonté particulière à la volonté de la Nation »,
l'établissement d'un second « régulateur » institutionnel, sous
la forme d'un « conseil pour examiner les projets de lois » [1]. Il
en propose l'idée par la voie de l'impression à la suite de la
séance du 2 septembre, faute d'avoir pu prendre la parole, et il
en précise la teneur à la tribune le 7. Ce « conseil examinateur », comme il l'appelle, formé de cent membres élus dans
les mêmes conditions que les autres représentants, mais sur la
base d'un âge plus avancé et de « mérites déjà éprouvés »,
aurait un rôle seulement consultatif. Il examinerait tous les
projets de loi arrêtés par l'Assemblée nationale, afin de
« l'avertir des inconvénients qu'il y découvrirait », de sorte
qu'une nouvelle discussion pourrait avoir lieu à partir des
objections présentées, et cela dans un délai suffisamment éloigné, six semaines ou deux mois, pour que l'opinion ait le
temps de se manifester. « Le temps, les observations du
conseil, et les écrits qui dans l'intervalle seraient publiés suffi-
raient presque toujours » pour éclairer l'assemblée [2]. Il
conteste pour son insuffisance la division en sections préconisée par Sieyès. Elle ne saurait empêcher, pense-t-il, qu'une
majorité de représentants voulût « porter des lois vraiment
nuisibles contre le bonheur public, quoiqu'elles ne fussent pas
évidemment contre la constitution » [3]. Phrase révélatrice : ce
n'est pas tant à la conformité constitutionnelle qu'il songe,
comme à la concordance avec le vœu et l'intérêt de la majorité
de la Nation. Or cela, seule une instance extérieure et indépendante par rapport à l'instance législatrice peut l'assurer. Si
l'on exclut la balance des pouvoirs au profit de la simplifica-
tion des moyens et de « l'emploi direct des forces », conformément aux progrès de la mécanique, il faut trouver une autre
manière d'exercer le rôle, décidément indispensable, de vérification et de saisie du public que remplissait, fût-ce de manière

1. *Archives parlementaires*, t. VIII, pp. 548-549.
2. *Ibid.*, p. 585. Le résumé des *Archives parlementaires*, à la différence de sa
première intervention, ne donne qu'un reflet très pauvre de son propos. Il faut se
reporter à l'opinion imprimée à la date, *Sur les trois questions suivantes : la législature sera-t-elle permanente ? Y aura-t-il un ou plusieurs corps législatifs ? La sanction
royale sera-t-elle nécessaire ?*, Paris, 1789, pp. 8-10.
3. *Ibid.*

imparfaite, le dialogue contraint d'autorités vouées à s'équilibrer. On ne sortira pas de la quête de ce substitut. Il est même jusqu'à une sorte de disciple effervescent de Sieyès pour faire un pas dans cette direction. Ce curieux M. de Polverel, syndic des états de Navarre, n'a pourtant que sarcasmes à l'égard des « anglomanes » qui veulent un législatif triparti (deux chambres et le roi), alors que la volonté générale est « nécessairement une ». Qu'est-ce que cette « balance » qu'on nous vante, s'exclame-t-il, sinon « un combat perpétuel d'un pouvoir législatif avec lui-même ? » [1]. Toutes thèses et arguments prévisibles, comme son rejet du veto, comme son projet d'un partage de la discussion parlementaire en trois chambres, qu'il décalque manifestement de la division en sections proposées par Sieyès. Mais là où l'épigone prend un relief intéressant, c'est quand, à force de ferveur dans l'adhésion, il dévoile, au prix de l'incohérence, les difficultés des positions qu'il épouse. De son inspirateur principal, Polverel a retenu en particulier la distinction entre pouvoir constituant et pouvoir constitué, dont il tire des affirmations vigoureuses sur le respect de la constitution – « le pouvoir législatif ne peut rien faire, rien ordonner qui soit contraire à la constitution. S'il le fait, il sort des bornes de sa mission : il n'était délégué que pour le pouvoir législatif, et il usurpe les fonctions du pouvoir constituant » [2]. À tel point que notre député en arrive à admettre, au milieu de sa proscription du veto, une exception de taille : l'exécutif et le judiciaire ont non seulement le droit, mais le devoir, dit-il, d'arrêter les actes du législatif lorsque ceux-ci « attaquent la constitution ». Il ne précise pas davantage, à la différence de son maître à penser, le mode de règlement d'un tel conflit. De la même façon, il réintroduit par la fenêtre, un peu plus loin, le veto suspensif qu'il a solennellement expulsé par la porte. Il l'ôte, certes, des mains du roi, mais c'est pour le confier à une institution spéciale, il y vient à son tour, un *conseil de révision,* formé de quinze membres pris dans l'assemblée et élus par elle [3]. Comme quoi,

1. *Archives parlementaires,* t. IX, p. 73.
2. *Ibid.,* p. 72.
3. *Ibid.,* p. 74.

jusque chez les plus intransigeants, ces exigences de contrôle et de confrontation des pouvoirs, que toute la logique de leur construction repousse, n'en continuent pas moins de travailler. Le pas supplémentaire et dernier est franchi par un publiciste extérieur à l'assemblée, l'abbé Brun de la Combe. « Tribunal suprême », « conseil examinateur », « conseil de révision » : les auteurs qu'on a vus se soucier de compléter le dispositif institutionnel par un rouage supplémentaire font entrer celui-ci dans l'ordre des pouvoirs déjà établis. Alors que c'est carrément d'un *pouvoir* nouveau venant en sus des pouvoirs connus que parle notre ecclésiastique – un *quatrième pouvoir*, en l'occurrence, puisqu'il admet la tripartition classique, un pouvoir qu'il appelle *modérateur* [1]. Il entre dans la discussion par une critique des vues présentées par son collègue Sieyès auquel il reproche sur le fond, outre l' « imitation servile » des États-Unis, de ne pas « avoir considéré le corps politique constitué dans son tout » [2]. C'est sa grande idée, inspirée d'un modèle organique qui jouera un rôle considérable dans la pensée révolutionnaire. De même que, « dans un homme bien constitué toutes les parties de son corps concourent à sa conservation et à son bien-être », les institutions doivent former un système cohérent et harmonieusement orienté vers la conservation et le bien-être de « tous les individus » (il insiste sur le *tous*) qui composent la nation. Or le mécanisme proposé par Sieyès – et choisi pour cible, sans doute, en tant que le plus perfectionné – présente sous ce point de vue une lacune essentielle : il n'assure pas la garantie effective des droits qu'il proclame. Apparition d'un autre thème qui ne cessera plus de hanter la réflexion sur les moyens d'un bon ordre constitutionnel. Une chose est de *déclarer* les

1. La notion de « pouvoir modérateur » est développée parallèlement par Bernardin de Saint-Pierre dans *Les Vœux d'un solitaire*, qu'il publie en septembre 1789. Il en fait le principe justificatif de la sanction royale. La division en « deux pouvoirs primitifs » à laquelle s'en tient l'Assemblée nationale est insuffisante, argumente-t-il, « il y manque un troisième pouvoir, nécessaire à tout bon gouvernement, le pouvoir modérateur qui appartient essentiellement au roi dans la monarchie » (p. 64).
2. *Doutes sur les principes de M. l'abbé Sieyès concernant la constitution nationale*, Paris, 1789, p. 12.

droits naturels et imprescriptibles de l'homme, autre chose est d'en *garantir* « la jouissance paisible et l'exercice complet ». La magie des textes ne saurait y suffire, non plus que le système des contrepoids entre le législatif et l'exécutif. Ce dont il est besoin, si l'on veut que la liberté et la sûreté civile soient solidement établies, c'est d'une sorte de *pouvoir sur les pouvoirs* « capable de résister à tout abus d'autorité de la part de la puissance royale, et des assemblées nationales, comme aussi de la part du pouvoir judiciaire, destiné au maintien de cette liberté, de cette sûreté civile ». En plus donc d'une « sage distribution des fonctions particulières à chacun des trois premiers organes du corps politique (les assemblées nationales, la puissance royale et les tribunaux de justice) », il est nécessaire de prévoir « un quatrième organe toujours prêt à réprimer ces abus d'autorité » [1]. Grâce à ce « pouvoir modérateur » – modérateur et régularisateur des autres pouvoirs –, il sera possible d' « assurer à tout individu une parfaite égalité de protection de la part de l'ordre social, c'est-à-dire de toutes les lois, de toutes les institutions nationales » [2]. Brun de la Combe le conçoit sous les traits d'un « Sénat français », désigné par l'Assemblée nationale, mélange de haute cour et de tribunal suprême. N'importe les détails de l'organisation et des attributions qu'il lui prête [3]. Bornons-nous à retenir les deux traits hautement significatifs que forment en la circonstance le problème et sa solution, par rapport aux questions précédemment posées quant au contrôle de la représentation et quant à l'articulation des pouvoirs : d'une part le *but* assigné à cette espèce de tribunal des droits individuels, d'autre part le *moyen* imaginé pour l'atteindre. Une chose est la *fondation* de l'ordre politique à partir des droits des individus, autre chose est l'agencement de cet ordre de manière à garantir leur *protection*. Par ailleurs, le pouvoir de la société sur elle-même, dans un monde de délégation des pouvoirs, appelle quelque chose comme une puissance d'appel contre les pouvoirs. C'est bien ce qu'une incorporation de la nation dans la représentation, à

1. *Ibid.,* p. 23.
2. *Ibid.,* p. 25.
3. *Ibid.,* pp. 43-45.

la Sieyès, interdit de penser. Il n'est pas visé par hasard, et ce n'est pas un hasard non plus si c'est à son propos que la dimension qui restera l'insaisissable obsédant de la Révolution se trouve désignée avec le plus de clarté. Sans doute la position rigoureuse défendue par Sieyès est-elle défaite à l'issue du débat. Cela ne l'aura pas empêchée, une fois encore, comme à propos de la Déclaration des droits de l'homme, d'être celle qui aura fourni le développement le plus explicite et le plus conséquent des principes qui l'emportent en fait. Mais celle aussi qui, pour le même motif, effraie en donnant à discerner les suites et provoque le recul. L'aigreur de l'oracle incompris à l'égard de la pusillanimité intellectuelle de ses collègues n'aura pas dû peu croître et fermenter devant ce nouveau succès en forme d'échec. Car ce qui triomphe avec le veto suspensif et l'assemblée unique, c'est l'identification de la représentation avec l'Un-Tout de la Nation dont il a été le plus profond théoricien et le plus rigoureux interprète, mais flanquée d'un correctif illusoire, le possible appel au peuple étant supposé compenser ce que cette délégation comporte d'exorbitant ou permettre de maîtriser ce qu'elle implique d'immaîtrisable. Ce veto que Sieyès refusait comme impolitique est très exactement l'alibi qui va permettre à la logique politique qu'il préconise de s'imposer. Il la rend acceptable en en masquant les conséquences. Il procure à l'Assemblée l'heureux soulagement qui l'autorise à s'abandonner à sa pente, puisqu'elle dispose de l'antidote aux périls que son expression stricte et nue, telle que l'abbé la lui donnait à lire, faisait (à juste titre) redouter à la plupart. Ainsi, pour un temps, à l'abri de ce faux équilibre, les inquiétudes surgies dans l'instant crucial du choix retomberont-elles. Vont retourner à l'obscurité, apparemment devenues caduques ou sans objet, toutes ces propositions relatives à la vérification représentative ou à la garantie des droits que la crainte de l'usurpation ou de l'arbitraire avait inspirées. Mais la pression du réel ne sera pas longue à ranimer les interrogations et à remettre les tentatives de solution sur le chantier.

CENSURE, SURVEILLANCE, TRIBUNAT

Le problème se réouvre en grand avec le débat sur la révision de la constitution durant l'été 1791. Mais dès l' « année heureuse », on devine son travail souterrain dans la protestation montante contre la captation représentative. Certes, le repoussoir royal est toujours là pour mobiliser le gros des énergies – « la liberté nationale ne peut se maintenir que parce que chaque citoyen lutte de toutes ses forces pour la défendre contre les entreprises du pouvoir exécutif », affirment par exemple *Les Révolutions de Paris* en mars 1790 [1]. Mais l'Assemblée nationale, depuis, en particulier, le décret sur le marc d'argent qui n'en finit pas de soulever des vagues, est devenue à son tour la cible du soupçon et le même organe stigmatise significativement, en mai, « l'organisation *purement représentative* » comme « destructive de la liberté publique » [2]. La question est assez pressante pour susciter l'apparition d'une série de mots nouveaux qui vont beaucoup compter par la suite, au premier rang desquels celui de *censure*.

Quand on dit « nouveau », on ne parle en l'occurrence que de l'emploi du mot dans le discours révolutionnaire. Car il arrive chargé d'un lourd passé dans la langue de la politique. Il est porteur de la tradition des républiques de l'Antiquité, également louées sur ce chapitre par Montesquieu et par Rousseau. *L'Esprit des lois* signale avec faveur le rôle des gardiens des mœurs à Athènes, Lacédémone et Rome, au titre des « moyens de favoriser le principe de la démocratie » [3]. Le *Contrat social* consacre un court chapitre à la Censure, où Rousseau donne à admirer « avec quel art ce ressort, entièrement perdu chez les modernes, était mis en œuvre chez les Romains et mieux chez les Lacédémoniens » [4]. Mais à côté de

1. *Les Révolutions de Paris*, 1790, n° 37, p. 4.
2. *Les Révolutions de Paris*, 1790, n° 43, p. 10.
3. Liv. V, chap. VII (MONTESQUIEU, *Œuvres complètes*, Paris, Gallimard, 1951, t. II, pp. 281-282).
4. Liv. IV, chap. VII (ROUSSEAU, *Œuvres complètes*, Paris, Gallimard, 1964, t. III, pp. 458-459).

cette censure selon les Anciens, qui jouera son rôle lorsque la Vertu viendra à l'ordre du jour, il y a une censure selon les Modernes, celle dont De Lolme a dégagé le modèle dans son analyse du régime anglais. Une censure qui passe par la liberté de la presse et par l'expression de l' « opinion générale ». Un « pouvoir censorial » qui, à la différence de ses augustes précédents, exclut par conséquent l'institution d'un tribunal de censure, lequel ne peut que « manquer essentiellement son but ». Il faut, souligne De Lolme, « que ce soit le peuple lui-même qui parle et se manifeste ». Autant il a avantage à déléguer la recherche de l' « intérêt général » qui forme l'âme de la législation, autant il doit conserver par-devers lui l'exercice de ce « droit redoutable à ceux qui gouvernent et qui, dissipant sans cesse le nuage de majesté dans lequel ils s'enveloppent, les ramène au niveau des autres hommes et frappe sur le principe même de leur autorité » [1]. Fort de son vif sentiment de la supériorité du gouvernement représentatif des modernes sur les anciens gouvernements populaires, lequel gouvernement représentatif « n'a diminué le pouvoir du peuple que pour augmenter d'autant plus sa liberté », De Lolme n'hésite pas à critiquer vertement l' « enthousiasme » inconsidéré de Montesquieu et de Rousseau à l'égard d'institutions dans lesquelles il n'aperçoit, lui, que l'entier arbitraire et la privation de la liberté de penser [2].

Il y aura donc, en réalité, deux censures chez nos révolutionnaires : une censure autoritaire et vertuiste à l'antique et une censure libérale et élargie, à l'anglaise, tournée vers le contrôle de la conduite du gouvernement par le peuple, avec toutes les équivoques qui ne manqueront pas d'en résulter. L'invocation de la notion pourra recouvrir des inspirations opposées, et chez les mêmes auteurs, souvent, la tension entre ses deux

1. DE LOLME, *Constitution de l'Angleterre, op. cit.*, éd. de Genève, 1788, t. II, pp. 37-40. Parmi les publicistes influents qui se prononcent en faveur du principe, il faut mentionner encore FILANGIERI, *La Science de la législation,* liv. Ier, chap. VIII, « De la nécessité d'un censeur des lois et des devoirs de cette nouvelle magistrature ». Plutôt qu'une censure des mœurs à l'antique, Filangieri préconise une censure des lois, destinée à prévenir leur prolifération et leur décadence, sur le modèle des thesmothètes athéniens (en italien, Florence, 1778-1785 ; en français, Paris, 1786-1791, 6 vol.).
2. *Constitution de l'Angleterre, op. cit.*, pp. 38-39.

versants ne sera pas absente. D'autant qu'intervient un troisième modèle, également pourvu d'un grand prestige, le
modèle d'une des plus illustres d'entre les constitutions américaines, la constitution de Pennsylvanie. Celle-ci, dans sa version d'origine, prévoyait l'existence d'un Conseil de censeurs
destiné à examiner périodiquement « si la constitution avait
été maintenue inviolée dans toutes ses parties, et si les
branches législative et exécutive du gouvernement avaient
accompli leur devoir en tant que gardiens du peuple » [1]. On a
ici, pour brouiller la distinction, l'institution à l'antique, telle
que De Lolme la rejette, mais une finalité de contrôle
moderne. Mably avait relevé l'intérêt de l'institution, tout en
recommandant, trait significatif, de ne pas borner son autorité « à examiner si la constitution avait été conservée sans la
moindre atteinte » ; ce sont aussi les passions et les mœurs
qu'il aurait voulu voir soumises à une « censure vigilante,
attentive et perpétuelle » [2]. Parlante réabsorption de la morale
des Anciens au sein de la politique des Modernes, dont on n'a
pas fini de suivre les récurrences.

C'est sous l'égide de Mably, en tout cas, que la censure entre
en Révolution, lorsqu'elle se trouve consacrée par le Cercle
social en octobre 1790. Le prospectus de *La Bouche de fer*
indique, en effet, que le journal aura pour but de « donner à la
voix du peuple toute sa force, afin qu'il jouisse dans sa plénitude et avec une latitude indéfinie, de son *droit de censure*, le
seul pouvoir qu'il lui soit permis d'exercer par soi-même ».
Grâce à un organe recueillant et diffusant ses motions, « tout
citoyen pourra exercer quand il lui plaît les augustes fonctions
de tribun du peuple », dont Mably, pieusement cité en
exergue, avait souligné la nécessité dans un « empire franc et
libre » [3]. Voilà déjà des mois, en vérité, que Bonneville agite
l'idée de cette « bouche de fer » destinée à recevoir *incognito*
les avis des citoyens et qu'il vante les bienfaits de la « censure
publique » à laquelle elle prêterait corps. Il l'a proposée en

---

1. Constitution de 1776, article 47 (dans le recueil de B. POORE, *Federal and State Constitutions*, Washington, 1877, t. II, p. 1548).
2. *Observations sur le gouvernement et les lois des États-Unis d'Amérique*, Amsterdam, 1784, p. 93.
3. *La Bouche de fer*, prospectus, p. 2.

décembre 1789 à la municipalité de Paris. Début 1790, la parution du *Cercle social,* sous forme de lettres, est venue donner un commencement d'existence au dispositif[1]. Bonneville esquisse au printemps un projet de « tribunat national » qui apporterait, au-delà d'une simple répercussion imprimée, l'appui de l'institution à la liberté primordiale d'opiner[2]. Mais la publication de *La Bouche de fer,* à l'automne, marque une étape dans sa conception. Il ne s'agit plus seulement de l'exercice d'un droit individuel. Il s'agit de l'aménagement d'un *pouvoir,* comme le précise le premier numéro du journal, d'un *quatrième pouvoir* indispensable au bon fonctionnement des trois autres : « La distribution des trois pouvoirs commence enfin à s'établir dans toutes les têtes : mais de quoi vous servira-t-elle, si vous ne parvenez à créer un autre pouvoir, *supérieur,* qui, ne tenant à aucun d'eux, ait assez de force pour les garder en équilibre et les empêcher de se confondre[3] ? » Analyse pour nous, dans le principe, sans surprise. La nouveauté est l'identification de ce pouvoir comme « *pouvoir de surveillance et d'opinion* (quatrième pouvoir *censorial* dont on ne parle point) »[4]. On retrouve sous ce chef une conception très voisine de celle qu'avançait Bergasse : dans un régime représentatif, ce pouvoir d'opinion « en ce qu'il appartient *également* à tous les individus, en ce que les individus

1. Le texte de l'adresse *À M. le maire et à MM. des districts de Paris* est reproduit dans les *Actes de la Commune de Paris pendant la Révolution,* édités par S. LACROIX, Paris, 1re série, 1894-1898, t. VII, pp. 565-571, où l'on trouvera également une reconstitution chronologique des essais et projets de Bonneville au cours des premiers mois de 1790. Pour le contexte de l'entreprise, Gary KATES, *The Cercle Social, the Girondins and the French Revolution,* Princeton, Princeton University Press, 1985. Sur Bonneville, Raymonde MONNIER, « Un médiateur philosophe : Nicolas de Bonneville », in *L'Espace public démocratique. Essai sur l'opinion à Paris de la Révolution au Directoire,* Paris, Kimé, 1994, pp. 69-82.
2. Le projet est présenté dans la lettre VII du *Cercle social,* pp. 42-57. Il y aurait toute une analyse à mener de la décantation progressive des idées de Bonneville sur le rôle de l'opinion publique. Les équivoques de ce texte intermédiaire sont particulièrement remarquables. Il oscille entre l'identification pure et simple de l'opinion à la volonté générale et le recours à l'opinion comme remède à l'ignorance où les princes sont traditionnellement réputés être tenus par leur entourage – « sans une pareille institution, les peuples n'auront dans leur chef qu'un homme toujours séduit ou trompé ». Bel exemple d'entrecroisement de l'ancien et du nouveau.
3. *La Bouche de fer,* n° 1, octobre 1790, p. 8.
4. *Ibid.,* p. 9.

peuvent l'exercer par eux-mêmes, sans représentation et sans danger pour le corps politique, constitue essentiellement la souveraineté nationale » [1]. Il forme la partie décisive de démocratie directe qui subsiste dans un système de délégation. C'est dans l'exercice de « *l'opinion générale,* qui est toujours droite et toute-puissante » que consiste pour un de ses moments principaux la participation du citoyen à la formation de la volonté générale. D'où l'importance de procurer sa pleine traduction effective à cette puissance de censure : l'établissement d'un bureau central chargé de rédiger « un cahier public et quotidien pour l'Assemblée nationale », à partir des motions recueillies par *La Bouche de fer,* y pourvoira. Outre le resurgissement des thèmes au milieu du renouvellement du vocabulaire, ce qu'il importe de noter, c'est le glissement de la préoccupation à gauche. En septembre 1789, c'est plutôt du côté des modérés qu'on se souciait de la distorsion entre l'avis des représentants et l' « opinion générale », quand, chez les patriotes, on mettait l'accent sur l'indéfectible bloc de la volonté nationale. C'est du côté des avocats du peuple, ici, en revanche, que l'inquiétude bascule.

Autre terme clé qu'on a vu apparaître au passage et dont il faut marquer à la fois la migration et l'importance : *surveillance.* Il nous emmène, sous couvert du même mot, vers des terres plus extrêmes où l'appel à l'opinion se charge d'un autre enjeu que le paisible exercice d'un « quatrième pouvoir ». Il n'a rien de nouveau, puisque c'est déjà l'un des termes significatifs mis en avant, lors du débat sur le veto, pour désigner l'indispensable contrepoids à une assemblée unique. Par ailleurs, la surveillance est depuis le départ l'une des images-sources, l'une des figures obsédantes de la conscience révolutionnaire [2]. Mais elle change de rôle et de portée lorsque, en sus de son rayonnement imaginaire, elle devient une notion proprement politique, et une notion fétiche du parti populaire. C'est chose acquise avec la création du Club des Cordeliers au printemps 1790. Le Club se fait connaître par une

1. *Ibid.,* p. 10.
2. Voir Antoine DE BAECQUE, *Le Corps de l'histoire. Métaphores et politiques, 1770-1800,* Paris, Calmann-Lévy, 1993, pp. 266-286.

« invitation à tous les citoyens », où il annonce que son but principal est de « dénoncer au tribunal de l'opinion publique les abus des différents pouvoirs et toute espèce d'atteinte aux droits de l'homme »[1]. Les victimes de l'injustice et de l'oppression sont conviées, en conséquence, à lui transmettre leurs plaintes, auxquelles il « s'empressera de donner la plus grande publicité ». Le Club adopte pour sceau « l'œil, emblème de la surveillance » – il se définira explicitement plus tard comme « une société de défiance et de surveillance ». C'est dans ces parages que les animateurs du Cercle social recueillent le mot. Leur démarche peut sembler parallèle. Ils proposent, sous le nom de censure, une mise en forme de ce pouvoir d'opinion qu'ils ont en commun avec les Cordeliers de solliciter. En réalité, il y a une divergence latente entre les deux démarches, comme les développements ultérieurs en apporteront la démonstration. Une divergence qui porte sur le cœur même de notre problème. Nous sommes au point virtuel de basculement où la contestation de l'usurpation représentative va se retourner en exigence symétrique et inverse d'une réduction-résorption du rôle de représentant au profit de la citoyenneté surveillante. Telle sera en tout cas la trajectoire des Cordeliers. Il ne s'agira pas pour eux, à l'exemple de ce que préconise *La Bouche de fer*, d'aménager un pôle de participation extérieur à la sphère des pouvoirs délégués. La dynamique de leur position les conduira à mettre en question le principe même de la délégation et à réclamer la participation directe du peuple à la législation. Soit l'équivalent exact, sous le signe opposé, de l'indistinction entre nation et représentation au nom de laquelle s'opère la captation d'assemblée qu'ils dénoncent. Car, comme le proclamera leur profession de foi, « un corps législatif n'est pas un pouvoir, parce que, s'il en était un, la loi serait faite la force en main. La loi est l'expression de la volonté générale. Cette volonté, quoique

---

1. *Réimpression de l'ancien Moniteur*, t. IV, p. 279. Sur les conditions de création du « Club des droits de l'homme », Albert MATHIEZ, *Le Club des Cordeliers pendant la crise de Varennes et le massacre du Champs-de-Mars*, Paris, 1910. Pour les liens entre le Cercle social et le district des Cordeliers, Gary KATES, *The Cercle social..., op. cit.*, en particulier le chapitre II, « The Fauchetins : advocates of representative democracy », pp. 39-71.

censée exister par l'organe des représentants du peuple, doit encore se manifester particulièrement par lui. Le législateur est le conseil de la nation, et non l'ordonnateur » [1]. La nécessité fonctionnelle de la représentation est reconnue, sans doute, mais au milieu de son annulation principielle. Le remède de la surveillance ramène sous une autre forme le mal qu'il était primitivement destiné à combattre. Certes, en 1790, on n'en est pas là. Clivages et conséquences restent larvaires. La mécanique, toutefois, est en place.

À côté de la *censure* et de la *surveillance*, une troisième notion, elle aussi activement poussée par Bonneville, mérite de retenir l'attention : la notion de *tribun* et de *tribunat*. Indépendamment de lui, elle va faire l'objet d'une orchestration, au même moment et dans les mêmes parages, qui ne comptera pas pour rien dans la pénétration de l'idée de compléter l'édifice ordinaire des pouvoirs par un pouvoir à part. Le mot arrive, ici encore, auréolé du prestige des exemples de l'Antiquité et fort de l'autorité du plus illustre des écrivains modernes. Le *Contrat social*, de nouveau, est passé par là.

Rousseau envisage l'institution en des termes d'une ambiguïté très remarquable, qu'il s'agisse de sa fonction, de sa place ou de ses possibilités : elle porte le meilleur et le pire, elle est hors de la Cité tout en étant ce qui lie ses parties, elle est l'appui indispensable d'une bonne constitution, mais son emploi est réservé à des circonstances particulières. Elle est un recours en cas de déséquilibre des forces à l'intérieur de l'État. « Alors, dit rousseau, on institue une magistrature particulière qui ne fait point corps avec les autres, qui replace chaque terme dans son vrai rapport, et qui fait une liaison ou un moyen terme, soit entre le Prince et le Peuple, soit entre le Prince et le Souverain, soit à la fois des deux côtés s'il est nécessaire. Ce corps, que j'appellerai *Tribunat*, est le conser-

---

1. *Journal du Club des Cordeliers*, n° 10, août 1791, p. 87. Sur le développement de la revendication du gouvernement direct dans le cadre des districts, puis des sections, à Paris, cf. Maurice GENTY, *Paris 1789-1795. L'apprentissage de la citoyenneté*, Paris, Messidor-Éditions sociales, 1987 (en particulier, la formation de la doctrine des *mandataires* contre celle des *représentants* dès les premiers mois de 1790, pp. 49-62).

vateur des lois et du pouvoir législatif[1]. » L'expression est
dérivée du premier des exemples auxquels renvoie Rousseau,
celui des tribuns de Rome, qu'il associe sous le même chef
avec les éphores de Sparte et le Conseil des dix de Venise.
L'extraterritorialité, pour ainsi dire, de l'institution est la
condition de sa force : « Le Tribunat n'est point une partie
constitutive de la Cité et ne doit avoir aucune portion de la
puissance législative ni de l'exécutive, mais c'est en cela même
que la sienne est la plus grande : car ne pouvant rien faire, il
peut tout empêcher[2]. » Rousseau y insiste : le tribunat ne fait
pas partie de la constitution, il « peut être ôté sans qu'elle en
souffre », il est son « plus ferme appui », mais du dehors.
Encore cette puissance négative et bénéfique est-elle susceptible de se retourner en une redoutable puissance usurpatrice.
Au moindre excès dans le calcul de ses attributions, ce corps
destiné à conserver « renverse tout »[3]. D'où la suggestion de
ne pas le rendre permanent et de n'y recourir qu'à des intervalles réglés. Ambivalence majeure, à côté d'incertitudes non
moins spectaculaires, qu'il n'est pas inutile d'avoir enregistré
au passage : elles laissent apercevoir que les difficultés révolutionnaires à définir cet insaisissable et périlleux pouvoir supplémentaire n'étaient pas tout à fait sans préfiguration dans la
théorie.

Bonneville s'exprime en disciple fidèle. Il a contribué à
populariser le mot dès 1789 avec son *Tribun du peuple*[4]. Il
évoque un « tribunat » dans son adresse au maire de Paris, en
décembre de la même année. Les développements qu'il
consacre au sujet dans la « Lettre VII » du *Cercle social,* au
printemps 1790, reprennent littéralement certaines des formulations de Rousseau, mêlées à son obsession propre de
ménager un rôle institutionnel à l'opinion. La France a besoin
d'un « tribunat national » pour conserver sa liberté, fait-il
valoir, « c'est là une institution qui [...] formant une liaison
ou moyen terme entre les gouverneurs et les gouvernés, ne faisant corps avec aucun d'eux, les replacera les uns et les autres

1. *Du Contrat social,* liv. IV, chap. V, éd. cit., t. III, pp. 453-454.
2. *Ibid.,* p. 454.
3. *Ibid.*
4. *Le Tribun du peuple,* Paris, 1789.

par la seule force de l'opinion publique ou volonté générale
qui est toujours droite, dans le rapport exact des divers
emplois qui leur sont fixés par la loi [1] ». Où l'on retrouve
l'intéressant glissement de la volonté générale à l'opinion
publique et à la nécessité de pourvoir celle-ci d'un organe
pour qu'elle compte dans la machine politique. Par une non
moins intéressante réappropriation de l'ancien au milieu du
nouveau, Bonneville en arrive à présenter son tribunat
comme le remède, précisément, au mal traditionnel que
constitue l'isolement du pouvoir, empêchant les rois de
connaître le cœur de leur peuple et les peuples d'aimer leurs
rois. « Sans une pareille institution, les peuples n'auront dans
leur chef qu'un homme toujours séduit ou trompé ; les rois
n'auront autour d'eux que des courtisans ou des esclaves [2]. »

Mais l'ampliation du thème sera assurée, surtout, par un
pamphlet à grand retentissement du futur Conventionnel
Lavicomterie, intitulé justement *Du peuple et des rois*. Il paraît
en octobre 1790, parallèlement à *La Bouche de fer*. Par rapport
au *Contrat social*, le mélange d'emprunt littéral et de déforma-
tion significative est du même ordre que chez Bonneville. Sur
le terrain politique, le tour de Lavicomterie est nettement plus
offensif. Il utilise, en effet, l'idée rousseauiste du recours face à
une anomalie comme le moyen indirect d'une dénonciation
de la monarchie. S'il faut des tribuns, c'est parce qu' « il n'est
pas possible de réformer, d'anéantir cette hérédité de la couronne, destructive de tout ordre, de toute raison politique, de
toute morale » [3]. On est loin de l'irénisme réconciliateur de
Bonneville, même si Lavicomterie n'envisage encore que
l'établissement d'une « couronne élective ». Il ne néglige pas le
rôle que pourraient jouer des censeurs auxquels il consacre un
chapitre. L'information et la critique assurées par la presse ne
suffisent pas. Il est indispensable, en outre, que « l'opinion
publique [soit] manifestée par un magistrat revêtu du caractère propre à l'emploi intègre qu'il exerce » [4]. Mais pareille
magistrature serait à elle seule d'un bien faible poids pour

1. *Le Cercle social*, lettre VII, p. 53.
2. *Ibid.*, p. 54.
3. L.T.H. La Vicomterie, *Du peuple et des rois*, Paris, 1790, p. 78.
4. *Ibid.*, p. 92.

faire face au formidable problème que représente l'absence, en France, « d'un contrepoids suffisant pour contenir la puissance suprême exécutive dans la subordination légale » [1]. Cela, seuls des magistrats spécialement constitués à cet effet, « des magistrats conservateurs des droits sacrés du peuple, des éphores, des tribuns » peuvent l'opérer [2]. Lavicomterie propose encore de les appeler « températeurs » [3]. La description qu'il en donne suit de très près le langage de Rousseau : ils ne sont liés à aucun corps, ils tempèrent par l'exercice de leurs fonctions les pouvoirs entre lesquels ils sont placés, ils forment un moyen terme entre eux qui maintient leurs vrais rapports, ils ont une puissance immense sans avoir aucune prérogative positive – s'ils ne peuvent rien exécuter, ils peuvent tout arrêter [4]. La leçon des périls signalés par le *Contrat social* a été tirée. Lavicomterie est beaucoup plus précis que son maître sur les limites à donner à cette magistrature pour éviter qu'elle ne devienne usurpatrice à son tour : les tribuns seront « impermanents et amovibles », en petit nombre, ils seront changés tous les trois ou six mois, et ils seront, de surcroît, révocables.

Tant d'orthodoxie n'empêche pas le disciple de terminer sur une critique du maître. « Rousseau pense qu'il n'existera jamais une véritable démocratie. » Quelque révérence qu'on doive avoir pour « l'opinion de ce grand homme », il se trompe : un État démocratique est possible, entreprend de soutenir Lavicomterie. Et d'exposer comment la difficulté que soulève Rousseau, relativement à l'incompatibilité entre démocratie et représentation, « se réduit à rien », en réalité, « *devant une démocratie représentée* » [5]. On peut avoir la démocratie selon Rousseau, réalisée au moyen du régime représentatif. Dans la formule bien comprise de celui-ci, en effet, il n'y a aucunement aliénation, même temporaire, de la souveraineté. « Les députés ne font qu'un acte de sujet et non de souverain, puisqu'ils sont obligés d'obéir à la volonté suprême de

1. *Ibid.*, p. 100.
2. *Ibid.*, pp. 83–84.
3. *Ibid.*, p. 81.
4. La description se trouve aux pages 80–84 du texte.
5. *Ibid.*, p. 111.

la nation qui ne peut être dépouillée, dans aucun temps, dans aucun lieu, de ses droits souverains [1] ». Nous voici ramenés une fois encore à cette ambition de dépasser l'opposition entre démocratie directe et appel à la représentation, qui sera l'une des plus insistantes aspirations de la Révolution et l'un de ses plus puissants ressorts. Entre Bonneville et Lavicomterie, sur fond d'espérance commune, la ligne est virtuellement dessinée : la clé de la « démocratie représentée », est-ce un pouvoir d'opinion ou bien est-ce un pouvoir de participation ? Encore quelques mois et il faudra choisir entre la bénigne censure et la mobilisation surveillante du peuple, puisque aussi bien, « une nation représentée ne perd jamais le droit d'être en activité » [2]. Ce qui se devine de divergence potentielle dans la différence des accents n'empêche pas l'accord sur un autre point crucial : ce pouvoir démocratique à l'intérieur du pouvoir représentatif exige un relais institutionnel. « Censurat » ou « tribunat », il faut un pouvoir spécial qui, sans rien faire, ni se mêler aux autres pouvoirs, soit le gardien de cette puissance populaire à la fois inaliénable et déléguée. Mais comment régler une machinerie aussi subtile au milieu de tensions aussi fortes ? Contours et données du problème commencent à se préciser.

POUVOIR CONSTITUANT,
POUVOIRS CONSTITUÉS

La discussion tendue du mois d'août 1791 autour de la mise en forme finale de la constitution confirmera avec autant d'ampleur que d'éclat le transport de la défiance dans le camp du mouvement. La crainte de l'oligarchie représentative est décidément passée, cette fois, dans l' « extrémité gauche » de l'assemblée ; elle agite l'aile la plus avancée du parti patriote,

1. *Ibid.*, p. 112.
2. L'expression est de DUCHOSAL, « Discours sur la sanction populaire », *La Bouche de fer*, n° 70, 21 juin 1791, p. 7. « L'on a confondu la délégation de pouvoir et l'aliénation de la volonté, précise-t-il. Le pouvoir se délègue, mais il est absurde d'en conclure que la volonté s'aliène... »

où la minorité républicaine commence à faire entendre haut sa voix.

Depuis plusieurs mois, la montée en puissance des clubs avait conduit le comité de constitution à réaffirmer une philosophie exclusiviste de la représentation, sous les protestations véhémentes et vaines du petit groupe des défenseurs inconditionnels de la liberté – c'est le moment où Robespierre se taille, dans l'assemblée, une « chaire de droit naturel », comme dira Clermont-Tonnerre. Le 28 février, Le Chapelier, l'organe du comité, avait ainsi proposé un « décret solennel » sur « les principes constitutionnels de l'ordre ». Il stipulait notamment que, « la nation entière possédant seule la souveraineté qu'elle n'exerce que par ses représentants, et qui ne peut être aliénée ni divisée, aucun département, aucun district, aucune section du peuple ne participe à cette souveraineté et tout citoyen sans exception y est soumis »[1]. Dans le même esprit, le même fait adopter le 10 mai une loi proscrivant les pétitions en nom collectif pour en réserver le droit aux seuls individus. Vient enfin, le 14 juin, couronnement de la série, la fameuse « loi Le Chapelier » qui abolit les corporations, au nom toujours du refus de ces regroupements intermédiaires entre « l'intérêt général » et « l'intérêt particulier de chaque individu ».

Au-dehors de l'assemblée, le spectacle de ce divorce croissant entre représentants et représentés inquiète et navre les nostalgiques de la belle unanimité initiale. C'est dans ce contexte qu'il faut comprendre la proposition formulée par le futur girondin Lanthenas, le 17 juin, d'établir un conseil de vingt-quatre sages, qui serait « le modérateur de l'opinion publique »[2]. Elle revient à une tentative de conciliation désespérée. D'une certaine façon, il s'agit d'une réactivation de l'idée de procurer un relais institutionnel ou une

---

1. *Le Moniteur*, t. VII, p. 500. La version adoptée est légèrement différente, cf. p. 503. Pour l'arrière-fond politique, Raymonde MONNIER, « Paris au printemps 1791, les sociétés fraternelles et le problème de la souveraineté », *Annales historiques de la Révolution française*, n° 287, janvier-mars 1992, pp. 1-16.
2. La proposition figure dans une brochure intitulée *De la liberté indéfinie de la presse et de l'importance de ne soumettre la communication des pensées qu'à l'opinion publique*, Paris, le 17 juin 1791.

sorte d'objectivation fonctionnelle à l'opinion publique, telle qu'on l'a vue cheminer au cours de l'année 1790 – Lanthenas participe de la mouvance du Cercle social. Mais la poussée des forces d'opinion n'a pas été sans amener une inflexion notable. Le conseil doit, certes, être composé « d'amis du peuple et de défenseurs de l'humanité », mais sa fonction essentielle sera non pas tant de répercuter les avis de l'opinion que de « l'éclairer », grâce à « la vive lumière qu'il sera à même de porter sur tous les points importants » [1]. Le sauvetage de la « liberté indéfinie de la presse » est à ce prix : il implique de balancer ses « inconvénients » par une institution capable de faire prévaloir « les principes éternels de la justice et de la raison » en s'appuyant sur « le seul ascendant de la vérité et d'une grande publicité » [2]. Ainsi, les demandes de la liberté et les réquisitions de l'autorité trouveraient à s'harmoniser. En réalité, l'heure de la concorde est passée. On ne parviendra plus à tenir la nation en acte et la nation en représentation. La scission ne pourra que s'approfondir entre les partisans de l'opinion mobilisée et les défenseurs du monopole de l'assemblée.

Le 20 juin, c'est le tournant de la fuite du roi. La poussée de républicanisme qu'elle provoque du côté des sociétés populaires ne sera pas faite, parmi les Constituants, pour désarmer les tenants de la primauté absolue des représentants. Elle renforce leur résolution, au contraire, chez les modérés de l'ancien parti patriote, en particulier, décidés à sauvegarder le principe monarchique en dépit de la disqualification personnelle du monarque – un parti patriote irrémédiablement divisé, comme la scission des Feuillants d'avec les Jacobins, le 16 juillet, achève de le manifester. Duport, par exemple, réaffirme avec énergie, le 29 juin, « le premier caractère du gouvernement représentatif », « la détermination ne peut être prise qu'au centre, sans cela la volonté des parties serait prédominante sur la volonté géné-

---

1. *Op. cit.*, p. 33. Lanthenas parle d'un « pouvoir d'impulsion ».
2. *Ibid.*, p. 34.

rale » [1]. Il ne s'agit plus ici, comme aux premiers temps de la Révolution, de faire valoir l'unanimité de la nation contre l'arbitraire royal, il s'agit d'assurer la prépondérance, au travers de la majorité de l'assemblée, de l'expression du tout aux dépens de l' « expression partielle » des sociétés et des clubs. La dispute va se situer dès lors sur le terrain de la véritable et de la fausse expression du peuple. C'est de l'aile « clubiste » la plus avancée que vont venir réflexions et propositions sur le contrôle des mandataires, en regard de l'usurpation incarnée par les « réviseurs » et la coalition attachée à « terminer la révolution ». Il est significatif du climat de l'heure de voir un Brissot approuver, dans les colonnes du *Patriote français,* les critiques du monarchien Bergasse à l'encontre du projet de constitution. « M. Bergasse, appuie Brissot, prouve que le projet des comités détruit la souveraineté du peuple, et il a raison [...]. Il prouve que d'après le plan des comités, le corps législatif pourra s'arroger tous les pouvoirs – et il a encore raison [2]... » Certes, ajoute Brissot, si le diagnostic est juste, Bergasse ne donne pas pour autant le remède, alors que lui l'a trouvé : « Il est dans les conventions nationales. » C'est, en effet, autour de cette formule institutionnelle – suggérée par Sieyès en 1789, on s'en souvient, sans le moindre écho sur l'instant – que vont se concentrer la conscience du problème et les tentatives de solution. La position minoritaire des ultrapatriotes les oblige à s'en remettre à l'avenir et au progrès des Lumières. Aussi vont-ils porter l'offensive sur les possibilités

---

1. *Le Moniteur,* t. VIII, p. 2. On a au même moment, dans le camp d'en face, un emploi très révélateur de la même métaphore du *centre,* sous la plume de PAINE. Elle intervient dans le cadre d'un argumentaire antimonarchique et d'un plaidoyer en faveur du régime républicain comme le régime le mieux à même d'assurer « la connaissance complète de toutes les parties, de toutes les circonstances, de tous les intérêts d'une nation ». L'image permet de donner corps à l'image d'une pareille co-présence identificatoire du pouvoir représentatif et du pays : « la représentation est le *centre* le meilleur et le plus fort qu'on puisse trouver pour une nation. Son attraction agit si puissamment que tous les hommes l'approuvent, même sans raisonner sur la cause. *Toute la France, quelque distantes que soient ses parties se trouve en entier, dans ce moment, dans son centre de représentation* », *Le Républicain,* n° 1, juillet 1791, pp. 9–10 (c'est moi qui souligne). De l'omnipotence, par-delà les clivages partisans, de la même figure mystique de l'adhésion représentative.
2. *Le Patriote français,* n° 745, 24 août 1791, p. 232.

futures de réforme de la constitution. Une stratégie amorcée
de plus longue main, là encore, puisque Condorcet la définit
dès le 5 avril devant la Société fédérative des amis de la vérité,
en soulignant qu'on ne peut « regarder comme vraiment
libres que les constitutions qui renferment en elles-mêmes un
moyen de perfectionnement », sous la forme de conventions
périodiques [1]. Lorsque, le 5 août, Thouret présente la version
d'ensemble, triée et ordonnée, de l'acte constitutionnel,
l'absence d'un titre consacré aux procédures de révision est
aussitôt relevée et dénoncée par le parti populaire comme une
lacune criante. C'est sur ce point que va porter le gros de la
charge. Le 7 août, Condorcet et Pétion prononcent deux
grands discours aux Jacobins sur la « nécessité absolue » d'établir des conventions. Le lendemain, c'est au tour de Brissot
d'orchestrer le thème depuis la même tribune. Condorcet se
montre discrètement explicite sur les enjeux de la procédure
correctrice. Sans nommer ni le roi ni le cens, il laisse entendre
que leur présence dans la constitution est en contradiction
avec la Déclaration des droits. À quoi bon reconnaître que
tous les hommes sont égaux si c'est pour établir par ailleurs
« des avantages en faveur des riches » ? Que signifie proscrire
les distinctions héréditaires et poser l'égalité devant la loi
quand on crée à côté des emplois héréditaires et qu'on décrète
la personne de tel homme inviolable et sacrée ? Une « juste
espérance », dit-il, fait croire que des « erreurs si palpables »,
une fois « livrées à l'examen de la raison publique », ne manqueront pas de « disparaître bientôt devant elle » [2]. On
conçoit le peu d'empressement du camp de la stabilisation des
acquis révolutionnaires autour d'une royauté maintenue et
d'un exécutif renforcé devant de ces débats récurrents dont
l'objet n'est point celé. Difficile en même temps de ne pas
reconnaître à la nation « le droit imprescriptible de changer sa
constitution ». D'où la solution moyenne qui sera finalement
adoptée, après de longues discussions : concéder le principe,
tout en limitant ses incidences pratiques (et en évitant le mot

---

1. CONDORCET, *Discours sur les conventions nationales,* 1ᵉʳ avril 1791, p. 2. (Il
est reproduit dans la série *Aux origines de la République, op. cit.,* t. V.)
    2. *Discours sur les conventions nationales,* 7 août 1791, p. 10. *(Ibid.)*

dangereux de « convention »). Il y aura donc un titre supplémentaire (le titre VII) consacré à la « révision des décrets constitutionnels », mais il sera prévu, au nom de l' « intérêt national », que la procédure reste partielle et qu'elle s'effectue avec une sage lenteur.

Ce qui nous intéresse, dans ce débat, c'est la réflexion sur l'organisation des pouvoirs dont il est l'occasion, de la part de ceux que leur enthousiasme régénérateur y disposait le moins, deux ans auparavant. Ils ne doutaient pas, alors, que l'assemblée parlait pour la nation. Dans l'été 1791, ils sont revenus de l' « assentiment presque unanime » qu'invoque Le Chapelier, le 30 août, pour écarter la proposition de Malouet qui demandait que la constitution soit soumise à l' « acceptation libre » de la nation. Du côté de « l'extrémité de la partie gauche », le scepticisme doit être de mise lorsqu'on entend le porte-parole de la majorité répondre, même à un membre de la droite, que la constitution « est acceptée par les quatre-vingt-dix-neuf centièmes de la nation, et je ne dis pas assez » [1]. Au travers de la question de l'exercice du pouvoir constituant, c'est en fait la question du contrôle des pouvoirs délégués que les Pétion, Brissot et autres Robespierre sont amenés à poser, en des termes qui rejoignent étrangement, à de certains accents près, ceux de leurs adversaires de la première heure. On le notait déjà à propos de l'approbation donnée à Bergasse par Brissot. De façon générale, c'est l'un des traits frappants du débat que cette conjonction des ultra-patriotes et des monarchistes libéraux dans la dénonciation d'un mécanisme institutionnel grevé par le monopole représentatif. C'est Buzot, par exemple, le fidèle compagnon de Robespierre, qui souligne, le 8 août, l'absence de procédure effectuante que le redoublement de la Déclaration des droits par un titre de garantie se bornait à faire ressortir sans y remédier. « Il ne suffit pas de dire, observe-t-il, comme il est dit dans ce titre, que la constitution garantit les droits civils et naturels, il faut que l'on connaisse comment elle les garantit... » Où se trouve le pouvoir qui pourra protéger le citoyen contre les atteintes de la législature ou du pouvoir exécutif ? « Examinez le titre que

1. *Archives parlementaires*, t. XXX, p. 73.

je discute, et vous verrez, non pas que la constitution me garantit des droits, mais que la constitution promet que la loi me les garantisse [1]. » Clermont-Tonnerre ne dira pas autre chose dans son *Analyse raisonnée de la constitution française*, une fois celle-ci adoptée en septembre. Où est l'instance qui jugera et qui fera que cette garantie n'est pas purement théorique ? « L'Assemblée nationale, écrit Clermont-Tonnerre, en déclarant un droit a voulu interdire au pouvoir législatif la faculté d'y déroger mais, faute d'avoir établi ni un juge ni un moyen de réprimer les dérogations, elle a rendu sa déclaration illusoire ou dangereuse. Elle est illusoire si le corps législatif reste seul arbitre de ses propres décrets et de leur plus ou moins de conformité avec le principe : elle est dangereuse, si ce jugement appartient au peuple à qui la constitution interdit tout autre moyen que celui d'une inutile pétition, ou d'une insurrection subversive [2]. » Inutile de dire que, sur la base de ces diagnostics convergents, les solutions proposées divergent diamétralement d'esprit. Les conventions nationales mises en avant par le groupe des Jacobins ne peuvent guère faire figure, aux yeux de nos Monarchiens, en cela du même avis que la majorité de l'assemblée, que de périlleux appels à la remise en cause des institutions. Reste que c'est en fonction de la même analyse du risque d'usurpation et de despotisme des pouvoirs délégués que ce retour régulier à l'expression du pouvoir constituant est préconisé (avec un supplément spécifique de méfiance à l'endroit de l'exécutif, de la part de nos Jacobins). D'un parti à l'autre, les mêmes expressions reviennent, d'ailleurs, comme celle de *pouvoir régulateur*. Sans doute, pour Clermont-Tonnerre et ses amis, a-t-il plutôt la forme d'une seconde chambre, repoussée avec horreur par les patriotes de toutes obédiences comme un fatal « repaire d'aristocratie ». Il n'en est pas moins significatif de retrouver l'expression dans la bouche de Pétion lorsqu'il

---

1. *Archives parlementaires*, t. XXIX, pp. 271-272.
2. *Analyse raisonnée de la constitution française décrétée par l'Assemblée nationale*, Paris, 1791, pp. 21-22. Voir, sur cet aspect du débat, l'analyse de Lucien JAUME, « Garantir les droits de l'homme : 1791-1793 », *La Revue Tocqueville*, numéro spécial *Les Droits de l'homme : une expérience franco-américaine*, sous la direction de Denis LACORNE, vol. XIV, n° 1, 1993, pp. 49-65.

expose aux Jacobins l'impossibilité de laisser l'exécutif et le législatif à eux-mêmes : « Si vous n'avez pas un pouvoir régulateur, un pouvoir qui, par son ascendant, rétablisse l'équilibre, en faisant rentrer chacun dans les limites dont il s'est écarté, vous exposez la chose publique à un bouleversement absolu ; vous exposez la constitution à une subversion totale, puisque le partage des pouvoirs sera dérangé ou détruit, que le pouvoir législatif usurpera le pouvoir exécutif ou, ce qui est plus vraisemblable et plus conforme aux événements, le pouvoir exécutif envahira le pouvoir législatif [1]. » Il est tout aussi digne de remarque de voir le diagnostic, sinon la formule même, repris par Robespierre. Le 31 août, il objecte à un orateur de la majorité, d'André, qu'il a oublié, en parlant des moyens de réformer la constitution, la fonction principale qui doit revenir à une convention, à savoir celle d' « examiner si les pouvoirs constitués n'ont pas franchi les limites de la constitution et de les y faire rentrer » [2]. Fonction qui interdit de confier le redressement de ces abus aux autorités mêmes qui pourront les avoir commises et qui exige le recours à des assemblées spéciales dont ce sera l'unique rôle. Buzot enfonce le clou, un peu plus tard. Le vrai problème auquel il s'agit de répondre, plaide-t-il en substance, est d'empêcher que « le corps législatif ne change de lui-même la constitution, c'est-à-dire qu'il ne s'empare insensiblement du pouvoir constituant lui-même » [3]. Comment rendre ce même corps juge de ses propres usurpations ?

C'est à Brissot qu'il appartiendra de formuler la critique avec le plus de tranchant et surtout d'en dégager les implications avec le plus de netteté. Sa fermeté de pensée procède droit de son adhésion résolue au principe représentatif. C'est celle-ci déjà qui, lors du débat de septembre 1789, on s'en souvient, l'avait conduit à prôner, de manière fort isolée, le

---

1. *Discours sur les conventions nationales*, 7 août 1791, *op. cit.*, p. 9. Il est précisé par le procès-verbal : « M. Pétion lit un discours qu'il doit prononcer à l'Assemblée nationale » (Alphonse AULARD, *La Société des Jacobins*, Paris, 1889-1897, t. III, p. 71). C'est le même texte, en effet, qui sera prononcé le 29 août (*Archives parlementaires*, t. XXX, la citation se trouve p. 46).
2. *Archives parlementaires*, t. XXX, p. 112.
3. *Ibid.*, p. 113.

« veto américain » contre l'appel au peuple. C'est elle, de nouveau, qui le guide dans sa défense et illustration des conventions nationales et le singularise relativement parmi ses amis.
Pour nombre d'entre eux, et c'est bien, d'ailleurs, ce qui
inquiétait leurs adversaires, l'intérêt du mécanisme tenait à
l'espèce d'association extraordinaire du peuple à la marche
ordinaire des institutions que sa convocation eût autorisée.
C'est particulièrement clair chez Condorcet, par exemple, qui
évoque dans son discours d'avril l'utilité qu'il y aurait à
compléter les révisions conventionnelles par une vérification
directe auprès des citoyens de ce que les lois constitutionnelles
ne comportent rien de contraire à leurs droits [1]. La bonne
organisation des pouvoirs, aux yeux de Condorcet, il le prou-
vera bientôt avec la constitution girondine, est celle qui rapproche le plus qu'il est possible les nécessités matérielles de la
représentation de l'exercice direct de la souveraineté populaire. Position qui n'est jamais que le symétrique inverse,
encore une fois, de la « représentation absolue » identifiant
purement et simplement l'expression des délégués à celle du
peuple. Brissot fait partie du très petit nombre de ceux qui,
dans la Révolution, échappent à cet antagonisme circulaire de
contraires jumeaux et au renversement sans issue de l'un dans
l'autre. Il a une conscience aiguë de la spécificité représentative des régimes modernes, y compris républicains, à l'instar
des États-Unis d'Amérique, par rapport aux républiques
anciennes : « Les républiques modernes sont par essence
représentatives [alors] que les anciennes ne l'étaient pas [2]. »
En même temps, il partage la sensibilité « démocratique » du
camp ultra-patriote qui le rend très hostile à la prépotence du
corps législatif préparée par les Constituants. D'où une tension entre l'idée que la représentation ne constitue pas une
limite de fait, mais une propriété d'essence du « système

---

1. CONDORCET, *Discours sur les conventions nationales*, 1ᵉʳ avril 1791, éd. citée,
pp. 15-20.
2. « Ma profession de foi sur la monarchie et sur le républicanisme », *Le
Patriote français*, n° 696, 5 juillet 1791, pp. 18-20 et n° 697, pp. 22-24. C'est
cette option représentative qui lui fait critiquer Lavicomterie et ses propositions
de ratification populaire des lois. Le point est justement souligné par Patrice
GUENIFFEY dans son « Brissot », *La Gironde et les Girondins*, sous la direction de
François FURET et Mona OZOUF, Paris, Payot, 1991.

moderne », comme il dit, et le sentiment que la souveraineté populaire exige cependant d'être inscrite à l'intérieur même du système représentatif, tension qui élève son plaidoyer très au-dessus des intérêts tactiques et stratégiques qui commandent, dans le contexte, l'orchestration du thème. Au travers de la révision, c'est de l'ordonnance des pouvoirs qu'il traite. Les lacunes du code constitutionnel ne regardent pas que les possibilités de le réformer dans l'avenir ; elles touchent à ses conditions générales de fonctionnement. « Je n'y vois pas de pouvoir conservateur de la constitution, attaque Brissot d'entrée, de pouvoir capable de résister aux efforts séparés ou combinés que les pouvoirs délégués feront naturellement pour la miner ou la détruire. Je n'y vois rien qui retrace, rien qui conserve la souveraineté du peuple [1]... » Il parle un peu plus loin du manque d'un « pouvoir protecteur de la constitution », qu'il qualifie encore, en détaillant, de « pouvoir conservateur, réformateur, censorial ». Pour un tenant de la représentation, la difficulté à surmonter n'est pas mince. Elle relève presque de la quadrature du cercle, puisqu'il s'agit ni plus ni moins, avec ce pouvoir supplémentaire, reconnaît Brissot, de « mettre dans la constitution même un pouvoir supérieur à tous les pouvoirs délégués » [2] – mais comment installer un pouvoir qui ne pourra procéder à son tour que de la délégation par-dessus d'autres pouvoirs délégués ? Il ne suffit pas, explique Brissot, d'avoir « un corps pour faire des lois [et] une ou plusieurs personnes pour représenter la nation dans l'exécution de ces lois ». Un « État bien constitué » doit, en outre, comporter « un pouvoir subsistant en lui-même pour résister aux usurpations de chacun des membres du gouvernement et les contenir tous dans les bornes du devoir ». Car « un pouvoir délégué sans un autre qui le surveille et le contrôle, tend naturellement à violer le principe de sa délégation, et à transformer cette délégation en souveraineté » [3]. C'est le rôle fondamental qu'il attend des fameuses conventions. Il leur revient d'incarner, au travers de leurs tâches de censure et de perfectionne-

---

1. *Discours sur les conventions prononcé à la Société des amis de la Constitution,* 8 août 1791, p. 2.
2. *Ibid.,* p. 3.
3. *Ibid.,* p. 5.

ment de l'acte constitutionnel, la maîtrise dernière du pouvoir-source, du pouvoir constituant, sur les pouvoirs exercés
en son nom. Le peuple, en d'autres termes, ne peut pas rester
simplement l'origine des pouvoirs dans la constitution représentative. Il faut que cette puissance *originelle* se prolonge et
prenne en quelque manière forme de pouvoir *actuel.* Or, c'est
uniquement au travers de la supériorité de la constitution sur
les pouvoirs constitués, supériorité attestée et concrétisée par
l'exercice distinct du pouvoir constituant, que cette puissance
ultime d'appel peut être logée dans la machine institutionnelle. Brissot demeure jusqu'au bout à l'intérieur de la
logique représentative. Il est entendu que ce pouvoir de surveillance des pouvoirs ne peut lui-même être exercé que par
une assemblée élue, convoquée à intervalles réguliers en vue
de cette seule mission. Sauf qu'au travers de cette délégation
spéciale c'est un au-delà de la délégation qui se trouve figuré.
Si, par un côté, la souveraineté du peuple ne peut être exercée
que par délégation, il faut, par l'autre côté, un mécanisme qui
garantisse, *représentativement,* « sa suprématie active sur tous
les pouvoirs délégués » [1]. La doctrine n'a guère fait école en
pratique. On peut raisonnablement penser que la solution
n'était pas la bonne. Cela n'empêche pas le problème d'exister
et d'avoir été profondément posé. C'est une des conditions
primordiales du bon fonctionnement du régime représentatif
qui se trouve ici identifiée. Une condition après laquelle, en
vérité, nous courons toujours, même si nous ne sommes pas
tout à fait sans avoir trouvé, à tâtons, le moyen d'y répondre.
Peut-être comprend-on mieux, à la lumière de ces lointaines
réflexions sans suite, l'exacte portée que revêtent les procédures de contrôle constitutionnel au sein des démocraties
contemporaines.
    La possibilité de pareille rétroaction du pouvoir constituant
sur les pouvoirs constitués, telle que les conventions périodiques lui paraissent la promettre, rend Brissot remarquablement confiant, dans l'autre sens, quant à la réconciliation de
la souveraineté populaire et de la représentation. Autant il
juge indispensable ce bouclage du processus représentatif sur

---

1. *Ibid.,* p. 8.

lui-même, autant il estime que sa réalisation marque le progrès décisif suffisant à lever l'anathème lancé par le *Contrat social.* « Rousseau, ne craint-il pas de supposer, n'aurait pas calomnié ainsi le système représentatif s'il avait vu à côté, comme en Amérique, un frein aux entreprises des représentants dans des conventions périodiques. Le système représentatif ne devient tyrannique que là où ce frein n'existe pas. Mais les conventions périodiques n'étaient pas bien connues au moment où Rousseau écrivait [1]...» Bel exemple, de nouveau, de ce rousseauisme contre Rousseau dont l'énigmatique prétention rectificatrice traverse toute la Révolution (ce qui interdit déjà de le réduire à une aberration individuelle). Il ne suffit pas d'en sourire du haut de notre science des auteurs. En son inconséquente naïveté, il porte une intuition essentielle quant à la nature du « système moderne ». Les choses seraient simples, si, comme dans les manuels, la souveraineté directe du peuple s'opposait à la pure représentation. Mais, dans la réalité, c'est bien à un mixte des deux que nous avons affaire. Là réside le déroutant mystère que nos démocraties offrent à démêler. La tension qui les habite depuis le départ n'a pas d'autre racine : elle tient à ce programme d'hybridation qui leur enjoint de donner corps effectif à la souveraineté du peuple sur la base d'un jeu purement représentatif des pouvoirs − ambition qui rend si problématique l'agencement interne de ces derniers.

Dans le flot des brochures et libelles du fécond mois d'août 1791 se distingue, à la pointe de l'audace antimonarchique, *L'Acéphocratie,* « par M. Billaud de Varenne, auteur de plusieurs ouvrages politiques » [2]. Dédié « aux Français qui veulent être libres », l'opuscule s'ouvre sur un exergue tiré du *Brutus* de Voltaire, qui achève de dissiper ce que la bizarrerie néologique du titre pourrait laisser d'obscurité : « Je porte dans mon cœur / La liberté gravée et les rois en horreur. » Sa virulence sacrilège a d'ailleurs valu à Billaud d'être exclu des

---

1. *Ibid.,* p. 17.
2. C'est ainsi que le présente la page de titre de l'opuscule, dont l'intitulé complet est *L'Acéphocratie ou le gouvernement fédératif démontré le meilleur de tous, pour un grand empire, par les principes de la politique et les faits de l'histoire,* Paris, 1791 (*reprint,* Paris, Edhis, 1977).

Jacobins au lendemain de la fuite du roi. Il s'est replié dans la
mouvance de Danton aux Cordeliers. L'étrange dénomination sous laquelle s'avance son républicanisme est à prendre à
la lettre, jusque dans sa radicalité utopique : c'est bien d'un
essai de définition du meilleur régime politique par l'absence
de tête qu'il s'agit. C'est un véritable schéma d'inversion qui
guide le futur théoricien du gouvernement révolutionnaire
dans son apologie du « gouvernement fédératif ». Car, pour
l'heure, le Montagnard extrême de 1793, la figure de proue
du Comité de salut public en est à chercher ses modèles du
côté des Cantons suisses et des constitutions de la Caroline
selon l' « immortel Locke » [1]. Quoi qu'il en soit de la signification de cette embardée décentralisatrice dans l'itinéraire du
personnage, l'économie des pouvoirs qu'elle mobilise appelle
l'attention. Le renversement tête pour tête de l'édifice monarchique que poursuit Billaud pivote, en effet, autour de ce qu'il
dénomme lui-même le « troisième pouvoir oublié » [2]. Il ne se
contente pas de reprendre la critique démocratique d'une
constitution qui ne proclame la souveraineté de la nation que
pour aussitôt la confisquer au profit d'un petit nombre de
volontés particulières, même s'il y sacrifie avec entrain –
« Comment est-il arrivé, ne manque-t-il pas de demander,
qu'après avoir reconnu que la loi devait être l'expression de la
volonté générale, cette loi soit rédigée par 1 200 citoyens et
sanctionnée par un seul ? » [3]. De façon beaucoup plus inattendue dans ces eaux protestataires, il se fait l'écho des critiques
portant sur le mécanisme institutionnel et, en particulier, sur
la réduction des pouvoirs à deux, avec ce qu'elle entraîne
d'improbabilité d'une situation d'équilibre : « Il a été démontré, enregistre-t-il, que par le jeu naturel des deux pouvoirs
régulateurs récemment organisés, ils devaient alternativement
se trouver sous la dépendance l'un de l'autre ; d'où il résulte
que celui qui obtient la supériorité ne connaît plus d'arrêt [4]. »
Et, de manière encore plus surprenante, il incorpore ces
objections dans une problématique qu'on eût pu croire

1. *L'Acéphocratie, op. cit.*, p. 68.
2. *Ibid.*, p. 61.
3. *Ibid.*, p. 62.
4. *Ibid.*, p. 61.

complètement dépassée et oubliée, qui est ni plus ni moins celle du débat sur le veto, dont on vérifie une fois de plus le caractère matriciel.

Billaud repart en fait de la nécessité de l'appel au peuple comme correctif de l'inévitable représentation, comme arrêt et contrôle de « la volonté partielle du corps législatif », puisque, dans un grand État, « le gouvernement représentatif peut être seul admissible »[1]. Le « pouvoir sanctionnateur », voilà ce qui appartient inaliénablement à la nation. Le retour tacite aux termes de la discussion de septembre 1789 est le moyen d'écarter la funeste Chambre haute, remède généralement préconisé par ceux qui se préoccupent, et à juste titre, donc, aux yeux de Billaud, du face à face entre une assemblée unique et le roi. En rétablissant la nation dans sa prérogative la plus propre, il est possible de faire droit à la vérité de l'objection, tout en éloignant une solution qui aggraverait le mal au lieu de le réduire. Mais Billaud est conséquent jusqu'au bout dans son adhésion à la nécessité représentative : son troisième pouvoir « sanctionnateur », bien que destiné à pallier les inconvénients de la représentation, est lui-même représentatif. Il propose de le confier aux « corps administratifs secondaires », c'est-à-dire aux départements. Il l'appelle pour ce motif « pouvoir intermédiaire », puisqu'il serait entre les mains de « ceux qui tiennent le milieu entre les chefs et les inférieurs »[2]. Spatialement, numériquement et socialement, il formerait un moyen terme entre l'universalité des citoyens et l'élite du pouvoir. En plus de rapprocher l'adoption des lois des simples électeurs, il établirait une « juste proportion » entre la population et ses délégués, tout en permettant que « chaque portion de l'État se trouve séparément représentée ». C'est grâce à cette charnière que Billaud fait basculer l'ordre politique tête-bêche. Grâce au renforcement du pouvoir de la loi que crée sa ratification dans les départements, il devient possible d'envisager la dispersion, la dissémination du pouvoir exécutif à la base. Billaud le confie ainsi « aux districts, aux municipalités, aux tribunaux », c'est-à-dire, explique-t-il,

1. *Ibid.*, p. 64.
2. *Ibid.*

aux instances qui, en réalité, l'exercent déjà, parce qu'elles sont « naturellement préposées et pour faire connaître la loi aux peuples, et pour veiller à son exécution, et pour contraindre à l'observer, en punissant les réfractaires » [1]. Sauf qu'elles tiraient leur force, jusqu'alors, de l'appui d'une suprême autorité, au lieu que, dans le cadre d'une légalité où tous se reconnaissent, parce qu'elle procède réellement de la volonté générale, elles ont assez d'autorité chacune pour se suffire à elles-mêmes dans l'accomplissement de leur mission. De sommital et concentré qu'il était dans sa version royale, le pouvoir exécutif se mue par démultiplication en pouvoir de proximité. Au centre ne subsiste plus que le corps constituant, « lien nécessaire de toutes les parties », tandis qu'à la périphérie règne l'autogouvernement fédératif, avec, au milieu, ce pouvoir que Billaud nomme encore « ratifiant » et qui assure la conjugaison de l'un de la loi et du multiple de son application. Un emploi inattendu pour ce tiers-pouvoir vérificateur dont les dilemmes du veto avaient fait apparaître le manque en même temps que l'impossibilité. Son incarnation utopique à l'extrémité gauche le transforme en moyen d'une déconstitution de la monarchie dans son principe même.

Il ne faudrait pas exagérer toutefois l'excentricité de la « combinaison mathématique » proposée ici par Billaud, tant par rapport à sa propre trajectoire que par rapport à la dominante de l'esprit révolutionnaire. Elle reste puissamment sous le signe de cette unité dont elle s'emploie à renverser l'ancienne figure. Il n'est pour s'en persuader que d'entendre les accents avec lesquels notre iconoclaste exalte l'implacable logique de son dispositif : « Il existe entre les différents pouvoirs cette liaison nécessaire, cette dépendance réciproque, ces proportions calculées, ces rapports exacts, cette parité d'espèce, ces formes combinées, ces formes assorties quoique particulières, ces placements fixes et circonscrits qui, distinguant et séparant les trois pouvoirs politiques, n'en forment cependant qu'un tout ; parce qu'ils ne reçoivent leur impulsion que de la loi qui dirige constamment leurs différents

1. *Ibid.*, p. 69.

mouvements vers la même fin[1]. » La fonction d'*inter-médiaire*, dans un tel cadre, est d'accroître la cohésion de l'ensemble, et nullement d'introduire de la différence et du jeu entre les partenaires de la scène politique. Sûrement est-ce grâce à cet idéal, d'ailleurs, que Billaud pourra glisser sans la moindre peine du fédéralisme à l'ultra-jacobinisme. Il existe un pont secret de l'un à l'autre. L'hésitation dont son parcours aura témoigné n'en est pas moins riche de sens : déconstruire l'unité de volonté de l'appareil monarchique ou s'en emparer ?

Parmi les contributions diverses que la question constitutionnelle suscite autour d'août 1791, on en signalera encore deux. La première est d'un étonnant personnage qu'on retrouvera un peu plus loin, en 1793, le comte de Bacon-Tacon, ci-devant aristocrate passé au camp de la Révolution. Son plaidoyer, daté du 21 août, en faveur d'une assemblée spéciale de révision, ne se borne pas tout à fait à répercuter les arguments avancés aux Jacobins au début du mois. Il y ajoute une réflexion intéressante quant aux attributions d'une telle instance, dont il entend prouver, contre l'objection majeure qui lui était opposée, qu' « il ne faut pas craindre qu'elle réunisse tous les pouvoirs et qu'elle les exerce ». « On pourrait hasarder de dire, écrit-il, que cette assemblée se comportera, à l'égard des pouvoirs constitués, comme le tribunal de cassation se comporte à l'égard des autres tribunaux, il examine celui qui est sorti de sa compétence sans avoir le droit de juger les causes qui lui sont attribuées[2]. » Parlant retour d'un modèle judiciaire, même s'il est isolé, comme l'était deux ans auparavant l'abbé Brun de la Combe.

Le Moniteur du 29 août, parallèlement au débat en cours à l'assemblée, publie des « Réflexions d'un ami de la constitution » qui méritent également de retenir l'attention. L'obscur « C. Hom » qui signe ces réflexions y formule une proposition

1. *Ibid.*, pp. 69-70.
2. *Moyen de surveiller une constitution et de la conserver sans recourir à une insurrection générale*. Paris, 21 août 1791, pp. 2-3. Pour la problématique de la cassation, et la relativisation du « légicentrisme » révolutionnaire que sa prise en compte entraîne, voir Jean-Louis HALPERIN, *Le Tribunal de cassation et les pouvoirs sous la Révolution, 1790-1799*, Paris, L.G.D.J., 1987.

qui fera école. Reprenant l'idée de censure pour la ramener à son modèle d'origine, c'est-à-dire la constitution de Pennsylvanie, il suggère l'établissement d'un *conseil censorial.* Mais un conseil aux attributions sensiblement réduites par rapport à l'illustre exemple américain, dont l'auteur juge les pouvoirs « trop étendus ». Il est assez clair qu'on est en présence d'un patriote modéré en quête, dans le contexte, d'une alternative raisonnable aux conventions dont il redoute les suites tout en approuvant le principe qui a fait naître l'idée. Ce qu'il critique, en effet, dans le conseil des censeurs pennsylvanien, outre une étendue de prérogatives susceptibles de le « mettre en rivalité avec le corps législatif », c'est son pouvoir de convoquer des conventions qui, estime-t-il, lui « met dans les mains les moyens d'amener des crises qui peuvent n'être pas toutes favorables à la liberté publique ». Aussi voudrait-il voir le rôle de l'institution ramené à la « simple observation de la conduite des pouvoirs constitués ». Il la conçoit « composée d'hommes élus par les départements pour un an seulement et dont les fonctions se borneraient à s'assembler au moins une fois par mois, à l'effet d'examiner si les pouvoirs constitués n'ont porté aucune atteinte à la constitution, et à dresser le procès-verbal de ses séances ; le procès-verbal serait rendu public par la voie de l'impression, et envoyé au corps législatif et au roi. Dans le cas d'une infraction à la constitution, le procès-verbal en ferait de droit une dénonciation aux pouvoirs constitués et au tribunal de l'opinion publique [1]. » Par rapport aux conventions, l'institution aurait l'avantage de la permanence. L'étendue même de l'autorité concentrée dans les manifestations du pouvoir constituant interdisait d'en faire un autre usage qu'exceptionnel. Comme le reconnaît Pétion : « Si les conventions étaient perpétuellement assemblées, leur action serait très nuisible. » Non contentes de « harceler sans cesse les agents des divers pouvoirs », elles risqueraient d'être tentées à leur tour de s'emparer de l'ensemble des pouvoirs [2]. La limitation des prérogatives d'un conseil censorial permet,

---

1. *Le Moniteur*, t. IX, p. 515. Le nom du signataire, « C. Hom », paraît tronqué d'une manière qui ne permet pas de l'identifier.
2. *Archives parlementaires*, t. XXX, p. 47.

en revanche, de les rendre continuelles sans inconvénient, ce que l'auteur justifie, en particulier, par la nécessité d'une surveillance constante des activités du pouvoir exécutif – un argument bien fait pour parler à la vigilance soupçonneuse des patriotes.

On ne sait quels canaux ces phénomènes empruntent. Toujours est-il que ce bref article d'un quasi-anonyme paraît avoir joué comme une sorte de déclic clarificateur. Personne n'y fait seulement allusion par la suite, mais tout se passe comme si, dans le développement d'une discussion, il en avait une fois pour toutes décanté et déplacé les termes, par sa double critique implicite des conventions – trop de pouvoirs au même moment et pas assez dans la durée. C'est à peu près dans le cadre qu'il fixe, en tout cas, que se logeront les reprises ultérieures de la question.

SOUS L'ŒIL DU PEUPLE

Les événements se chargeront, il est vrai, de contribuer à la décantation du débat, en consacrant l'appel à l'une de ces conventions nationales dont on rêvait et disputait dans l'été 1791. À la mesure de ce rôle dans le réel, *exit* les conventions dans la théorie, dorénavant écartées de la candidature au rôle de pouvoir de recours par leur promotion même. Il n'en est que plus remarquable de voir la question d'un tel pouvoir supplémentaire reparaître néanmoins dès le retour du problème constitutionnel sur le tapis à l'automne 1792. Elle est au cœur d'un des premiers projets publiés en réponse à l'invite adressée par la Convention « à tous les amis de la liberté et de l'égalité », le 19 octobre, de lui « présenter les plans, les vues et les moyens qu'ils croiront propres à donner une bonne constitution à la république française ». Elle accompagnera toute la discussion constitutionnelle, jusqu'en juin 1793, de façon à la fois marginale et centrale. Car si elle n'est agitée, au long de ces terribles mois de la bataille entre la Gironde et la Montagne, que par un petit nombre d'auteurs et de protagonistes du débat, de réputation modeste, par surcroît, elle trouvera cependant un écho et un débouché inattendus jusque dans le projet de constitution montagnard. Signe d'une pression qui, pour rester discrète, ne se relâche jamais.

Encore une fois, cette présence, même périphérique, a d'autant plus de relief que le moment n'est pas propice aux raffinements de subtilité en matière de combinaison des pouvoirs. La préoccupation générale tourne autour des moyens d'assurer la souveraineté illimitée du peuple. Danton avait donné le ton en faisant adopter dès la première séance de la Convention, le 21 septembre 1792, le principe de la ratification de la future constitution par les assemblées primaires. Les mots d'ordre qui prévalent sont l'*unité* et la *simplicité* – l'unité du souverain, peuple et représentants du peuple confondus, et la simplicité de ses moyens d'expression et d'action. S'il est un problème du pouvoir, c'est celui de concilier l'impératif matériel de la représentation – universellement admis – avec la plus large participation populaire possible. Cet effort éperdu de synthèse, ou plutôt de dépassement du principe représentatif, pousse logiquement dans deux directions contradictoires. Par un côté, il détermine une assimilation plus rigoureuse que jamais entre le corps des représentants et la nation représentée. Lambert, député de la Côte-d'Or et avocat de la « démocratie absolue », expose tranquillement ainsi, dès octobre 1792, qu'il faut se défaire de l' « hérésie absurde » qui dénonce « le despotisme du peuple, le despotisme d'une assemblée nationale exprimant la volonté du peuple ». Jamais la « volonté absolue d'une nation » ne peut être qualifiée de despotisme, puisqu'elle a « pour objet le bonheur de tous, la conservation de tous, et que, dans une population immense, ne pouvait être exprimée que par des représentants investis de sa confiance, elle ne peut présenter les inconvénients du despotisme individuel » [1]. De cette identification des volontés, il résulte évidemment une conception de l'exécutif qui le réduit au statut de prolongement fonctionnel de l'organe réfractant l'unité du souverain. « Il faut tout mettre en œuvre, explique le même, pour maintenir cette unité qui est l'essence de toute

1. *Archives parlementaires*, t. LXII, p. 432.

démocratie absolue ; il faut que le pouvoir exécutif ne puisse jamais, sous aucun prétexte, rivaliser avec le corps législatif ; qu'il lui soit entièrement subordonné comme tous les autres corps administratifs et judiciaires [1]. » Mais, par l'autre côté, cette même assimilation qui projette la totalité du peuple dans la personne de ses représentants frappe ceux-ci d'illégitimité potentielle. Ils sont à la fois le tout et rien au regard de ce tout – « Point de représentation nationale », s'écrie significativement un autre député, Montgilbert, « le corps législatif agit au nom du peuple, mais il ne le représente pas... » [2].

Non seulement le péril d'usurpation est envisagé, mais il fait l'objet de dispositions expresses, qui se ramènent en général à l'exercice d'une surveillance constante et directe – il y aurait contradiction dans les termes à la déléguer. « Nous avons à faire une chose toute simple », écrit, par exemple, l'ex-curé Coupé, « surveiller et contenir nos mandataires. Ce n'est pas à d'autres mandataires non plus que nous devons avoir recours pour balancer le pouvoir que nous déléguons » [3]. Dans cette ligne, Chabot, qui propose de déclarer le gouvernement de la république représentatif, va jusqu'à prévoir les cas d'inconstitutionnalité des actes du législatif. Il préconise un remède radical : « Chaque citoyen a le droit d'appeler l'insurrection contre le gouvernement, en démontrant à ses concitoyens l'opposition d'un acte contre les lois et droits consignés dans cet acte constitutionnel [4]. »

Le projet que Condorcet présente à la Convention, le 23 février 1793, au nom du comité de constitution, est un fidèle reflet de l'esprit de l'heure. « Tout doit faire désirer qu'un corps unique, principe de toute l'action sociale, conserve l'unité dans toute sa force », proclame-t-il [5]. En conséquence de quoi, le conseil désigné pour s'assurer de

1. *Ibid.*
2. *Archives parlementaires,* t. LXVII, p. 345. « La représentation se présente à mes idées sous une forme si dangereuse, poursuit-il, que je ne puis trop inviter la convention à la proscrire formellement. »
3. *Ibid.*, p. 268. Coupé est partisan de la suppression pure et simple du pouvoir exécutif.
4. *Ibid.*, p. 264.
5. *Projet de constitution présenté à la convention nationale les 15 et 16 février 1793.* Je cite d'après *Le Moniteur,* t. XV, p. 468.

l'observation et de l'exécution des lois, bien que « nécessaire à l'ordre social, ne doit pas être considéré comme un véritable pouvoir ; le conseil ne doit pas vouloir, mais il doit veiller ; il doit faire en sorte que la volonté nationale, une fois exprimée, soit exécutée avec précision, avec ordre, avec sûreté » [1]. Condorcet est sensible, en même temps, au risque des erreurs qu'une « assemblée nombreuse » peut être entraînée à commettre. Il n'en écarte pas moins les moyens qui ont été proposés pour le prévenir, comme le dédoublement de la délibération en sections permanentes, ou la création d'un « corps examinateur des lois ». Car, dit-il, « des dissentiments et des combats d'opinion entre des corps investis de l'autorité publique ne peuvent se concilier avec la tranquillité des citoyens » [2]. Il s'agit donc de trouver un système contre la précipitation préservant « l'unité du corps législatif dans son entière intégrité ». Encore est-il besoin, par ailleurs, d' « offrir au peuple des moyens paisibles de réclamer contre les lois qui blessent ses droits ou ses opinions » [3]. Le titre VIII de la constitution est consacré à « La censure du peuple sur les actes de la représentation nationale ». Il détaille les modalités d'une lourde procédure de convocation des assemblées primaires devant permettre l'examen de « toutes les lois et généralement tous les actes de la législation qui seraient directement contraires à la constitution » [4]. Et naturellement, pour couronner le tout, un mécanisme de convocation d'une convention nationale offrira aux citoyens des « moyens réguliers de corriger et de changer » cette même constitution.

En dépit de ce climat franchement défavorable, où l'opinion dominante ne voit d'issue que dans le recours au peuple contre une assemblée supposée elle-même incarner l'unité du peuple, il est une série de voix indépendantes pour préconiser diverses instances d'arbitrage ou de contrôle. La première, on y faisait allusion à l'instant, est celle du girondin Kersaint. Son projet, tel qu'il sort en octobre 1792 des presses du *Cercle social*, prévoit l'établissement d'un *tribunal de censeurs*, siégant

1. *Ibid.*, p. 463.
2. *Ibid.*, p. 461.
3. *Ibid.*, p. 471.
4. *Ibid.*, p. 485.

dans l'enceinte même de l'assemblée nationale, et veillant, en plus du bon ordre de la délibération, au caractère constitutionnel des décrets et à la marche régulière des pouvoirs [1]. Ses attendus permettent de saisir une inflexion du modèle organologique appelée à une riche postérité. « L'organisation du corps politique sera d'autant plus parfaite, écrit-il, que ses organes se rapporteront plus identiquement avec ceux du corps individuel. » Idée banale. Sauf qu'en général elle servait à justifier la division entre un pouvoir de conception et un pouvoir d'action, au nom du partage entre la raison et la volonté ; alors qu'ici elle va légitimer une tripartition des pouvoirs par l'introduction d'une faculté primitive supplémentaire, la *réflexion*. « Voici l'organisation du corps politique telle que je la conçois : une assemblée nationale ou la volonté ; un tribunal de censeurs ou la réflexion ; un conseil exécutif ou l'action [2]. » Kersaint se targue d'avoir résolu de la sorte un vieux problème. « En étudiant les diverses institutions politiques des nations, dit-il, j'ai cru remarquer que les législateurs avaient tous cherché, mais sans le rencontrer, le pouvoir conservateur du pacte social et que dans l'organisation du corps politique, ce régulateur n'avait jamais été combiné, sans qu'il n'y fût mêlé quelque levain d'aristocratie [3]. » Allusion transparente aux deux chambres et reproche auquel échappe entièrement son tribunal de vingt et un membres, assure-t-il, qui sera au contraire le rempart de l'égalité. « Chargé de conserver le dépôt sacré des lois constitutives », le tribunal des

---

1. En ce qui concerne l'ordre de la délibération, Kersaint est précédé par Bancal, qui propose à ses collègues, « pour mieux maintenir la police de votre assemblée, d'instituer pour vous la censure, non telle qu'elle est dans les règlements des deux premières assemblées, mais telle qu'elle puisse avoir la force qu'on lui vit chez les anciens peuples ». Elle prendrait la forme d'un « tribunal censorial » de douze députés, renouvelé tous les mois et s'assemblant tous les jours pour proposer des sentences à la convention qui reste juge. Au bout de trois censures, le député est exclu et remplacé par son suppléant (*Le Patriote français*, n° 1157, 9 octobre 1792, p. 404). L'idée est reprise, le 6 janvier 1793, par un autre député, Mellinet, qui propose un « comité censorial » de quatre-vingt-trois membres, tournant tous les quinze jours.
2. *De la constitution et du gouvernement qui pourraient convenir à la république.* Le texte est repris dans les *Archives parlementaires*, d'après lesquelles nous citons, t. LXII, p. 425.
3. *Ibid.*, p. 426.

censeurs sera « dans l'ordre politique des autorités constituées ce que le tribunal de cassation est dans l'ordre civil judiciaire [1]. » Plus largement, son contrôle contradictoire de la conduite des corps politiques aura pour effet de mettre constamment l'opinion publique en mesure de discerner les possibles « entreprises des pouvoirs délégués » contre les droits du peuple. Car la république est un régime qui « nécessite la surveillance la plus active : ou bientôt, avec les formes républicaines, vous n'auriez en effet qu'un gouvernement tyrannique, un despotisme déguisé, d'autant plus redoutable qu'il agirait au nom de la loi » [2]. Mais Kersaint, manifestement, ne croit pas à la surveillance directe du peuple. Au rebours de la thèse que soutiendra Condorcet, il est convaincu que cette surveillance même ne peut s'exercer qu'au travers d'un mécanisme représentatif et grâce aux dissentiments des pouvoirs délégués. « Le débat élevé entre ceux [que le peuple] aura chargés de vouloir et d'agir en son nom se passant sous ses yeux, il se verra par le fait appelé tout entier à les juger [3]. » C'est le dilemme central auquel on revient toujours : est-ce dans son intervention directe que s'atteste la souveraineté du peuple, ou n'est-il pas davantage partie prenante, pour finir, dans une décision qui répercute « la sentence dictée par l'opinion publique », comme dit Kersaint, sentence dûment formée et reconnue pour telle, même si elle est exécutée par des délégués ? Autre aspect de la mystérieuse hybridation entre souveraineté et représentation sur laquelle on butait un peu plus haut, à propos des conventions : s'il n'est de représentation acceptable qu'incorporant un rappel de la souveraineté dont elle émane, il semble bien qu'il faille concevoir, dans l'autre sens, quelque chose comme une essence représentative de la souveraineté.

Il y aura quelques originaux pour prôner l'institution de semblables pouvoirs d'appel et de contrôle au milieu du vaste concours d'imagination constitutionnelle qui occupe les pre-

1. *Ibid.*
2. *Ibid.*, p. 427.
3. *Ibid.* Condorcet aura un pressant motif d'opportunité politique : la crainte que la division des partis ne se fixe sur le dialogue des pouvoirs.

miers mois de 1793. Dans le goût antique, Rouzet, député de la Haute-Garonne, propose ainsi un *collège d'éphores* pour balancer le corps législatif et un exécutif qu'il intitule *aréopage*. Dans son système, comme il dit, les éphores sont les « surveillants du maintien des droits du peuple ». Ils forment une sorte de rouage intermédiaire, au moyen d'une correspondance continuelle, entre les pouvoirs élus et les assemblées électorales, que Rouzet appelle *cercles* : ils tiennent un compte permanent de l'assentiment et du dissentiment du peuple à l'égard des lois proposées, de ses pétitions, plaintes et réclamations [1]. Un autre député, Blaviel, suggère de manière assez voisine, même si c'est dans un autre langage, dans le cadre d'une triplicité des « magistratures principales », la création, à côté de la magistrature législative et de la magistrature de la loi, d'une *magistrature des droits du peuple*, qui serait chargée de « veiller à ce qu'on ne portât pas atteinte à la liberté ni à la souveraineté nationale » [2]. Pressavin, député du Rhône, prévoit pour sa part un *tribunal national*, composé de magistrats « nommés, comme ceux de la législature, par le peuple », à raison d'un par département, et aux attributions fort larges, puisqu'il « jugera tous les crimes de lèse-nation, sous les délits attentatoires à la liberté constitutionnelle, tous ceux commis par les membres du Conseil exécutif et du pouvoir législatif, toutes les forfaitures des fonctionnaires publics, et enfin toutes les requêtes en cassation ». Le tribunal de cassation n'est plus seulement ici un modèle, comme on l'a vu quelquefois fonctionner, il est carrément élargi et confondu avec les autres fonctions – l'auteur précisant toutefois que, « comme les requêtes en cassation seront toujours assez multipliées [...] le tribunal national formera une chambre uniquement destinée à cet objet » [3]. De façon beaucoup plus restrictive, un projet anonyme de « constitution populaire pour un

---

1. *Plan de constitution, Archives parlementaires*, t. LXII, pp. 502-505. Sur l'ensemble du corpus, voir en dernier lieu Michel PERTUÉ, « Les projets constitutionnels de 1793 », in *Révolution et république, l'exception française*, sous la direction de Michel VOVELLE, Paris, Kimé, 1994.
2. *Réflexions préliminaires sur la constitution française et sur l'organisation d'un gouvernement populaire, Archives parlementaires*, t. LXVII, p. 250.
3. *Projet de constitution, Archives parlementaires*, t. LXVII, p. 389.

grand état », publié par *Les Révolutions de Paris*, place un corps de *conservateurs de la constitution* auprès du conseil législatif et du conseil exécutif. « Ils ont le droit, lorsque le conseil exécutif a approuvé un décret du conseil législatif, d'en appeler aux assemblées primaires ; et lorsque le peuple a délibéré de lui-même, ils ont celui d'appeler une fois du peuple à lui-même [1]. » Dans l'ambiance ultra-démocratique de l'heure, même les auteurs qui, comme celui-là, reconnaissent le besoin d'une instance de contrôle, hésitent à lui confier la faculté de trancher par elle-même ; ils tendent à en faire une institution-relais, renvoyant la décision ultime au peuple, dût celui-ci être renvoyé, le cas échéant, à lui-même – signe que la foi dans son infaillibilité n'est pas sans limites.

Le sentiment de la difficulté n'est peut-être pas entièrement étranger au laconisme de certains de nos législateurs sur le chapitre. Jean Debry, par exemple, député de l'Aisne, prévoit bien un *pouvoir régulateur* ou *autorité censoriale* en plus de « l'autorité qui fait la loi », de « l'autorité qui l'exécute » et de « l'autorité qui l'applique ou pouvoir judiciaire » ; mais il se montre fort peu prolixe sur la nature de ses attributions [2]. Le *conseil constitutionnel* que préconise l'Anglais David Williams, l'un des experts en « affranchissement des peuples » consultés par le comité de constitution, début 1793, n'est guère plus nettement dessiné. Seule la logique déterminant son établissement est claire, et elle est d'ailleurs instructive : il est destiné à donner de la permanence au rôle réviseur et correcteur que des conventions ne peuvent remplir que de manière périodique. Pour le reste, sa définition est laissée dans le flou : il « observe les transactions du gouvernement », il en assure la publicité auprès des « divisions primaires de la république », il répercute en sens inverse les plaintes contre « les mesures publiques et les agents » [3]. Mais rien n'est précisé en matière de prérogatives et de procédures. La recherche de contre-

1. *Les Révolutions de Paris*, n° 190, 1793, p. 418. Le projet est reproduit dans les *Archives parlementaires*, t. LXII, pp. 300-301.
2. *Idées élémentaires pour asseoir une constitution*, *Archives parlementaires*, t. LXVII, p. 289.
3. *Observations sur la dernière constitution de la France*, 3 janvier 1793, *Archives parlementaires*, t. LXIII, pp. 588-589.

pouvoirs à un pouvoir auquel on cherche en même temps à conférer les plus vastes proportions peut prendre des formes assez bizarres à force de complexité. Un membre de la Commune de Paris, Lefebvre, propose la création de *corps assessoriaux* destinés à prévenir les abus de la puissance législative et de la puissance exécutive. Il les enracine dans un système élaboré d'administration territoriale conçu pour combattre l' « esprit de localité ». Le moins qu'on puisse dire est que le mécanisme ne paraît pas limpide. Cela n'empêche pas la justification qu'il en donne d'être révélatrice : « Quand on considère, écrit-il, que le corps législatif exerce la plus importante partie du pouvoir dont la souveraineté se compose, on sent vivement la nécessité de placer dans un corps d'élite respectable par sa nature, mais peu dangereux par sa dispersion, un contrepoids à ce pouvoir formidable [1]. » Le cercle du raisonnement ressort ici avec une netteté parlante, entre l'inquiétude vis-à-vis d'un pouvoir qu'on veut « formidable » et la crainte de l'entraver par des « contrepoids » de trop de conséquence. D'où, par exemple encore chez d'aucuns, l'idée de flanquer « tous les corps représentatifs, toutes les autorités constituées sans exception » et à tous les échelons, de censeurs qui seront auprès d'eux « l'œil, les vigies de la cité » [2]. Omniprésente et invasive chez les uns, l'institution emprunte une forme minimale chez d'autres, comme dans le projet de deux employés du département de Paris. Les

1. *Le Moniteur*, 24 avril 1793, t. XVI, p. 202. Encore pourrait-on mentionner le rôle important que l'idée de surveillance joue dans le gouvernement révolutionnaire. C'est elle qui légitime le rôle du Comité de salut public. L'article 2 du décret du 10 octobre 1793 stipule : « Le conseil exécutif provisoire, les ministres, les généraux, les corps constitués sont placés sous la surveillance du comité de salut public, qui en rendra compte tous les huit jours à la Convention. » Le thème est au centre du débat, lors de la création de l'institution, les 5 et 6 avril 1793 (*Le Moniteur*, t. XVI, pp. 70-76).
2. Voir notamment le *Projet de constitution* de BARAILON, député de la Creuse, *Archives parlementaires*, t. LXVII, pp. 200-201, ainsi que la brochure de PICQUÉ, député des Hautes-Pyrénées, *Nécessité d'établir une censure publique, Archives parlementaires*, t. LXIV, pp. 513-519. LANTHENAS est revenu à la charge sur le même thème en août 1793, *Censure publique, ou nécessité de confier à un certain nombre de citoyens instruits et vertueux, choisis et périodiquement renouvelés par la nation, la surveillance des mœurs et de la morale de l'instruction publique...* SAINT-JUST prévoit des censeurs dans ses *Fragments d'institutions républicaines* (*Œuvres complètes*, éd. Michèle Duval, Paris, Éditions Gérard Lebovici, 1984, pp. 999-1001).

trois censeurs élus par le peuple qu'ils font siéger dans l'Assemblée nationale n'ont pour toute prérogative que de provoquer l'ajournement de la décision et deux nouvelles discussions des textes [1].

Nécessité d'une autorité examinatrice, difficulté de l'établir : c'est à peu près le bilan que tire notre citoyen Bacon de sa sévère critique du projet officiellement soumis à la Convention par Condorcet. « ... Vous vous exposez au plus grand des malheurs, prévient-il, en donnant l'existence à une assemblée unique, si vous n'établissez pas un régulateur ou un surveillant qui ne soit pas aussi vague que l'opinion de 25 millions d'individus. » Avoir détruit le pouvoir d'un seul qui faisait la loi et la faisait exécuter pour instaurer une assemblée unique qui fait la loi et la fait exécuter, « n'est-ce pas détruire le nom du despotisme et reproduire la chose sous une autre dénomination ? ». L'exemple de l'Amérique septentrionale n'est-il pas là pour guider les républicains dans d'autres voies, insiste-t-il. « ... Je laisse à nos députés le soin de chercher le mode le plus convenable ; mais je persiste à croire que nous n'aurons pas de constitution stable et digne et toute notre confiance tant qu'on n'y aura pas introduit un régulateur quelconque [2]... »

On n'a pas le sentiment que ces avertissements pourtant multipliés aient pesé d'un poids quelconque sur le cours principal de la discussion et sur ses protagonistes les plus en vue. Ils restent le lot d'outsiders sans audience. L'idée n'en a pas moins dû cheminer souterrainement puisqu'elle va connaître une étonnante demi-consécration, certes avortée, mais expressive malgré tout, lors de l'adoption de la constitution montagnarde. Les Girondins écartés par le coup de force du 2 juin, la Montagne, maîtresse des lieux, s'empresse de remettre l'ouvrage sur le métier, et Hérault de Séchelles présente un nouveau projet, ficelé en quelques jours, dès le 10. Il sera tout aussi expéditivement discuté : le texte définitif est

1. LAGRANGE et DUPIN, *Projet de constitution, Archives parlementaires*, t. LXIV, p. 248.
2. *Examen impartial des bases de la nouvelle constitution, présentée le 15 février 1793.* La brochure est reprise dans les *Archives parlementaires*, t. LXII, pp. 603-604.

adopté le 24 juin (pour n'être, comme on sait, jamais appliqué). L'une des surprises de la constitution « non moins démocratique que représentative » que Hérault de Séchelles révèle à ses collègues le 10 juin réside dans la « grande institution » d'un *jury national* « placé à côté de la représentation elle-même ». L'idée d'un tel jury est reprise du projet de Condorcet, mais elle subit une inflexion qui en change complètement la nature et la portée [1]. Il ne s'agissait originellement que d'une haute cour ; dans la version montagnarde, l'institution devient un « tribunal imposant et consolateur » destiné à « garantir les citoyens de l'oppression du corps législatif et du conseil ». « Créé par le peuple à la même heure et dans les mêmes formes qu'il crée ses représentants », commente Hérault de Séchelles, il formera un « auguste asile de la liberté », grâce auquel « le mandataire coupable n'échappera pas plus à la justice qu'à l'opinion » [2].

Il n'est pas impossible que le souci de légitimer *a posteriori* la procédure d'exclusion employée contre les Girondins ait joué un rôle dans la proposition d'un tel dispositif de recours contre la représentation [3] – dispositif par ailleurs tellement peu dans la ligne d'un texte où le culte de l'indivisibilité de la volonté générale éclate à chaque article. Mais la proposition eût été beaucoup plus énergiquement soutenue si elle avait été prioritairement inspirée par une arrière-pensée de cet ordre. Bien plutôt faut-il y voir surtout un *accident révélateur*, où l'improvisation a joué le rôle de facteur précipitant. Ce qui

---

1. CONDORCET ne manquera pas, d'ailleurs, de dénoncer vigoureusement cette dénaturation : « Le jury national, tel qu'il se présente dans le premier plan, est combiné de manière à ce que les fonctionnaires publics accusés soient jugés avec promptitude et impartialité. Il était impossible d'attacher un sens raisonnable aux articles proposés par le nouveau comité. Ces articles ont été écartés, et rien ne les remplace ; ainsi rien ne garantit ni les citoyens contre l'oppression des administrateurs ou des juges, ni les fonctionnaires publics contre la tyrannie des corps législatifs », *Aux citoyens français sur la Constitution*, juin 1793, in *Œuvres*, Paris, 1849, t. XII, p. 665.
2. *Le Moniteur*, t. XVI, p. 617.
3. Cela expliquerait la vivacité de la réaction d'un girondin exclu comme Sallé, en plus de celle de CONDORCET : « le grand juré était une véritable chambre haute, bien plus funeste à la liberté que celle de l'Angleterre », écrit-il dans son *Examen critique de la constitution*, rédigé après sa fuite dans le Calvados, *Archives parlementaires*, t. LXVII, p. 396.

s'est passé, le plus probablement, c'est quelque chose comme le sacre de hasard d'une idée dans l'air, constamment ramenée sur le tapis sous des formes diverses, connue de tous, séduisante pour beaucoup, jamais vraiment discutée et que l'occasion aura propulsée en avant. Il aura suffi de la chaleur d'un convaincu, de la sympathie plus ou moins décidée de quelques-uns, de la précipitation de tous pour emporter cette victoire d'un instant – on imagine sans peine qu'entre la guerre sur tous les fronts, la révolte des provinces et la consolidation de la situation politique au lendemain du coup d'État, le Comité de salut public auquel avait été confiée la tâche, même renforcé de quelques députés qui paraissent s'être acquittés de l'essentiel, n'a pas consacré, durant la petite semaine qu'a duré le processus, la totalité de sa vigilance et de ses forces à l'élaboration de l'acte constitutionnel.

C'est en tout cas l'impression qui se dégage de la lecture des débats. Le prosélyte s'y désigne de lui-même. Il s'agit d'un des députés adjoints au Comité de salut public, Ramel-Nogaret, qui monte au créneau dès que les objections commencent à déferler. « Je fais observer à la Convention, se défend-il, que la question du jury national a été discutée dans le comité avec la plus grande attention ; nous nous sommes convaincus qu'il était le *palladium* de la liberté [1]. » Mais il n'est que d'observer la rapidité avec laquelle le très léger Hérault de Séchelles bat en retraite pour se convaincre que la « grande attention » invoquée par le malheureux Ramel n'a dû être que modérément soutenue. « L'idée du jury national est une idée grande, belle et généreuse, s'empresse-t-il de se défausser ; mais quant à moi, je vous déclare que j'ai trouvé l'existence de ce tribunal propre à inquiéter les membres de la législature ; j'ai cru qu'elle pouvait être un germe de division [2]... » Car l'accueil de l'assemblée est des plus frais. Dès l'ouverture de la discussion, le 11 juin, Chabot manifeste un trouble qui s'avérera très partagé, avec une double argumentation typique. En premier lieu, l'exigence de démocratie directe : « Je soutiens que le peuple a seul le droit de prononcer sur la conduite de ses

1. *Le Moniteur*, t. XVI, p. 667.
2. *Ibid.*, p. 668.

représentants. » En second lieu, l'impératif d'unité des pouvoirs (point sur lequel il retrouve le raisonnement de Condorcet) : « N'établissons pas deux pouvoirs qui puissent rivaliser ensemble ; n'exposons pas le peuple à se diviser d'opinion entre le corps législatif et le jury national [1]. » Autrement dit : que le pouvoir soit un pour que peuple et pouvoir ne fassent qu'un, auquel cas le jugement du peuple n'aura guère de motif de s'exercer. C'est très exactement le besoin d'échapper à ce cercle infernal de la « démocratie représentative », promettant tout le pouvoir au peuple pour le remettre entièrement à ses représentants, que traduit le recours à une institution supposée concrétiser l'assujettissement des représentants au vœu des représentés. On comprend à la fois, devant l'insistance de cette contradiction irréductible, que la quête d'une issue ait pu susciter des adhésions inattendues et que le rejet global l'ait emporté. Ce sont les mêmes arguments qui reviennent lorsque la Convention arrive le 16 juin à l'examen proprement dit de la question. Thirion : pas d'écran entre le peuple et ses mandataires, il existe déjà « un tribunal de ce genre : l'opinion publique » ; pas d'autorité supérieure à celle du peuple, incarnée dans ses délégués, or le jury établirait « une autorité supérieure à celle de l'assemblée législative » [2]. Point sur lequel renchérit Thuriot : « Vous avez décrété que la législature exercerait la souveraineté : il est ridicule de vouloir élever à côté d'elle une autorité supérieure [3]. » L'objection vise juste : c'est là que se situe, en effet, la grande difficulté d'une pareille instance d'appel – d'où peut-elle tirer ce surcroît de légitimité qui la mettrait en mesure de se prononcer sur les actes d'un pouvoir qualifié lui-même de suprême ?

La cause est vite entendue. La proposition doit toutefois de n'être pas purement et simplement renvoyée aux oubliettes à l'intervention de deux orateurs de renom, peu prévisibles dans le rôle, qui, sans défendre la version projetée, prêchent pour le principe. Billaud-Varenne, le premier, demande l'ajournement contre une décision trop hâtive, « car la Convention

1. *Ibid.*, p. 620.
2. *Ibid.*, p. 667.
3. *Ibid.*

doit établir une mesure pour garantir le peuple des atteintes que peut porter à sa liberté la représentation nationale »[1].
Plus mémorable encore, Robespierre en personne vole au secours de l'idée : « Il faut qu'il existe un frein. La législature ne doit pas pouvoir impunément commettre des actes d'oppression.» Il se prononce clairement contre le principe d'un contrôle direct : « si ce n'est pas un tribunal semblable à celui qui vous est proposé, ce sera le peuple qui scrutera la conduite des mandataires » – solution, est-il sous-entendu, qu'il est préférable d'éviter. En conséquence de quoi, il demande, et obtient, un nouvel examen du problème. « Nous devons réunir nos lumières pour présenter des vues sur cet objet[2].» Signe, sans doute, que son intervention d'août 1791 sur les conventions ne procédait pas de la pure opportunité tactique. Sur ce point comme sur d'autres, ce parfait incarnateur de l'esprit de la Révolution n'était pas sans en vivre intimement aussi les tensions[3].

La seconde épreuve ne sera pas plus concluante que la première. À la vérité, les cinq articles de substitution présentés par Hérault de Séchelles le 24 juin, au titre *De la censure du peuple contre ses députés et de sa garantie contre l'oppression du corps législatif*, n'avaient plus rien à voir avec l'idée initiale : ils se ramenaient à organiser la révocabilité des députés par les assemblées primaires qui les avaient désignés. Plus d'institution, plus de pouvoir concurrent. Le projet n'en est pas moins tout aussi mal accueilli, et promptement balayé, en dépit des quelques voix (trois) qui s'élèvent, de nouveau, à l'appui du principe – « j'appuie ce projet pour que la responsabilité morale des députés ne soit pas illusoire », déclare par exemple le député breton Guyomar[4]. Couthon, au nom du Comité de salut public, prend lui-même l'initiative de la retraite en admettant humblement que les initiateurs de la procédure « n'en avaient pas senti tous les inconvénients ». Il n'y aura,

1. *Ibid.*, p. 668.
2. *Ibid.*
3. Je pense en particulier à son attitude sur le problème des *devoirs*, opiniâtrement combattus depuis 1789, et réintroduits pour finir dans le discours sur l'Être suprême. Cf. *La Révolution des droits de l'homme, op. cit.*, pp. 241-256.
4. *Archives parlementaires*, t. LXVII, pp. 139-141.

pour finir, ni jury national ni censure du peuple dans la constitution qui est là-dessus adoptée en masse et par acclamation. Mais comme on n'en a jamais terminé avec ces spectres tout aussi indestructibles qu'impossibles à concrétiser, il y aura un député, l'un de ceux qui avaient vainement cherché à plaider en faveur de l'idée au milieu de la hâte de l'assemblée à clore le débat, pour imprimer derechef des *Observations sur un point essentiel omis dans la constitution.* « Comme ce point est très important », expose l'obstiné – Raffron, député de Paris –, il prend le public à témoin de sa proposition tombée dans l'indifférence. « Elle peut, par la voie de l'impression, parvenir aux assemblées primaires, frapper les esprits et être adoptée (il en est encore temps). » Ce « correctif nécessaire de la délégation des pouvoirs » a la forme d'un compromis entre les deux projets, sous le titre de *conseil de censure,* élu comme le jury national, mais à la seule fin de prononcer, sur demande de l'assemblée, si l'un ses membres a perdu ou non la confiance publique, pour propos inciviques ou mauvaise conduite [1]. N'importe d'ailleurs la teneur de la proposition, dont il n'est pas besoin de dire qu'elle n'a pas rallié les suffrages escomptés. Ce qui la rend pathétiquement exemplaire, c'est l'invincible obstination dont elle témoigne, et que le cours entier de la Révolution ratifie, à *vouloir* un type de mécanismes institutionnels que la logique politique gouvernant les auteurs avec les événements – ce ne sont pas les inclinations maratistes du nommé Raffron qui font ici exception – leur interdisait de *pouvoir.*

---

1. Ces *Observations* sont reproduites dans les *Archives parlementaires,* t. LXVII, pp. 390-391.

II

THERMIDOR
Le tiers-pouvoir à l'ordre du jour

Le grand moment de l'idée, le moment où elle va sortir de la marginalité, même insistante, pour acquérir une sorte de centralité, ce sera bien sûr Thermidor. À la faveur de l'impératif de révision qui s'insinue et croît durant la difficile année de décompression qui court de l'été 1794 à l'été 1795, de la chute de Robespierre à l'adoption d'une nouvelle constitution, elle va avoir sa chance. Au fur et à mesure que le problème des institutions revient sur le tapis, on voit le thème du pouvoir supplémentaire reparaître sous la plume des publicistes, à côté d'autres formules marquées hier du sceau infamant de l'aristocratie ou du modérantisme, comme l'équilibre ou le bicamérisme. L'idée aura même son moment de consécration à la tribune de l'assemblée, avec le coup d'éclat d'un converti d'envergure, en la personne de Sieyès. Il ne suffira pas à faire passer le principe. Une fois encore, Sieyès se retrouve en butte à l'incompréhension mi-admirative, mi-agressive de ses collègues. Mais son intervention n'aura pas été pour rien : sa réputation d'oracle ès constitutions sortira grandie de cet échec, et l'idée défendue en vain se trouvera propulsée comme un remords à l'ordre du jour de toute révision future. Aussi, lorsque le coup d'État de Brumaire entreprend, et cette fois pour de bon, de « terminer la Révolution » en mariant l'épée de Bonaparte avec la science de notre abbé, le principe d'un pouvoir conservateur de la constitution est-il adopté sans coup férir. Victoire à la Pyrrhus : la pratique de l'institution discréditera l'idée et la renversera au riche musée des curiosités révolutionnaires, parmi tant d'autres chimères, monstres et avortons. La consécration ultime n'aura été que l'antichambre d'une irrémédiable disgrâce.

SORTIR DU PIÈGE

On sait le dilemme où sont enfermés les Conventionnels au lendemain du 9 thermidor. Passer du gouvernement d'exception au gouvernement régulier, comme le commanderait la logique de la rupture avec la Terreur ? Fort bien. Mais cela voudrait dire deux choses : mettre en application la constitution votée à la hâte en juin 1793 pour être aussitôt suspendue jusqu'à la paix, et se dissoudre comme Convention constituante. Perspectives toutes les deux rebutantes et même paralysantes. Car, pour commencer, cette constitution porte une empreinte certaine de la « démagogie » dont il s'agit de sortir. Elle pose, en outre, dans son laconisme spartiate, de sérieuses questions de praticabilité. Il se trouve, de surcroît, qu'elle n'a pas été votée seulement par l'assemblée, qui pourrait toujours tant bien que mal revenir sur ses choix, mais qu'elle a été ratifiée par le peuple, avec l'intangible solennité qui en découle pour sa rédaction. De l'autre côté, pour les Conventionnels, déclarer leur mission terminée et rendre la parole au corps électoral, c'est se mettre à la merci des appétits de vengeance d'une société où ils ont d'excellentes raisons de supposer nombreux ceux qui auront à cœur de leur faire payer la note du régicide et du régime terroriste. D'où l'immobilisme perplexe où s'arrête durant de longs mois l'assemblée, en dépit de la pression croissante de l'opinion et d'une presse qui retrouve bientôt vigueur et variété. Mais l'expectative ne tardera pas à s'avérer intenable. À l'intérieur même de la Convention, la désorganisation du gouvernement révolutionnaire, fruit des concessions à la volonté de rupture, fait vivement sentir « les inconvénients d'un gouvernement provisoire », alors que l'agitation s'étend au-dehors. Fin 1794, le procès Carrier ouvre la boîte de Pandore des révélations sur la Terreur et lance la mécanique des mises en accusation. La « jeunesse dorée » occupe agressivement le pavé parisien ; elle marque des points, contre les Jacobins, au sein des sections, auprès de l'assemblée, en arrachant la dépanthéonisation de Marat. L'effondrement de l'assignat, la disette rallument le mécontentement populaire ; les faubourgs se remettent à gronder. Or la constitution de 1793 devient le signe de ralliement de cette protestation de la misère, l'emblème de l'espoir.

Le 21 mars 1795, une députation des sections des Quinze-vingts et de Montreuil vient ainsi objurguer la Convention de mettre fin aux « souffrances du peuple » : « Représentants, vous avez dans vos mains le moyen le plus efficace pour faire cesser la tempête politique dont nous sommes si douloureusement le jouet. Mettez-le en usage ; organisez dès aujourd'hui la constitution populaire de 1793 ; le peuple français l'a acceptée, a juré de la défendre ; elle est son *palladium* et l'effroi de ses ennemis [1]. »

À mesure que grandit la revendication du texte enfermé dans l' « arche sainte », sa contestation se fait plus ouverte. Dès le 1er mars, Fréron avait pris les devants, en invitant ses collègues à canaliser « l'insurrection générale de l'opinion publique et le bouillonnement de la vengeance nationale » par un mélange équivoque de promesses et de mesures dilatoires. Le décret qu'il propose ne fait miroiter le prochain remplacement du gouvernement actuel « par un gouvernement définitif, établi sur les bases de la constitution de 1793 », que pour le mâtiner d'une mise à l'étude des « moyens d'exécution » de ladite « constitution démocratique » qui ouvre la porte à tous les délais comme à toutes les dénaturations [2]. C'est autour de ces « lois organiques » destinées à compléter, mais aussi à dif-

1. *Le Moniteur*, t. XXIV, p. 30. Sur le moment historique, Mona OZOUF, « Thermidor ou le travail de l'oubli », in *L'École de la France*, Paris, Gallimard, 1984, et Bronislaw BACZKO, *Comment sortir de la Terreur, Thermidor et la Révolution*, Paris, Gallimard, 1989.
2. *Le Moniteur*, t. XXIII, p. 584. Il vaut la peine de citer le discours sur la liberté de la presse prononcé par le même FRÉRON, le 26 août 1794, un mois tout juste après la chute de Robespierre. Il est remarquable par la philosophie de la représentation qui continue de s'y exprimer. Grâce à la presse, explique-t-il, « les représentants et les représentés tendent sans cesse à se confondre et la démocratie existe chez une nation de vingt-cinq millions d'hommes, quoiqu'il n'y ait que huit cents législateurs », *Le Moniteur*, t. XXI, pp. 601-605.

férer, ou encore à corriger le legs sulfureux du pouvoir montagnard que le débat va se concentrer dans un premier temps. Elles offrent un alibi commode à un rejet qui n'ose pas trop s'exprimer ouvertement. Les réactions suscitées par la harangue des pétitionnaires du 21 mars sont éloquentes à cet égard. Ce n'est qu'un cri dans la Convention pour protester du vœu unanime de voir promptement la constitution en activité, sous la réserve, bien entendu, de ces aménagements qui la rendront praticable. Mais, outre cette conditionnalité discrète, le cri est assorti d'imprécations à l'adresse des « malveillants » qui la réclament d'urgence, dont la vigueur ne permet guère le doute quant à la vraie nature de cette fausse bonne volonté. Il n'y a que Thibaudeau pour laisser percer la franche hostilité qui travaille là-derrière. « Je ne sais, demande-t-il sans innocence, ce qu'on veut dire en parlant chaque jour d'une constitution démocratique. Entendez-vous par constitution démocratique un gouvernement où le peuple exerce lui-même tous ses droits [1] ? » Les applaudissements qu'il reçoit donnent la juste mesure du sentiment majoritaire. Encore n'ose-t-il pas aller jusqu'à prendre de front ce texte redoutable, mais intangible ; il reste avec soin dans les limites d'une demande d'explication protectrice. Sieyès, trois jours plus tard, se défendra semblablement de vouloir « anéantir » une constitution dont « l'acceptation a été faite dans les assemblées du peuple » et qui, à ce titre, demeure la « loi suprême » [2]. L'interdit est si puissant qu'il tient en respect un publiciste aussi résolu dans la polémique que Lezay-Marnésia. Le titre de la brochure qu'il sort à peu près à ce moment-là – *Qu'est-ce que la constitution de 1793 ?* – paraît pourtant annoncer un jugement sans ambages. En réalité, pour attaquer le point central du dispositif, l'assemblée unique, Lezay se croit obligé d'emprunter le canal oblique d'une critique de la constitution de Pennsylvanie, la seule d'option monocamériste parmi les treize États d'Amérique [3]. Il faudra

1. *Le Moniteur*, t. XXIV, p. 32.
2. *Ibid.*, p. 59.
3. « Comme il n'est pas permis de parler de la constitution de 93 autrement qu'en bien, je n'en parlerai pas – mais comme il n'est pas interdit de blâmer la constitution de Pennsylvanie, qui est le patron sur lequel elle a été grossièrement

attendre le 30 avril pour que Lanjuinais, l'un des proscrits girondins depuis peu réintégrés dans la Convention, franchisse le pas. Sa première intervention est pour faire entendre le murmure du dehors : « Parlons sans détour et disons tout haut ce qui se dit au moins à voix basse dans toute la République : il nous faut bien moins des lois organiques de la constitution qu'une constitution même [1]. » Entre-temps, il y a eu, le 1er avril, l'irruption dans l'assemblée d'une foule sansculotte réclamant « du pain et la constitution de 1793 ». Mais ce n'est qu'avec l'échec du soulèvement tenté, sous le même mot d'ordre, le 20 mai et les jours suivants, que la majorité conventionnelle jettera pour de bon le masque.

L'avortement des journées de Prairial, ultime sursaut de la Montagne, dénoue d'un seul coup les fils d'un écheveau jusqu'alors inextricable et libère nos législateurs de leur longue paralysie. Finis les protestations hypocrites de fidélité à un code secrètement répudié et les faux-semblants de la préparation des lois organiques. Les critiques se multiplient, directes et virulentes, contre la constitution « anarchique » de 1793. Délivrée de sa peur, en même temps que poussée par la peur qu'elle vient d'éprouver, la Convention joue son va-tout. Elle résout d'un même geste ses deux problèmes, en affrontant bravement la contradiction qui l'arrêtait : elle met en chantier une nouvelle constitution, promesse d'un ordre politique enfin stabilisé, mais sans oublier d'autre part d'assurer sa propre perpétuation, gage indispensable de sécurité pour ses membres dans un climat lourd de menaces. La commission des Onze, désignée le 23 avril, et qui jusqu'en Prairial avait louvoyé toujours sous le couvert fictif des lois organiques, entreprend de rédiger tambour battant cette constitution en forme d'autocritique de l'expérience constitutionnelle antérieure.

---

taillée, c'est à celle-ci que j'adresserai mes remarques [...] j'établirai donc un parallèle entre les républiques de Massachusett et de Pennsylvanie, c'est-à-dire entre deux constitutions fondées l'une sur la *division*, l'autre sur l'*unité* de la législature », *Qu'est-ce que la constitution de 1793 ?*, Paris, an III, Avant-propos, p. v.
1. Il faut se reporter à la version imprimée de son discours, *Opinion sur le gouvernement provisoire de la république*, 12 floréal an III, p. 2. *Le Moniteur* en donne une version apaisée qui passe sous silence la partie la plus offensive du propos.

L'affaire sera rondement menée. Un mois après l'insurrection ratée du 20 mai, Boissy d'Anglas présente à l'assemblée, le 23 juin 1795, le projet destiné à asseoir la pérennité de la République bourgeoise. Deux mois encore d'une discussion exemplairement sérieuse et serrée et, le 22 août, le texte supposé apporter la solution définitive au « grand problème de l'art social », à distance égale des deux gouffres de la royauté et de l'anarchie, est adopté. Le décret des deux tiers couronne l'édifice, en résolvant, lui, un problème de moindre envergure, mais d'une urgence plus palpable : mettre à l'abri des représailles un personnel auquel on reproche « le crime ou la complicité », comme Baudin ne manque pas de le lui rappeler, afin de vaincre les derniers scrupules que rencontre une mesure exorbitante [1]. Il est vrai, comme Baudin le rappelle également, que la non-rééligibilité des membres de la Constituante avait contribué à ouvrir la porte, sous la Législative, à la subversion de l'ordre constitutionnel. La réélection forcée ne s'avérera pas une issue plus heureuse. En fait d'achèvement de la Révolution, elle contribuera à la relance de l'instabilité politique, une instabilité impossible à contenir dans ces institutions dont on croyait pourtant qu'en prenant le contrepied de leurs devanciers elles échapperaient à leurs défaillances. Les correctifs ne suffisaient pas : l'arrachement à Charybde n'avait conduit qu'à rejeter vers Scylla. Le terme sera pour un peu plus tard.

L'intrigue et ses péripéties déterminent le cadre et l'agenda de la réflexion. Elles découpent trois périodes. Dans un premier temps, durant les trois ou quatre mois de germination de la crise sociale, l'analyse se déploie dans l'ombre et sous l'interdit de 93. La question obligatoire, la question qui s'impose en même temps qu'elle impose ses limites, est celle de l'aménagement de la « constitution démocratique », des lacunes de son dispositif, de la bonne manière de prévenir les risques que comportent ses mécanismes. Que ce soit dans un esprit d'adhésion sincère ou dans un dessein de critique indirecte, c'est par son défilé que le discours politique est

1. BAUDIN DES ARDENNES, dans son discours sur les moyens de terminer la Révolution, le 1ᵉʳ fructidor (18 août), *Le Moniteur*, t. XXV, p. 529.

contraint de passer. Puis vient, avec le dénouement de Prairial et la liberté de manœuvre retrouvée, la floraison des projets. Sur quels principes établir la République pour qu'elle vive et dure ? Comment la soustraire à la fatalité de l'échec en tirant toutes les leçons de cinq années d'errement ? L'ardeur est retombée depuis le vaste concours d'imagination qu'avait déclenché l'inauguration de l'ère républicaine dans l'hiver 1792-1793, quand le champ du possible semblait s'étendre à l'infini, mais le ressort civique est encore assez mobilisé pour que la moisson soit copieuse. Suit enfin, très vite, le temps de la critique, dès la parution du projet officiel des Onze jusqu'au lendemain de l'adoption du texte définitif. Et si, justement, on n'avait pas été assez loin dans la remise en cause des principes à l'œuvre depuis 1789 ? Et si la rupture n'était que de surface, masquant une continuité plus profonde ? Si, en fait d'impulser un nouveau cours, on n'avait abouti qu'à produire une nouvelle version des mêmes préjugés impolitiques ? Appel à un supplément d'autocritique dans l'autocritique qui mérite d'être scruté avec une particulière attention, soit dit au passage ; on y saisit au plus vif l'impossible soustraction à l'orbite initialement tracée et refermée qui déchire l'expérience thermidorienne et qui rend sa prise en compte si cruciale pour rétrospectivement comprendre dans toute sa puissance plastique et dans toute sa prégnance la vision révolutionnaire de la politique. Or, à chacun de ces moments, le thème du pouvoir en plus sans lequel il ne saurait y avoir ni garantie ni marche régulière des institutions est activement sur les rangs, quand ce n'est au premier plan. Qu'il s'agisse de remédier aux prévisibles périls du code montagnard, de monter une machinerie délivrée des dogmes auparavant en vigueur ou de dénoncer les déficiences du dispositif retenu pour finir, l'idée d'un mécanisme protecteur, facilitateur ou régulateur est au centre des analyses et des propositions.

AMÉNAGER LA CONSTITUTION DE 1793 ?

Ainsi représente-t-elle la pointe d'un long discours de Pelet de la Lozère, le 8 avril, qui suscite des mouvements divers dans l'assemblée, puisqu'il est perçu comme « tendant à changer la constitution ». Pelet saisit l'occasion d'un rapport sur la situation extérieure et intérieure de la République pour revenir obliquement à la charge contre les gardiens du temple de 93, dans le cadre de la guérilla dont la manifestation du 1ᵉʳ avril a donné le signal. Il ne manque pas, certes, d'exciper de son respect et de son attachement pour le texte accepté par le peuple. La tactique consiste à souligner l'ampleur des « corrections » à y apporter si l'on veut vraiment qu' « un gouvernement sage succède à tant d'essais orageux » – « corrections » est le mot qu'il ne craint pas d'introduire, en se réclamant de l'article de la Déclaration des droits relatif à la révision de la constitution, et c'est naturellement le mot qui polarise les indignations. Le propos serait banal, n'était l'argumentaire qui l'appuie. Pelet ne se contente pas, en effet, à côté de bien d'autres, d'incriminer les articles qui ouvrent la porte aux « passions turbulentes », aux agitations, voire aux « insurrections partielles » ; il porte le fer sur le terrain plus original du défaut de garantie. « Nous avons vu les deux premières assemblées nationales dépasser les mandats et les pouvoirs qu'elles paraissaient avoir reçus », commence-t-il par rappeler ; or, « qui peut nous garantir que les législateurs qui succéderont à la Convention nationale porteront plus de respect à la constitution ? Dans quelle partie de ce nouveau code trouvons-nous la disposition prévoyante qui empêche une main téméraire de le renverser ? Quel sera le contrepoids des législateurs à venir ? » [1]. À la lumière écrasante du bilan, l'interrogation ne passe plus pour académique, formelle ou tactique ; elle n'est plus réservée aux esprits scrupuleux ; elle est devenue commune et pressante, et l'on conçoit, à enregistrer un tel constat dans la bouche d'un député du rang, comment elle va sourdement dominer les dernières années de la Révolu-

1. *Le Moniteur*, t. XXIV, p. 173.

tion. À quoi bon rédiger des constitutions si c'est dans l'assurance qu'elles seront allègrement transgressées par les représentants chargés de les appliquer, comme la Législative et la Convention en ont successivement donné l'exemple ? Il est vrai que, si elles sont sorties des bornes qui leur étaient imparties, c'était pour « étendre les conquêtes de la liberté ». Mais à présent qu'il s'agit d'affermir les institutions de la liberté, comment ne pas relever la contradiction entre les moyens et les fins ? Car, pour être libre, « il faut ne pas craindre que les volontés versatiles d'une puissance sans contrepoids disposent de vos destinées et changent arbitrairement la constitution ». Sous cet angle, souligne Pelet, l'une des lacunes les plus criantes de la constitution de 1793 est de n'avoir pas prévu d' « institution protectrice qui la mette à l'abri des innovations des législateurs ». La leçon des événements ne permet plus de le méconnaître, c'est à sa capacité de contrôler « un pouvoir détaché du peuple, quoique établi par lui », comme dit Pelet d'une forte formule, que se juge l'établissement de la liberté.

Paraît au même moment, à peu près, alors que s'engage la bataille à la fois sociale et constitutionnelle, une brochure non moins révélatrice, intitulée *Le Balancier politique*[1]. Conformément à l'orthodoxie de l'heure, mais sans arrière-pensées apparentes, l'auteur anonyme déclare « bonnes » les bases de la constitution de 1793, tout en suggérant de la « réformer », selon son propre terme. Le principal aménagement qu'il propose consiste dans la création d'un « conseil de sûreté publique » chargé de répondre au problème laissé en suspens par le texte. Car « déterminer les limites de deux pouvoirs rivaux, c'est faire peu de chose. La grande difficulté est d'établir une force capable de s'opposer aux entreprises de l'un sur l'autre : c'est, en un mot, de faire entrer dans la composition de la machine politique l'équivalent du *balancier* dont la mécanique la plus simple nous offre le modèle »[2]. La nou-

---

1. *Le Balancier politique, ou projet d'additions et de corrections à faire à la constitution de 1793, avant de l'organiser*, Paris, an III.
2. *Ibid.*, p. 12. L'auteur en ramasse poétiquement la formule dans une *fable* : « Aux règles de la mécanique / Soumettons l'ordre politique / Toute puissance tend à l'envahissement / Eh bien ! créons une force capable / De fixer des pouvoirs la borne indispensable... » (p. 4).

veauté est de voir un adepte dudit modèle mécanique le
mettre au service d'un double besoin dont il excluait, en général, la prise en considération : l'harmonie interne des pouvoirs
et la protection des citoyens. Car notre auteur ne se préoccupe
pas seulement de « mettre un obstacle aux entreprises du pouvoir législatif sur le pouvoir exécutif », il renoue explicitement
aussi avec l'inspiration du projet de *jury national* qui figurait
initialement dans la constitution jacobine, c'est-à-dire avec le
souci d'assurer « la censure du peuple contre ses députés et sa
garantie contre l'oppression du corps législatif » – il donne
son propre projet comme une réactivation de cet insoupçonnable précédent [1]. Son conseil de sûreté publique serait
composé de quinze membres, quinze « tribuns du peuple »,
nommés pour un an par le conseil exécutif. Il leur reviendrait
de surveiller les opérations du législatif (où ils peuvent, en
séance, « requérir l'observation des règles prescrites par la
constitution pour la formation des lois et des décrets ») et de
contrôler la teneur des lois. Aucun texte ne pourrait être
adopté et appliqué sans avoir été soumis à leur visa – « le refus
du visa, nous est-il précisé, est toujours accompagné de la citation de l'article de la déclaration des droits de l'homme ou de
la constitution sur lequel il est fondé » [2]. Sur l'inéluctable
nécessité d'une telle fonction d'interprète et juge, notre
« mécanicien » a d'ailleurs des réflexions d'un réalisme désa-
busé qui témoignent du chemin parcouru jusque chez les plus
impénitents rationalistes : « Il n'y a point de loi, quelque claire
qu'elle puisse être, qui ne donne lieu à beaucoup de difficultés
par les doutes qui s'élèvent sur la manière de l'interpréter et de
l'exécuter. Soyons donc bien convaincus que notre constitution aura, comme toute autre loi, cet inconvénient inévitable
et que ce sera une source perpétuelle de troubles, si nous n'y
apportons pas de remède. Dire que la nation sera juge des différends qui naîtront entre ceux qui doivent la régir et la gouverner serait bon, si une grande nation pouvait être continuel-
lement assemblée ; mais on sait que la chose est impossible. J'ai
prévu le danger, et je propose un moyen de le préve-

1. *Ibid.*, pp. 12-13.
2. *Ibid.*, p. 42.

nir [1] ». Le raisonnement est plein d'intérêt. Sans doute le peuple est-il seul habilité, en droit, à trancher les litiges entre les pouvoirs qui agissent en son nom ; en fait, il ne peut pas plus remplir directement ce rôle que la fonction de législateur ; il faut donc mettre en représentation le contrôle par le peuple de ses représentants.

On retrouve une inspiration mécaniste analogue chez un député des Ardennes, Thiriet, fin avril, début mai, alors que la commission des Onze commence ses travaux. Au titre des « lois organiques à former pour mettre en activité la constitution de 1793 », il propose un curieux compromis des institutions laissées en sommeil et des institutions d'exception, une sorte de régularisation du gouvernement révolutionnaire [2]. La solution qu'il préconise consisterait, en effet, à pérenniser le Comité de salut public en le transformant en un « pouvoir modérateur». La mécanique enseigne que « les chocs réitérés entre deux systèmes de corps dirigés l'un contre l'autre finissent toujours par réduire l'un des deux en pièces ». Il est donc vain de vouloir balancer le législatif et l'exécutif. Pour en détruire l'opposition, il faut interposer un troisième corps entre les deux qui les tiendra liés. En chargeant le Comité de salut public des attributions « dangereuses » des deux autres pouvoirs, comme le commandement de la force publique au-dehors et la part urgente de la législation, on préviendra les occasions de conflit et on associera étroitement les autorités dans leur marche (puisque les membres du pouvoir modérateur sortent du corps législatif avec un renouvellement rapide et que toutes leurs actions restent subordonnées au conseil exécutif). « Aucune autorité, dit Thiriet, ne pouvant espérer de détruire les deux autres, aucune n'aura par conséquent d'intérêt à les inquiéter, à les heurter de front [...]. Ce seront trois unités distinctes de leur nature, liées néanmoins entre elles, de manière à former, par le résultat de leurs fonctions, la

---

1. *Ibid.*, pp. 16-17. Précisons qu'en sus de la procédure ordinaire il est prévu un appel au peuple dans le cas où le corps législatif persiste : les assemblées primaires sont convoquées si le dixième d'entre elles le réclame après examen du projet litigieux.
2. *Coup d'œil sur les lois organiques à former par la Convention nationale pour mettre en activité la constitution de 1793*, Paris, floréal an III.

véritable unité républicaine, qui rendra à jamais indissoluble le corps politique de l'État [1]. » Ainsi ne s'est-on écarté des voies primitivement reçues de l'unité des pouvoirs que pour mieux la retrouver. La formule qui prétendait la faire naître de la division/subordination/conjonction de la pensée qui définit et de la volonté qui agit a fait long feu ? Qu'à cela ne tienne, on empruntera à la formule adverse de l'équilibre pour détourner la triplicité qui lui est chère à cette fin. C'est le trait qui élève cette modeste contribution au typique. On est là au foyer des tensions de la révision thermidorienne et au principe de ses limites. Changer de philosophie, mais tout en persévérant dans la même philosophie.

D'entrée, donc, le thème est dans l'air. À côté d'auteurs qui en font leur objet principal, comme ceux qu'on vient d'évoquer, il est plus ou moins allusivement développé par quelques-uns des premiers critiques notables de la constitution de 1793, quand le parti de l'ordre s'enhardit. Lenoir-Laroche, par exemple, qui se préoccupe surtout de combattre « le préjugé contre les deux chambres », évoque au passage le recours à un « pouvoir régulateur », destiné à procurer « la direction et la conservation de leur mouvement aux différents ressorts du corps politique » [2]. Il lui confie, autre langage familier, la « surveillance générale », mais sans préciser davantage ni sa composition ni ses attributions. Il est même un réacteur fieffé pour prôner un « tribunal censorial », chose plus surprenante, en guise de pouvoir de complément. Il serait chargé du contrôle des élections et des élus, afin d' « empêcher les hommes immoraux de briguer les places et rendre les électeurs très attentifs sur leurs choix », et de veiller par ce biais à la pureté des mœurs [3]. C'est qu'il n'y a pas que les Jacobins pour se tracasser de la vertu et chérir le modèle romain, qui intervient ici couvert par l'autorité de Montesquieu.

1. *Ibid.*, p. 3.
2. *De l'esprit de la constitution qui convient à la France et examen de celle de 1793*, Paris, an III, p. 159.
3. *Réflexions sur les bases d'une constitution, présentées par Bresson, député*, Paris, an III. Ces réflexions sont en fait de Vaublanc, député du côté droit sous la Législative, proscrit et caché sous la Terreur. Il sera l'un des membres actifs de l'opposition royaliste sous le Directoire.

LA REDÉCOUVERTE DE L'ÉQUILIBRE

Deux ouvrages méritent un sort à part, pour leur relief et pour leur rôle, au milieu de cette floraison constitutionnelle du printemps 1795. Ils émanent tous deux de la périphérie du milieu spécialisé ou impliqué qui gravite autour de la commission des Onze et où va s'effectuer la décantation des idées en présence. L'un des auteurs, Lamare, fonctionnaire de l'Instruction publique et traducteur de la *Défense des constitutions américaines*, de John Adams, sera d'ailleurs invité à présenter devant la commission, au tout début de ses travaux, les thèses de son *Équipondérateur* [1]. Pour l'autre, point d'ambition, et pour cause : il s'agit d'un député détenu pour « terrorisme », que les pauvres indications qu'il livre ne nous ont pas permis d'identifier. Il n'est pas sans connection avec le personnel en place pour autant. Son livre, qui se présente sous la forme de « lettres au représentant du peuple Lanjuinais », se greffe et rebondit sur l'intervention fracassante où ce dernier, le 30 avril, réclame une nouvelle constitution. Il orchestre et amplifie, sous un titre-programme sans équivoque, *De l'équilibre des trois pouvoirs politiques*, le plaidoyer en faveur de la séparation des pouvoirs amorcé par Lanjuinais – lequel sera bientôt l'un des membres écoutés de la commission des Onze [2]. On a affaire, dans l'un et l'autre cas, à des textes qui ont été lus, qui ont pesé, qui ont laissé une empreinte, comme ils feront l'objet de maint emprunt. Les deux ouvrages portent inscrite dans leur démarche l'empreinte de la période : ils pro-

---

1. *L'Équipondérateur, ou une seule manière d'organiser un gouvernement libre*, Paris, an III. De l'aveu de Lamare, « cet écrit a été achevé et communiqué à quelques membres de la Convention à la fin de ventôse dernier et présenté à la commission des Onze le 20 floréal [9 mai] ». Une allusion finale permet de penser que la publication de l'ouvrage doit avoir été à peu près concomitante de la présentation du projet des Onze, fin juin 1795. La traduction de John ADAMS, *Défense des constitutions américaines, ou de la nécessité d'une balance des pouvoirs dans un gouvernement libre*, est parue en 1792.
2. *De l'équilibre des trois pouvoirs politiques, ou lettres au représentant du peuple Lanjuinais sur son opinion de diviser le corps législatif en deux sections*, Paris, an III. L'ouvrage est signé des initiales F.P.B.

cèdent semblablement par substitution de cible. Ils concentrent le tir l'un et l'autre sur le projet de Condorcet plutôt que
sur la constitution montagnarde – un retour en arrière qui
n'est pas seulement une façon de ménager les susceptibilités
de l'heure, mais aussi le moyen de souligner l'ampleur de la
rupture à opérer, qui doit être une rupture avec les présupposés communs à la Gironde et à la Montagne. Tous deux ont
encore en commun une forte inspiration américaine : ce sont
deux des pièces les plus développées du dialogue de la Révolution française avec l'expérience-sœur d'outre-Atlantique.
Enfin et surtout, ce sont deux textes qui élèvent à un niveau
de réflexion remarquable cette idée d'une indispensable triplicité de pouvoirs qu'on a vu souterrainement courir depuis
1789. Ils ne se bornent pas à en proposer une version pragmatique de plus ; ils essaient, chacun selon des voies différentes à partir de la même notion fondamentale de l'*équilibre*, de la fonder dans les termes d'une « théorie primaire de
tous les gouvernements », comme dit notre député anonyme [1].

Au-delà de son intérêt direct dans le débat révolutionnaire,
la contribution de Lamare nous porte au-devant d'un problème historique de plus vaste portée, celui de l'héritage du
« régime mixte », autrement dit le problème de la continuité
ou de la rupture entre la pensée démocratique et la pensée
politique classique. En bon disciple de John Adams, Lamare
entend, en effet, asseoir l'équilibre qu'il prône sur une combinaison des trois formes classiques de régime, la démocratie et
la monarchie. Or on sait, depuis la célèbre démonstration
apportée par Gordon Wood, que l'interprétation d'Adams
repose en réalité sur un contresens. Adams pèche par anachronisme en méconnaissant la rupture qu'opère la nouvelle
théorie politique déployée par les auteurs de la constitution
fédérale de 1787 par rapport à la politique classique. La
constitution américaine n'a que l'apparence d'une constitution mixte : si elle conserve les formes extérieures des schèmes
aristotéliciens, c'est en leur ôtant leur substance, à savoir
l'incorporation dans le gouvernement des forces sociales fon-

1. *Ibid.*, p. 131.

damentales. La grande nouveauté de la science politique américaine, la nouveauté que son attachement à la tradition empêche Adams de saisir, réside dans cette désincorporation du pouvoir politique, autorisée par la représentation, qui à la fois fait du peuple le souverain absolu, source de tout pouvoir, et exclut le peuple de toute participation au pouvoir. D'un côté, donc, c'est le principe démocratique qui prévaut sans partage dans toute l'étendue de la République, tandis qu'il n'existe plus nulle part, de l'autre côté, de correspondance ou de connexion entre formes politiques et forces sociales [1]. Mais Lamare est un disciple indépendant, dont l'exploitation d'Adams complique d'intéressante façon les données du problème. Car il ne se montre pas moins démocratique et désincorporateur que les créateurs de la République américaine et, cependant, il croit possible et nécessaire de sauvegarder, dans une acception purement politique, les termes de la constitution mixte. La continuité n'est-elle vraiment que nominale ou formelle ? La rupture est-elle aussi définitive que ses auteurs la donnent ? Ou bien n'est-elle que le vecteur d'un remaniement qui, pour profond qu'il soit, conserve un lien essentiel avec le passé ? La question, deux siècles après, reste irrésolue ; elle continue de grever d'incertitudes la définition de nos régimes.

Lamare se livre à une critique sans merci de l'œuvre institutionnelle de la Révolution dans son ensemble. Si opposées qu'elles puissent être dans leur inspiration, la constitution de 1791 et la constitution de 1793 (prudemment abordée à partir du plan de Condorcet, on l'a dit, d'une précaution faite pour ne tromper personne) sont identiquement mauvaises. Elles présentent exactement le même défaut, celui d'ignorer les nécessités de la balance des pouvoirs. « Aucun de ces plans, écrit Lamare, ne présente une sage combinaison des principaux pouvoirs de gouvernement ; je n'y vois aucune de ces balances, limitations ou oppositions connues et admirées

---

1. Gordon S. WOOD, *La Création de la république américaine* [1969], trad. franç., Paris, Belin, 1991, en particulier les chapitres XIV et XV, « John Adams entre l'ancien et le nouveau » et « La science politique américaine », pp. 651-706. Sur Adams, cf. également Denis LACORNE, *L'Invention de la république. Le modèle américain*, Paris, Hachette-Pluriel, 1991, pp. 172-182.

dans d'autres constitutions et dont l'effet est de préserver une nation de toutes dispositions arbitraires de la part de ceux qui la gouvernent, de toute violation de ses droits tant individuels que politiques et de lui assurer, quoi qu'il puisse arriver, qu'il ne sera fait pour elle que des lois justes et que ces lois seront exécutées impartialement. En un mot, aucune de ces constitutions n'est *équilibrée*, et voilà pourquoi je les blâme toutes [1]. » Dans le détail, la critique se fait plus subtile que cette annonce radicale ne pourrait le donner à croire. Condorcet, admet Lamare, en dépit de sa foi dans le funeste système de l' « unité d'action », a eu quelque sentiment de l'équilibre. Sa constitution est « réellement, quoique très imparfaitement équilibrée » [2]. Il a sous-estimé la pente inexorable qui veut que « toute assemblée législative non balancée sera souveraine ». De la même façon, les Constituants ont pu croire que dans leur édifice l'exécutif royal tenait en balance la puissance législative. C'était méconnaître le point crucial qu' « en politique, il ne peut y avoir équilibre si le gouvernement n'est formé qu'en deux branches, parce qu'il arrive toujours, en pareil cas, que tôt ou tard l'une écrase l'autre » [3].

Première thèse, donc : la garantie ne peut naître que de l'équilibre ; lui seul est capable de tenir les pouvoirs dans leurs limites. Deuxième thèse : l'équilibre suppose trois pouvoirs. Encore Lamare récuse-t-il aussitôt, de façon bien française et très révélatrice, le judiciaire en tant que pouvoir [4]. Il faut donc aller chercher ailleurs le principe de division. Il pense le trouver en pratique dans le partage de la législature en deux conseils égaux, qui en fera deux pouvoirs pourvus de fonctions bien distinctes. Point donc chez lui de recours à une institution nouvelle. Deux chambres et l'exécutif feront l'affaire, pourvu que l'on conçoive adéquatement la distribution de leurs rôles et la définition de leurs rapports. Il en ramasse ainsi la formule abstraite : il faut de nécessité « un pouvoir qui pro-

---

1. *L'Équipondérateur, op. cit.*, pp. 3-4.
2. *Ibid.*, p. 32.
3. *Ibid.*, pp. 7-8 et 35-37.
4. « Il est évident, dit-il, qu'il fait partie du pouvoir exécutif quant à l'exécution des lois et du législatif à la formation de ces mêmes lois », *ibid.*, p. 7.

pose, un autre qui décide, un troisième qui exécute » [1]. Tripartition qu'il adosse pour finir à l'héritage historique de la constitution mixte : le pouvoir qui propose correspond à l'élément démocratique, le pouvoir qui décide à l'élément aristocratique, le pouvoir qui exécute à l'élément monarchique. D'où un projet de constitution qui prévoit un conseil « démocratique » d'éphores, un sénat « aristocratique », et la « monarchie » bicéphale de deux consuls. Tous élisent et sont éligibles au conseil des éphores qui « représente les citoyens dans leur capacité individuelle ». Il tient notamment les cordons de la bourse. Alors que les éphores seront « les défenseurs des droits tant individuels que politiques du peuple, le sénat [sera] le défenseur des lois et le pilier de la constitution » [2]. Destiné à former un « faisceau de lumières », il sera choisi parmi « ceux qui s'entendent le mieux aux affaires publiques », à savoir les membres des corps administratifs. Il détient la sanction des lois [3]. Lamare précise encore, à propos de cette originale « noblesse d'État » : « Les éphores représentent la nation aux yeux de la nation elle-même, tandis que le sénat la représentera plutôt aux yeux des nations étrangères [4]. » Comme tout le milieu où il évolue, Lamare est persuadé, enfin, qu'il est indispensable de « relever parmi nous la dignité de la magistrature exécutive ». Il n'ose pas aller toutefois jusqu'à préconiser l' « unité du magistrat », il la resserre autant qu'il peut en s'arrêtant à deux consuls, « titre éclatant, imposant et républicain », dit-il, dont ce paraît être la première apparition sur la scène révolutionnaire. Point d'importance, son consul de l'intérieur et son consul de l'extérieur sont élus directement par les directoires de département, de manière à les assurer d'une légitimité propre – « il faut que le consul puisse dire aux assemblées : " Le peuple a voulu que je fusse indépendant de vous, comme vous de moi " » [5]. Car

1. *Ibid.*, p. 37.
2. *Ibid.*, pp. 41-44.
3. À propos de la procédure de formation des lois, Lamare se flatte d'ailleurs d'avoir « copié mot pour mot l'article constitutif du gouvernement des Américains » (p. 55).
4. *Ibid.*, p. 43.
5. *Ibid.*, pp. 47-53.

c'est la règle fondamentale pour qu'il y ait équilibre : « La plus parfaite égalité doit régner entre les trois principaux pouvoirs du gouvernement [1]. » C'est la condition pour que fonctionne le « jeu perpétuel » au travers duquel ils se surveillent et se font mutuellement contrepoids.

Mais il faut tout de suite préciser, pour prendre l'exacte mesure de cette moderne version de l'antique constitution mixte, que Lamare l'entend comme « parfaitement compatible avec l'égalité démocratique ». Monarchie et aristocratie sont à comprendre ici comme des fonctions de nécessité intemporelle, à ne pas confondre avec leurs incarnations historiques. Il s'agit, dit Lamare, de « séparer l'abus de la chose ». La noblesse héréditaire n'a été que l'abus des institutions destinées à infuser « la sagesse et la vertu » dans l'esprit des gouvernements, comme « la royauté n'a été que l'abus de la magistrature exécutive » [2]. De même le terme de démocratie ne doit-il pas abuser : il ne saurait évoquer le règne du peuple en corps ; « le gouvernement de vingt-cinq millions d'individus ne peut être que représentatif en totalité » [3]. Tout au long de son essai, Lamare multiplie à cet égard précautions et distinctions. Il reproche justement à la constitution de 1791 d'avoir conservé l'idole royale « avec tout son gothique attirail ». Il oppose ses deux conseils égaux – bien que comportant un sénat aristocratique – au système de la Chambre haute à l'anglaise, lié à l'existence d'une noblesse, et où, de ce fait, les Lords « ne représentent rien » puisqu'ils sont là pour leur propre compte [4]. Il explicite lui-même, enfin, la rupture de son modèle de régime mixte avec le modèle harringtonien classique de la correspondance entre la balance des pouvoirs et la balance des propriétés. Il termine, en effet, sur une analyse de l'état présent du « partage des possessions territoriales » dans ses rapports avec « la nature du gouvernement », d'où il conclut que « la France est aujourd'hui physiquement une

1. *Ibid.*, p. 50. Si la reprise des consuls semble nouvelle, les éphores ont déjà une riche carrière derrière eux, depuis 1790 au moins.
2. *Ibid.*, pp. 7-8.
3. *Ibid.*, p. 40.
4. *Ibid.*, pp. 27-28 et p. 46.

république démocratique »[1]. Il appartient au législateur
d'encourager la poursuite de ce mouvement en veillant aux
différentes mesures susceptibles d'élargir la diffusion de la
propriété. On ne saurait donc plus consciemment assumer la
dissociation du système de l'équilibre d'avec l'organisation
des forces sociales qui était traditionnellement supposée en
fournir la base. Et, néanmoins, Lamare se pense fondé à
maintenir le langage de la constitution mixte pour décrire le
système politique approprié à une république socialement
démocratique. N'est-ce qu'inconséquence de sa part ? Ou cet
entêtement ne mérite-t-il pas d'être pris au sérieux ?

Si l'on songe à la place que ces notions d'Ancien Régime
continuent d'occuper dans la description de notre modernité
individualiste et démocratique, on se dit qu'il pourrait y avoir
dans cette insistance l'attestation prémonitoire d'un vrai problème. On faisait allusion un peu plus haut à la notion,
davantage polémique qu'analytique, de « noblesse d'État »[2].
Mais on évoquera, dans un genre beaucoup plus rigoureux,
l'effort parlant pour dégager la dimension « aristocratique »
de toute représentation[3]. Il s'inscrit à l'intérieur d'une interrogation elle aussi récurrente sur le rôle des « élites » dans le
régime démocratique, un concept aux équivoques significa-
tives, du point de vue qui nous intéresse, écartelé qu'il est
entre la proscription de l'hérédité et la reconnaissance d'une
fonction de l'inégalité, entre la fermeture de la hiérarchie et
l'ouverture de la compétence, entre l'ordre éternel de la domination et le mouvement des Lumières. Et point n'est besoin
d'insister sur la régularité avec laquelle l'étiquette de « monarchique » revient pour qualifier la forte personnalisation de
l'exécutif républicain. Comme s'il y avait, donc, une logique
interne des dimensions du pouvoir, une systématique des
fonctions politiques qui survivaient à la disparition de l'assise
sociale qui leur donnait primitivement sens. La grande ques-

---

1. *Ibid.*, p. 64.
2. Elle est due à Pierre BOURDIEU. Cf. l'ouvrage du même titre, Paris, Éditions
de Minuit, 1989.
3. Je pense au travail de Bernard MANIN sur « Le caractère aristocratique des
élections », maintenant dans *Principes du gouvernement représentatif,* Paris, Calmann-Lévy, 1995.

tion étant de savoir si cette permanence n'est qu'un effet d'optique ou si elle recouvre une réalité substantielle. Il est de fait que les démocraties n'échappent pas à la concentration individuelle de l'exercice du pouvoir, non plus qu'à l'aménagement d'une certaine prééminence des Lumières. Il n'est pas absurde sous cet angle d'assimiler leur déploiement effectif à la recomposition de la constitution mixte au milieu de l'égalité. Mieux, c'est afin de maîtriser les deux dimensions qui ont ruiné l'ancienne version du régime mixte que cette recomposition s'est opérée : la souveraineté indivisible, telle que Bodin la promeut, qui écarte l'idée d'un mélange de formes de pouvoir, en même temps qu'elle sépare le détenteur du pouvoir souverain de la société ; la composition artificielle du lien de société à partir des individus, telle que Hobbes la consacre, qui détourne de la considération des parties concrètes de la société au profit de ses seuls atomes de droit. Or, c'est spécifiquement pour canaliser ces deux dimensions que le « système de l'équilibre » s'est imposé, pour en permettre l'expression tout en prévenant leurs périls. C'est grâce au partage de l'autorité « de manière à ce qu'aucun pouvoir n'ait le *summum imperium* et ne puisse même espérer d'y parvenir », comme l'écrit Lamare [1], que la souveraineté du peuple règne en dernière instance et se conserve dans son intégrité – l'immense paradoxe auquel nous confronte le fonctionnement du régime démocratique étant que cette souveraineté ne pèse pour de bon que si elle ne se matérialise nulle part. Par la même occasion se trouve résolue l'autre difficulté majeure, celle d'une démocratie qui doit rester une démocratie d'*individus*, et qui ne peut fonctionner comme telle que par la distance de la représentation, contre la pente de la démocratie directe, de la démocratie du *peuple en corps*. Ce sont ainsi les facteurs mêmes qui ont disqualifié le schème classique d'une application de la balance des forces sociales au lieu du pouvoir qui se trouvent ensuite avoir appelé à leur service la recomposition, sur un mode purement politique (mais non sans effets sociaux), d'un mixte de « monarchie », d' « aristocratie » et de « démocratie » – une démocratie non moins transformée dans

1. *L'Équipondérateur, op. cit.*, p. 57.

son acception que ses termes associés, de par son caractère principiellement indirect. Dans la longue durée, l'établissement du régime démocratique dans son sens moderne se ramènerait à la succession d'une phase de déconstitution théorique et d'une phase de réinvention pratique du régime mixte. Le développement de la théorie démocratique autour de l'articulation entre individu et souveraineté passe par la destruction tant de l'image de la société que de l'image du pouvoir qu'impliquait la vision traditionnelle de la mixité politique. Une fois, en revanche, que les principes démocratiques entrent dans la réalité, avec les révolutions de la fin du XVIIIe siècle, il va s'avérer que c'est par la réintroduction des éléments politiques de la constitution mixte que passe la possibilité de faire harmonieusement fonctionner le nouveau régime. Ce serait l'opération que réussissent les Américains et l'opération que manquent les Français dans leur révolution, opération qu'il leur faudra un très long parcours pour accomplir et pour accepter. Reste maintenant la grande question de savoir ce que vaut au juste cette apparence de continuité. Cette « aristocratie » ou cette « monarchie » reviviscentes ne sont-elles que des ombres ou des semblants que seul le démon incontrôlé de l'analogie nous porte à rapprocher de leurs précédents, quand le principal – qui serait, en l'occurrence, l'élection – les en éloigne ? Ou bien existe-t-il d'authentiques figures invariantes de la fonction politique, qui feraient des élites démocratiques et de la noblesse d'Ancien Régime, du roi héréditaire et du prince républicain des cas d'une même nécessité des profondeurs, au-delà du gouffre des conditions sociales qui les sépare ? Ce n'est pas le lieu de trancher. Il ne pouvait s'agir, au travers de ces quelques aperçus hypothétiques, que de suggérer l'intérêt puissant qui s'attache à la question. Un détour nécessaire pour mesurer combien il est riche de sens qu'il se soit trouvé un esprit pour la poser, au milieu d'une révolution si peu portée à en reconnaître le bien-fondé.

C'est une sensibilité très différente qui est à l'œuvre dans *De l'équilibre des trois pouvoirs politiques*, une sensibilité beaucoup plus proche, justement, de la sensibilité révolutionnaire dominante, en dépit de l'accent critique de l'ouvrage. Lamare est pour ainsi dire l'homme d'une autre culture, le porte-parole d'une tradition étrangère. Avec notre député inconnu, nous retrouvons les termes typiques du débat français et sa problématique familière. Même l'enthousiasme pour les institutions de l'Amérique qu'il partage avec Lamare – « C'est là, dit-il, que résident plus librement les principes politiques » [1] – se tempère chez lui d'une nette réserve, celle que lui inspire « la violation plus ou moins directe du principe de l'égalité des droits ». Son idée de l' « égalité démocratique », de façon générale, comporte une préoccupation beaucoup plus marquée de l'égalité réelle. Mais c'est dans le système des références que l'écart est le plus sensible. Foin de la tradition. C'est sous le signe du sentiment de la nouveauté radicale de la tâche que se déploie le propos. La perspective est ici celle de la fondation de la politique en raison. « Quand viendra un Descartes politique ? » demande l'auteur d'une façon on ne peut plus révélatrice. Et d'ajouter ce jugement qui résume bien l'esprit de son livre : « On croit qu'il est arrivé dans la personne de Rousseau. On s'est trompé [2]. » Rousseau est le seul auteur qui trouve quelque grâce à ses yeux. C'est par rapport à lui que tout se joue, dans la reprise, le prolongement et la critique du *Contrat social.* Il n'en est que plus remarquable d'observer, à partir de prémisses aussi éloignées, la convergence finale des résultats. Car pour l'auteur de *L'Équilibre* comme pour Lamare, il s'agit, au bout du compte, d'établir la nécessité impérative d'une tripartition des pouvoirs et de définir les conditions d'une véritable balance entre eux. Simplement, le cadre de pensée à l'intérieur duquel il effectue sa démonstration se situe délibérément aux antipodes de l'héritage du régime mixte sur lequel Lamare se guide. De sorte que nous nous trouvons devant ce phénomène assez rare d'une même thèse, au fond, exposée selon deux systèmes d'arguments d'inspiration opposée.

Le point de départ est sans surprise. Les codes de 1793, tant

1. *De l'équilibre des trois pouvoirs politiques, op. cit.,* p. 53.
2. *Ibid.,* p. 115.

le projet girondin que l'aboutissement montagnard, sont jus-
ticiables d'un constat de carence fondamental : ils n'assurent
d'aucune manière « la garantie de la souveraineté nationale
envers les entreprises du gouvernement » ou, du moins, ils
l'assurent de manière purement verbale, à coups de déclarations et d'articles aussi solennels que vains. Or, « le papier et
l'encre dont ces magnifiques documents sont formés ne sont
pas des agents spontanés et magiques capables de résister aux
attaques sourdes ou évidentes d'un gouvernement qui tend
à la tyrannie » [1]. Quelques semaines ont suffi, d'ailleurs,
notons-le au passage, pour que le ton change à l'égard de
l'autorité de la chose sanctionnée par le peuple. Notre auteur,
s'il adopte la même méthode de contournement, ne se sent
plus tenu au respect qu'affichait encore Lamare. Il n'hésite
pas à s'en prendre à la démagogie manœuvrière des initiateurs
de la constitution de 1793 qui ne la conçurent, dit-il, qu' « en
vue de s'emparer du pouvoir suprême». Ce qu'aura démontré
une fois pour toutes, précisément, leur « art de s'emparer de
l'opinion publique et de fanatiser la grande masse populaire »,
c'est l'inanité de l'appel à la vigilance des citoyens pour maintenir la charte de leurs libertés. Les textes par eux-mêmes n'en
peuvent mais, et l'esprit public n'y suffit pas davantage. Si
l'on veut que les formes constitutionnelles soient sauvegar-
dées, il y faut une « autorité coercitive et respectée » [2]. Telle
est la tâche requise des nouveaux Constituants : ils ont à instituer cette « autorité dépositaire de la garantie nationale » dont
le besoin a été si méconnu par leurs prédécesseurs [3].

On eût pu croire que, sur la base d'une telle exigence,
l'auteur de *L'Équilibre* allait s'orienter vers l'établissement
d'une institution de type nouveau, expressément dévolue à
cette fin protectrice. Pas du tout. À l'exemple de Lamare, il va
chercher à obtenir cet effet de contrôle d'une organisation
plus classique du législatif et de l'exécutif, organisation

1. *Ibid.*, p. 31.
2. *Ibid.* « L'essence d'une constitution, résume-t-il plus loin, doit être précisément d'assurer par l'institution d'une autorité quelconque, la garantie des
peuples entre eux et contre le gouvernement enclin à l'usurpation de la souveraineté nationale sans qu'ils soient obligés d'avoir recours aux baïonnettes » (p. 34).
3. *Ibid.*, p. 53.

conçue de façon à spécifier et à lier trois pouvoirs bien distincts. C'est le fondement qu'il entend donner à cette distribution qui est original. Il récuse la classification aristotélicienne des régimes : monarchie, aristocratie, démocratie ne sont, dit-il, que des « mots arbitraires ». Montesquieu ne trouve pas davantage grâce à ses yeux : prévisiblement, il rejette en particulier l'idée que le judiciaire compose un pouvoir [1]. C'est de l'intérieur même d'une représentation anthropomorphique de l'être social qu'il prétend faire sortir le principe de sa tripartition, en battant sur leur propre terrain les tenants d'une dualité de fonctions. « Rousseau, écrit-il, a mal analysé le corps politique en disant que comme l'homme, il a deux puissances, *la volonté* et *l'action*. Il devait y ajouter la surveillance, car il ne suffit ni de vouloir, ni d'agir, il faut encore savoir si l'on veut et si l'on agit raisonnablement. » Et d'insister sur la portée du propos un peu avec le pathétique des vaincus d'avance : « Qu'on y fasse attention, il s'agit ici d'une grande et importante découverte [2]. » On serait tenté de le suivre, bien que la postérité n'ait guère entendu son appel : la mise en évidence du besoin de pareil retour sur soi pour que l'acte de possession du corps politique se boucle sur lui-même mérite assurément d'être tenue pour une pensée profonde. C'est l'analyse des facultés qui font que l'homme est un homme qui procure ainsi le principe logique général de la « trinité des pouvoirs » qui doivent exister au sein du corps politique ; c'est elle qui permet de véritablement établir la nécessité de ce troisième pouvoir « régulateur » qui doit doubler les opérations des deux pouvoirs classiques de formation des lois et d'action des lois. Traduit, du point de vue du citoyen, dans le langage de l'égalité des droits, cela donne trois catégories de participation à la vie politique. Les deux premières ne font pas difficulté : « droit égal pour tous de faire ou de sanctionner les lois de l'État » et « droit égal de choisir entre eux la personne unique ou composée, appelée prince,

---

1. « Le pouvoir judiciaire, le pouvoir administratif, le pouvoir militaire, etc., tous ces pouvoirs ne sont point proprement des pouvoirs principaux, mais des branches du gouvernement, c'est-à-dire du pouvoir exécutif suprême » (*ibid.*, p. 119).
2. *Ibid.*, p. 118.

c'est-à-dire gouvernement, pour être dépositaire du pouvoir de faire exécuter les lois ». La troisième, en revanche, se présente sous une forme nettement plus obscure, qui donne l'idée de la difficulté qu'il y a à concrétiser le pouvoir surveillant : « Droit égal pour tous ceux qui ne sont pas chargés du pouvoir exécutif de surveiller la manière dont les lois seront exécutées ; et pour l'autorité qui en est chargée, de consentir les lois que les autres auraient arrêtées si elle n'avait pas été appelée à leur confection, afin qu'elles ne blessent pas son intérêt particulier, augmentée de l'intérêt commun, relativement à l'exécution dont elle est chargée [1]. » C'est que la fonction de surveillance, de par sa nature même, ne saurait être enfermée dans les frontières d'une instance spécialisée. Elle doit être à l'œuvre partout, comme la présence réfléchie qui accompagne les opérations du sujet humain. Elle est au moins triple, ainsi que le suggèrent ces formules embarrassées. Si elle commence par la surveillance de la façon dont l'exécutif accomplit sa tâche, elle ne passe pas moins par la surveillance qu'exerce l'exécutif sur la confection des lois, lequel, ce faisant, n'agit pas seulement en vue de son intérêt propre, mais comme mandataire et agent d'une surveillance générale, au nom de l'intérêt commun de tous ceux sur qui les lois s'appliquent. Tout le monde, en d'autres termes, doit pouvoir surveiller l'exécutif ; il faut que l'exécutif puisse surveiller le législatif ; au travers de cette surveillance particulière et au-delà d'elle, il y va de la possibilité pour tous de surveiller le contenu de la législation. La question devient alors : comment créer concrètement cette puissance omniprésente de réflexion ? Par quel dispositif rendre effectif ce pouvoir inlocalisable dans son principe, puisqu'il redouble les autres ?

C'est ici qu'intervient le second pilier de la théorie, qui va permettre de donner un contenu et de définir l'articulation de ces trois pouvoirs en jetant un pont entre l'analyse abstraite de leur fondement dans l'ordre anthropologique et l'analyse concrète de la société. La position de notre auteur, tout à fait originale elle aussi, pourrait se résumer comme la recherche

1. *Ibid.*, p. 117.

d'une troisième voie entre une vision purement « économique » et une vision purement « politique » du problème constitutionnel. Vision purement « économique », celle qui ne regarde que les *intérêts* et leur balance, en s'accommodant de l'inégalité naturelle – vision à laquelle l'auteur assimile la doctrine classique de l'équilibre des pouvoirs. Vision purement « politique », celle qui ne regarde que les *droits égaux* des individus et leur transcription sous forme de volonté générale – c'est la vision qu'il attribue à Condorcet et pour laquelle il le critique, tout en lavant le vrai Rousseau de la lecture qu'en donne Condorcet. Celui-ci « n'a point entendu le *Contrat social*, dit-il, non plus que beaucoup de personnes qui le citent avec tant d'enthousiasme » [1]. Lui, pour son propre compte, refuse ces deux théories dans leur version extrême, tout en cherchant à les marier. Son but est de les « réunir et de les confondre ensemble », afin de « composer la grande et unique base de l'ordre social » [2]. Il rejette le système traditionnel des trois pouvoirs pour ses accointances inégalitaires. La propriété doit être considérée « sous le rapport du droit égal que tous les habitants d'un pays ont à ses productions pour soutenir leur existence » [3]. Simplement, « la révolution sociale ne peut être que le résultat lent d'une bonne législation » [4]. Mais l'équilibre des pouvoirs n'en est pas moins à conserver comme la seule théorie possible de gouvernement. Il repousse de la même manière la théorie de l'égalité des droits pour ses conséquences politiques et, en particulier, pour sa traduction dans le règne d'un corps législatif unique supposé matérialiser la volonté générale. Mais cela ne l'empêche pas de vouloir sauver le principe égalitaire, dans une interprétation qui ne méconnaisse pas l'écart du droit et du fait, ni de maintenir la volonté générale comme fondement de toute légitimité, dans une lecture qui se préoccupe de rendre son exercice politiquement praticable. Il a d'ailleurs une formule magnifique pour dépeindre cette dialectique de l'abstrait et du concret. « On doit donner pour base [aux institutions sociales] la fiction de

1. *Ibid.*, p. 103.
2. *Ibid.*, p. 20.
3. *Ibid.*, p. 59.
4. *Ibid.*, p. 68.

l'égalité des droits à cause précisément de l'inégalité naturelle [...]. Mais la fiction de l'égalité des droits n'est pas une réalité. L'inégalité naturelle n'en existe pas moins. L'une et l'autre sont en présence, se contiennent et se balancent sans cesse [1].» Tout ce qui s'est fait de grand et de judicieux en matière de résolution du problème de l'ordre social va dans le sens d'une telle conjonction. C'est notamment le cas de la révolution américaine, même si la constitution des États-Unis se contente un peu trop facilement de la seule «apparence» de l'égalité des droits [2]. Mais Rousseau lui-même n'est-il pas en réalité «une sorte d'indépendant au milieu de l'égalité des droits et de l'équilibre des pouvoirs» [3] ? L'auteur du *Contrat social* est ici, en effet, à la fois une source et un repoussoir. Double mouvement que ramasse ce jugement contrasté : «Sans doute Rousseau a le mieux approfondi la nature de l'association politique, mais qu'il est faible sur l'organisation des gouvernements [4].» La lecture fouillée qui en est proposée tend par un côté à le délivrer de l'appropriation à contresens de ses adulateurs révolutionnaires, dont Condorcet est désigné par son rôle comme la figure éponyme, on l'a vu ; elle met en relief tout ce qui sépare la lettre du *Contrat social* de ses exploitations abusives chez les tenants de l'assemblée unique, à commencer par l'impossibilité, formellement reconnue par Rousseau, où le peuple se trouve d' «exercer réellement la volonté générale». Notre anonyme n'en retrouve pas moins par l'autre côté, avec la dénonciation de «l'impossibilité prétendue de la souveraineté nationale à être représentée», l'un des thèmes typiques de ce «rousseauisme contre Rousseau» qui forme l'un des fils rouges de la culture révolutionnaire [5]. Il en procure une variante élaborée. Si Rousseau ne se confond pas avec la vulgate de «l'égalité des droits résultant de la volonté générale» pour en avoir reconnu les difficultés, il n'a pas su surmonter celles-ci, faute d'approfondir les impératifs du gouvernement, c'est-à-dire le nécessaire recours à l'équilibre des pouvoirs. Il

1. *Ibid.*, pp. 109-110.
2. *Ibid.*, p. 20.
3. *Ibid.*, p. 102.
4. *Ibid.*, p. 104.
5. *Ibid.*, p. 81.

faut recourir à un autre élément pour qu'il y ait exercice possible de la volonté générale – par elle-même, comme l'admet Rousseau, sa logique conduit dans une impasse. Et ce que montre l'appel à ce second facteur, l'équilibre des pouvoirs découlant du concours des intérêts, c'est que la volonté générale, contrairement à ce que soutient Rousseau, ne prend consistance qu'à la condition d'être représentée.

Il s'agit donc d'identifier les intérêts fondamentaux qui sont à représenter et de les combiner avec cet autre élément primordial qu'est la représentation de la volonté générale dans l'autorité du gouvernement. Ces intérêts se ramènent à deux, celui des propriétaires, soucieux de la protection de leur avoir, et celui des non-propriétaires, forts de leurs seules capacités et désireux d'en étendre l'activité et les bénéfices. Ils définissent les deux bases sur lesquelles doit reposer la représentation législative. Si l'on ajoute maintenant à ces deux chambres, aux ressorts bien distincts, un exécutif spécifiquement chargé de veiller à l'égalité des droits, on obtient la trinité de pouvoirs qu'il fallait pour donner chair à la *trinité de facultés* dégagée par l'analyse anthropologique. Le jeu des trois instances ainsi récompensées combine l'action, la volonté et la surveillance, en même temps qu'il balance la diversité des intérêts et l'unité de la volonté générale. « De l'opposition des intérêts contraires, il résulte à la fois la protection et la surveillance mutuelles [des trois puissances] les unes à l'égard des autres. Ainsi, les deux sections législatives exercent d'abord le pouvoir surveillant sur elles-mêmes, et puis sur le pouvoir exécutif. À son tour, le pouvoir exécutif l'exerce sur les deux sections législatives ; et tous se soutiennent et se protègent alternativement les uns contre les autres. Or de ces trois pouvoirs, il résulte enfin la loi, et en ce sens qu'elle sera conforme aux intérêts de chacun, intérêts qui représentent les intérêts généraux de la nation, on aura vraiment l'expression de la volonté générale, ou les rapports qui dérivent de la nature des choses [1]. » Ce ne sont pas seulement, d'ailleurs, les facultés

---

1. *Ibid.*, pp. 154-155. L'auteur précise : « Nous disons bien de l'opposition des intérêts contraires [...] parce qu'en effet il faut une grande et forte opposition d'intérêts entre les trois pouvoirs, pour qu'ils se tiennent constamment en présence sans se réunir et se confondre en un seul. »

intellectuelles qui sont en jeu dans cette tripartition : ce sont aussi bien les trois grandes dispositions affectives qui se partagent le cœur de l'homme. Elle mobilise, les unes contre les autres, la pente égoïste, la pente tyrannique et la pente philanthropique [1]. C'est un être complet qui se trouve de la sorte artificiellement recomposé. La pointe utopique n'est pas absente, à cet égard, chez un auteur si soucieux pourtant de réalité. Ces différentes puissances sont confondues dans l'homme, explique-t-il, ce qui empêche leur expression d' « avoir toute son énergie ». D'où la supériorité de leur assemblage au sein du corps politique, qui permet de porter leur synergie à son point de perfection [2]. Comme si l'homme devait trouver l'aboutissement de sa nature dans un grand être collectif conçu pour démultiplier ses facultés en les extériorisant.

La critique des principes de 1793 a porté. Au lendemain de Prairial, elle est même devenue, en apparence, un lieu commun du discours des vainqueurs, le pont-aux-ânes d'une Convention saisie par la quête fiévreuse de la respectabilité et de la solidité d'une République des propriétaires. On en retrouve l'écho fidèle dans la longue présentation du projet de constitution que donne Boissy d'Anglas, le 23 juin 1795. Il souligne à son tour « les dangers inséparables de l'existence d'une seule assemblée ». Il martèle, car le point est sensible : « Il ne peut y avoir de constitution stable là où il n'existe dans le corps législatif qu'une seule et unique assemblée. » L'exemple américain est invoqué avec faveur : « Presque toutes les constitutions de ce peuple, notre aîné dans la carrière de la liberté, ont divisé le corps législatif, et la paix publique en est résultée. » Le principe de la « balance des trois pouvoirs » est expressément avoué : « C'est le principe que nous vous proposons de mettre en usage au milieu de vous. » Boissy renvoie significativement là-dessus à l'autorité d' « un

---

1. *Ibid.*, p. 176. L'esprit de la mécanique n'est pas loin non plus, du reste. « Je pense que le grand principe d'attraction du monde physique existe dans le monde social », nous confie à un moment l'auteur (p. 179). Comme quoi, à l'enseigne de l' « équilibre », le réalisme de l'analyse des intérêts et le rationalisme newtonien peuvent faire bon ménage.
2. *Ibid.*, p. 153 et p. 247.

des plus grands publicistes modernes », qui doit être John Adams, en le confondant avec Samuel Adams – l'intention n'en garde pas moins sa portée. Il n'est pas jusqu'à l' « indépendance du pouvoir exécutif » qui ne se trouve pour finir consacrée, assortie d'un exorcisme qui en dit long sur les réticences à vaincre : « Oubliez l'impression que vous faisaient d'anciennes dénominations qui ont entièrement changé de sens. Autrefois, le pouvoir exécutif était la force du trône, aujourd'hui, il sera celle de la république [1]... »

En réalité, l'introduction de ces nouveautés sulfureuses reste superficielle, voire en trompe-l'œil. Audaces apparentes, prudences réelles ; rupture affichée, continuité maintenue : ainsi pourrait-on caractériser l'œuvre des Onze, telle que Boissy d'Anglas en restitue l'esprit. Au-delà des concessions théoriques à son « indépendance », la méfiance à l'égard de l'exécutif est restée entière. S'il a été admis qu'il ne devait pas être soumis au législateur, il est entendu qu'il demeure « soumis à la loi », ce qui veut dire qu'il n'a pas à se mêler de son contenu, et par conséquent qu'il ne saurait avoir la faculté d'en proposer. S'il ordonne les dépenses, il n'a pas la maîtrise de leur règlement, qui est assuré par une trésorerie nationale dépendant du corps législatif. Par ailleurs, on a pris soin de le disperser entre cinq directeurs : « un chef unique eût été dangereux », confie Boissy d'Anglas, et même le président d'une instance collégiale eût pu acquérir une « prépondérance trop forte ». De façon générale, l'ouverture hautement proclamée à la séparation et à la balance des pouvoirs s'est effectuée sous le signe d'un quiproquo. La défiance envers le modèle de l'équilibre n'a pas bougé. Ce que les Onze ont cherché, sous couvert de division des pouvoirs, c'est un ajustement unitaire de rouages et de fonctions, un « concours », comme le dit Boissy d'Anglas d'une forte formule, tel qu' « ils se balanceront sans se heurter et se surveilleront sans se combattre » [2]. C'est l'énigme de Thermidor, qui en fait un chapitre si révélateur

---

1. Toutes les citations sont empruntées au *Discours préliminaire sur le projet de constitution pour la République française, prononcé par Boissy d'Anglas, au nom de la commission des Onze, dans la séance du 5 messidor an III*, reproduit dans *Le Moniteur*, t. XXV, pp. 95-100.
2. *Ibid.*, pp. 100-101.

de l'histoire politique de la Révolution : l'*impossible rupture*. Les acteurs ont beau être pleinement convaincus de la nécessité de tourner le dos aux modèles institutionnels jusqu'alors prévalents, ils ne parviennent pas à s'en dépêtrer. Ils reconduisent à un niveau sous-jacent les schèmes dont ils croient s'émanciper. Ils sont pris à l'intérieur d'un corps plastique de présupposés qui se déforme assez pour paraître accueillir son contraire, mais qui perdure dans sa teneur essentielle. Enfermement dont il n'est pas simple de rendre compte : s'il est déjà difficile de percer les motifs qui précipitent l'adhésion à une croyance, les raisons qui empêchent de s'en déprendre, lors même qu'on s'y emploie, sont plus insaisissables encore.

Les timidités et l'ambiguïté du projet ne sont pas passées inaperçues. Sitôt sorti, il subit un feu roulant de critiques. On en retiendra deux, sous l'angle qui nous intéresse. La première émane de l'intérieur de la Convention, en la personne d'un député de la Seine-Inférieure, Delahaye, qui reprend contre le projet des Onze les thèses et le langage même de *L'Équilibre des trois pouvoirs*. La seconde est formulée du dehors, mais par un homme qui appartient au sérail, Rœderer. Il n'est pas seulement un ancien Constituant en vue et un publiciste influent, il a été associé aux travaux de la commission des Onze, comme il ne manque pas de s'en prévaloir dans sa brochure.

Delahaye perçoit bien l'équivoque où s'est arrêté le projet, à mi-chemin entre rupture et continuité. « C'est avec grande raison, dit-il, que la commission des Onze a proclamé hautement que l'ordre social ne peut exister si la division des pouvoirs n'est pas établie ; elle aurait pu même dire sans *l'équilibre des pouvoirs* ; car il ne suffit pas de leur division : ils ont besoin de mouvement, ils forment les parties élémentaires du corps politique, et il ne faut pas que dans leur action l'un puisse l'emporter sur l'autre [1]. » Il suit fidèlement sur ce chapitre l'anonyme correspondant de Lanjuinais : « Il faut au pouvoir *législatif*, un pouvoir *exécutif* et un pouvoir *régulateur*. Il ne suffit pas de faire des lois, il faut qu'elles puissent être

1. *Opinion de J. L. G. Delahaye* [...] *sur la nouvelle constitution*, Paris, an III, p. 3.

bonnes et qu'elles soient exécutées ; et c'est ce troisième pouvoir qui examine si elles atteignent leur but, enfin si la liberté publique est constamment respectée [1]. » Fort de ses principes, il oppose deux reproches dirimants au plan adopté. En premier lieu, une idée rigide de la séparation des pouvoirs conduit à une notion erronée des prérogatives de l'exécutif, auquel il est retiré de pouvoir « examiner la loi qu'il est chargé d'exécuter ». Où l'on voit comment une certaine entente de la division des pouvoirs se retourne contre l'équilibre. En second lieu, le partage du législatif n'est pas compris comme il doit l'être, faute d'être fondé dans l'opposition des intérêts qui seule peut lui donner sens. « La nature de la société comporte en effet divers intérêts opposés entre eux et concordants dans leur réunion. Il y a des propriétaires qui font croître les productions ; des manufactures, des beaux-arts, un grand commerce qui les travaillent. Tous sont utiles à tous, aucuns ne peuvent exister isolés. C'est de leur opposition apparente que résultent l'ensemble et l'accord de la société [2]. » Delahaye réclame en conséquence deux chambres davantage caractérisées socialement, de façon que ces deux grands groupes d'intérêts, ceux de la propriété et ceux des « travaux manuels d'industrie », soient clairement représentés dans leur tension. Il lance à ce propos une suggestion qui fera florès, celle de balancer la restriction censitaire du corps électoral par l'ouverture inconditionnelle de l'éligibilité, afin que les « hommes de mérite » puissent faire entendre la voix des talents et de la vertu, en face de l'égoïsme propriétaire. Ce n'est que par un tel renforcement de l'assiette ou des attributions des différents éléments du corps politique qu'on parviendra à les placer dans cette « dépendance réciproque » et cette « corrélation totale » qui conditionnent à la fois leur activité et leur limitation à chacun. Seul l'équilibre ainsi dynamiquement compris peut remplir la triple fonction de modérer l'autorité du gouvernement, de canaliser le travail du législateur et de « préserver de toutes atteintes l'ordre social et la liberté publique » [3].

1. *Ibid.*
2. *Ibid.*
3. *Ibid.*

C'est également sur le statut de l'exécutif que se concentre la contestation de Rœderer — c'est la question qui dominera tout le débat, jusqu'à l'adoption de la constitution et au-delà [1]. Tel qu'il est projeté, expose-t-il, le pouvoir exécutif est « incomplet, démembré, mutilé [...] il est sans garantie, il est sans indépendance » [2]. Il est indispensable de donner au moins au gouvernement « un moyen de défense contre les lois usurpatrices ; à cet effet, il faut lui attribuer le droit d'appeler de toutes les lois qu'il croira contraires à la constitution, et par conséquent la faculté d'examiner toutes les lois » [3]. Mais derrière une telle proposition, c'est l'ombre du veto abhorré qui se profile et, trois ans après l'abolition de la monarchie, le souvenir sera encore assez puissant pour soulever une répulsion invincible. Un sentiment que Rœderer devait être capable de comprendre, au demeurant, à en juger par l'énergie avec laquelle il combat par ailleurs la solution du président à l'américaine, préconisée par quelques-uns, pour cause de « danger royal ». L'exécutif doit être ferme, sans doute, mais tout aussi fermement éloigné de l'unité personnelle. Il admet, toutefois, les dangers de division et de paralysie qui pourraient naître de cette pluralité de personnes dans le gouvernement et il propose l'établissement d'un rouage constitutionnel supplémentaire pour y parer. Ainsi la surveillance qu'un magistrat spécialement désigné à cet effet exercerait sur l'exécutif. Rœderer l'appelle « censeur du gouvernement », en prenant ce mot de censeur « dans l'acception politique qu'il a eue chez les Romains », précise-t-il, ou bien encore, « grand électeur » [4]. Une dénomination historiquement intéressante, puisqu'on la retrouvera au centre du dispositif que Sieyès essaiera de faire prévaloir en l'an VIII. Mais une dénomination intéressante aussi, au-delà de cette première apparition en bonne et due forme, pour la continuité de préoccupations qu'elle permet d'entrevoir. On trouve l'amorce d'une telle notion et d'une telle conception dès 1791, lors de la contro-

---

1. Rœderer y reviendra dans un article du *Journal de Paris* en thermidor an III. Voir plus loin p. 190, n. 3.
2. *Du gouvernement*, Paris, 1795, p. 26.
3. *Ibid.*, p. 45.
4. *Ibid.*, p. 48.

verse entre Paine et Sieyès autour de la république. Dans sa défense du principe monarchique comme la bonne manière de couronner le gouvernement représentatif, Sieyès évoque un système formé d' « un premier monarque, électeur et irresponsable, au nom duquel agissent six monarques nommés par lui et irresponsables », un système, donc, où « la décision individuelle responsable » des membres de l'exécutif est « contenue par une volonté électrice irresponsable »[1]. Indication nullement contradictoire avec le propos de Rœderer qui, loin de s'attribuer l'idée, la fait remonter à Achille Duchâtelet, en ajoutant que « Condorcet n'en paraissait point éloigné ». Or Duchâtelet est en 1791 l'un des interlocuteurs de Sieyès dans cette discussion sur le républicanisme dont le statut exact reste obscur (vrai débat ou dispute de compères ?) ; il est l'un des proches compagnons de plume et de combat de Condorcet, que Sieyès fréquente assidûment et à propos duquel il prend la peine de préciser qu'il est des républicains « qu'il trouve et qu'il aime de tout son cœur »[2]. Un milieu dont Rœderer est lui-même un familier et dont l'attribution rétrospective à laquelle il se livre, juste ou fausse, laisse apercevoir la communauté de questions. Son « grand électeur » de 1795 est un maillon dans une longue chaîne de réflexions sur les moyens de s'assurer d'une prise et d'un contrôle sur l'exercice du pouvoir exécutif. Il est approprié à la difficulté de l'heure, c'est-à-dire la crainte des discordes qui pourront s'élever entre cinq directeurs : élu par le peuple pour trois ans, il aura pour unique fonction de « veiller sur l'union des chefs de gouvernement » ; il les manipule et il les destitue et les remplace dès que la division se déclare entre eux[3]. Mais il continue dans ce rôle de porter l'empreinte de ses origines et de ces discussions que l'on devine autour de la nécessité de sauvegarder une part de la prérogative monarchique dans le mécanisme du gouver-

1. *Le Moniteur*, t. IX, p. 138.
2. *Ibid.*, p. 47. Duchâtelet est le signataire du manifeste républicain du 1er juillet 1791, rédigé en fait par Paine et traduit par Condorcet. Il a été l'un des premiers adhérents de la *Déclaration volontaire proposée aux patriotes des quatre-vingt-trois départements* dont Sieyès a pris l'initiative le 17 juin (avec Condorcet et Rœderer). Il sera le rédacteur du *Républicain* avec ces deux derniers.
3. *Du gouvernement, op. cit.*, p. 56.

nement représentatif. Ainsi conçu, explique en effet Rœderer, ce censeur du gouvernement « exercerait la seule fonction utile de la royauté d'Angleterre, sans avoir ses moyens de corrompre » [1]. Comme quoi il n'est pas si facile de tourner complètement le dos aux formes royales : il est un bon usage à en faire, même lorsqu'on veut en prendre le contrepied.

LE TRIBUNAL DE LA CONSTITUTION

On va retrouver Sieyès, justement, dans le débat. Son intervention marquera même le point culminant de l'offensive critique contre le projet des Onze. Elle est tardive. Sieyès monte à la tribune le 20 juillet pour dénoncer les défauts et les lacunes du plan proposé alors que la Convention en discute déjà depuis deux semaines. Ses adversaires auront beau jeu d'appuyer sur le caractère intempestif de la démarche. Sûrement était-il calculé. La part faite de l'orgueil du personnage, trop heureux de poser au génie solitaire et indispensable, cette entrée en scène fracassante ressemble fort à la dernière carte du petit groupe de ceux que Sieyès désigne lui-même comme « les amis de l'ordre social » dans le préambule de son discours et qui désespèrent de se faire entendre d'une assemblée prête à renchérir dans le sens de la réaction, mais engoncée dans d'incurables préjugés sur le terrain constitutionnel. L'abbé parle pour son propre compte, mais aussi sans doute pour le cercle des experts et des lumières ès arts politiques dont il est la plus éminente figure et qui l'a pressé de jeter son autorité dans la balance [2].

1. *Ibid.*
2. En tout cas, la légende d'un Sieyès qui se serait tenu délibérément à l'écart des travaux de la commission des Onze, légende accréditée en particulier par La Revellière-Lepeaux, ne paraît pas résister au faisceau d'indices concordants qui se dégage tant d'une lecture fine des débats que des quelques documents dont nous disposons. Sieyès évoque ainsi lui-même « une conférence qu'il a eue avec le comité des onze le 1ᵉʳ messidor an III », soit cinq jours avant la présentation du rapport de Boissy d'Anglas (Arch. nat., 284 A P 5[1]). Le 3 thermidor, au lendemain de son premier discours, il est convoqué à la commission par Baudin, en compagnie de Rœderer, Dupont de Nemours et Vaublanc, pour un échange sur l'exécutif, « sans déroger, précise d'avance Baudin, au principe invariablement arrêté de ne le confier en aucun cas à une seule personne, sous quelque dénomi-

Son propos est un monument d'ambiguïté – un concentré des ambiguïtés thermidoriennes, qu'il reproduit et redouble à un niveau supérieur en s'efforçant de les trancher. D'un côté, il se fait l'avocat de la révision en règle du dispositif proposé. Son discours reprend les trois principales séries de critiques émises à l'encontre du projet des Onze : le défaut de garantie de la constitution, l'insuffisante différenciation des bases représentatives des deux assemblées, l'absence de toute prise de l'exécutif sur la législation. Sur les trois points, Sieyès apporte des solutions nettes et fermes : il donne carrément l'initiative des lois au gouvernement, il suggère de distinguer entre un « tribunat » qui serait l'organe des « besoins du peuple » et une « législature », organe du « jugement national » qui prononcerait sur les propositions des gouvernés et les propositions de gouvernement ; il prône enfin l'établissement d'un corps supplémentaire de représentants qui aurait pour « mission spéciale de juger les réclamations contre toute atteinte qui serait portée à la constitution » [1]. Mais c'est, de l'autre côté, pour réaffirmer avec plus de vigueur que jamais la philosophie révolutionnaire la plus constante, en intégrant ces correctifs à l'intérieur d'un système de l'*unité d'action*, comme Sieyès en revendique haut et fort l'expression, porté à son expression quintessentielle.

En réalité, la lutte se déroule ici sur deux fronts. Si Sieyès s'engage résolument dans le camp des novateurs, c'est en se démarquant radicalement, dans le même temps, de l'inspiration qui guide la plupart d'entre eux. La charge polémique de son discours est primordialement dirigée, du reste, contre les partisans de l'équilibre, dont la doctrine, à la faveur du

---

nation que ce soit » (Arch. nat., 284 A P 9). Une lettre de Rœderer du 10 fructidor, où il rappelle à Sieyès avoir « parlé avec admiration devant vous au comité des onze » de certaines idées de son plan, confirme cette participation *(ibid.)*. Bien plutôt emporte-t-on de tous ces signes le sentiment que la commission, qui a beaucoup consulté, y compris Sieyès et les gens de sa mouvance, a été le point d'application de fortes pressions de sens contraire entre une majorité « invariablement arrêtée » dans ses principes, sur l'exécutif et sur le reste, et une minorité « révisionniste » impuissante à redresser la pente acquise. C'est dans ce contexte d'échec qu'il faut vraisemblablement situer l'intervention de Sieyès.

1. *Opinion sur plusieurs articles des titres IV et V du projet de constitution*, 2 thermidor an III. Je cite d'après l'édition critique de Paul BASTID, *Les Discours de Sieyès dans les débats constitutionnels de l'an III*, Paris, Hachette, 1939, p. 20.

trouble des esprits, a gagné un crédit qui lui avait été refusé depuis 1789. Un crédit qui ne peut apparaître que comme une funeste régression aux yeux de celui qui, depuis la convocation des États généraux, ainsi qu'il ne manque pas de le rappeler, s'efforce de faire entendre la voix de la « science » dans le débat public – Sieyès invoque l'importante « découverte » de la division du pouvoir constituant et des pouvoirs constitués, effectuée en 1788, et dont il attribue modestement la paternité « aux Français » [1]. Aussi est-ce en gardien du temple qu'il monte à la tribune, afin de dissiper la confusion née des circonstances et de restaurer les vrais principes. Cela suppose de faire la part du feu : impossible de ne pas faire droit aux fortes objections de l'expérience qui confortent les tenants du changement de doctrine et confèrent une apparence de solidité à leur position. Mais s'il faut scrupuleusement les prendre en compte et y répondre jusqu'au bout, c'est afin de sauvegarder l'essentiel, à savoir cette recherche de l'unité des pouvoirs délégués comme la seule traduction rationnelle acceptable du pouvoir *un* de l'association qui forme depuis le départ le génie propre de la politique révolutionnaire. Sieyès ne s'ouvre à la nouveauté que pour maintenir. En quoi, s'il se voue à l'incompréhension et à l'échec auprès de ses collègues – trop audacieux pour le grand nombre, trop conservateur pour les autres –, il n'en est pas moins, une fois encore, leur plus fidèle interprète sur le fond. Son isolement ne l'empêche pas d'être celui chez qui s'exprime au mieux la vérité de l'œuvre à laquelle ils tendent.

Il va très loin dans la mise en cause des idées communément reçues – mais c'est qu'il faut aller très loin pour efficacement couper l'herbe sous le pied de ceux qu'il appelle « nos adversaires à contrepoids ». Vante-t-on, à l'exemple d'un Lamare, on s'en souvient, un système où l'autorité est partagée de telle sorte que personne n'est en mesure de prétendre au *summum imperium* ? Sieyès renchérit en soumettant l'idée de souveraineté à une critique ravageuse. « Ce mot ne s'est présenté si

---

1. *Ibid.* Le texte porte exactement : « Une idée saine et utile fut établie en 1788 : c'est la division du pouvoir constituant et des pouvoirs constitués. Elle comptera parmi les découvertes qui font faire un pas à la science ; elle est due aux Français. »

colossal devant l'imagination que parce que l'esprit des Français, encore plein des superstitions royales, s'est fait un devoir de le doter de tout l'héritage de pompeux attributs et de pouvoirs absolus qui ont fait briller les souverainetés usurpées [1]. » Avant de discuter de l'attribution de la souveraineté, commençons donc par établir qu'il ne saurait y avoir de souveraineté illimitée. Fait-on valoir la fonction essentielle du pouvoir exécutif, contre sa réduction à une tâche mécanique et subordonnée d'application des lois ? Sieyès réplique en ménageant lui-même une place éminente au gouvernement, moyennant une distinction entre gouvernement et pouvoir exécutif proprement dit présentée comme « une de ces vues qui appartiennent encore au progrès de la science ». Oui, en effet, le gouvernement est un organe qui pense et pas seulement un organe qui agit ; il est même « tout pensée ». Il est l'organe le mieux placé pour connaître les besoins en fait de législation : d'où la convenance de lui confier la proposition des lois. Il est organe de réflexion toujours au travers du travail multiforme d'élaboration qu'appelle la mise en œuvre effective des lois. Il l'est, enfin, en nommant les agents de l'exécutif au sens strict, qui, eux, sont « tout action » [2]. Va-t-on plaider encore le caractère inévitablement et salutairement conflictuel du débat politique, qu'il convient d'organiser, au lieu de le comprimer dans l'enceinte d'une assemblée unique et d'une quête factice d'unanimité ? Sieyès entérine la chose. « L'existence de deux partis semblables et analogues à ceux que l'on connaît ailleurs sous le nom de parti ministériel et parti de l'opposition, admet-il, est inséparable de toute espèce de système représentatif. Disons la vérité, ils se rencontrent partout, quelle que soit la forme du gouvernement [3]. » L'Angleterre honnie n'est point nommée, mais son exemplarité est cependant reconnue. La concession est de

---

1. *Ibid.*, p. 17.
2. *Ibid.*, pp. 22-23. Les leçons du gouvernement révolutionnaire n'ont pas été perdues, à en juger par l'appel que Sieyès lance à l'expérience de ses collègues : « Les membres des comités, et vous l'êtes tous, savent si, indépendamment de la grande législature, il n'y a pas une masse énorme de décisions à donner, de règlements à faire sous le nom d'arrêtés ou tout autres, même en élaguant les actes et les résolutions qui appartiennent au pouvoir exécutif. »
3. *Ibid.*, pp. 27-28.

taille, d'autant que le constat s'accompagne de sa conséquence logique : la condamnation de l'assemblée unique, où
ces deux partis, poursuit Sieyès, se développeront « avec trop
de fureur peut-être », alors qu' « ils se montreront avec plus
d'éclat et moins de danger dans les assemblées délibérantes
d'une république véritablement libre ». Mais cette impres-
sionnante venue à résipiscence ne doit pas tromper. Elle participe d'une tactique de retraite élastique. Il s'agit dans un premier moment d'absorber le choc des données irrécusables sur
lesquelles se fonde l'argumentation des gens qui veulent plusieurs pouvoirs indépendants qui se surveillent et se balancent
les uns les autres. Sauf que c'est pour rebondir en montrant
dans un second moment qu'il est parfaitement possible
d'admettre ces données en repoussant les conclusions qu'on
prétend en tirer.

Le recul sur la nature des problèmes à résoudre n'implique
aucune concession sur l'esprit de la solution. À partir de bases
justes, les partisans de l'équilibre commettent une grave faute
de raisonnement en confondant l'*action unique* et l'*unité
d'action*, c'est-à-dire l'unité *organisée* des pouvoirs, résultant
de leur *concours*. Sans doute est-il indispensable de diviser les
pouvoirs, mais de les diviser pour les unir, en confiant à chacun des tâches différentes et complémentaires, de façon à produire « avec certitude », dit Sieyès, par convergence et sommation, l' « ensemble demandé ». Les tenants du système de
contrepoids restent pris, en fait, dans cette philosophie de
l'action unique dont ils dénoncent les dangers et dont ils
s'emploient à conjurer les effets : s'ils différencient les
organes, c'est pour leur faire accomplir la même chose. À
l'opposé, le système du concours repose sur la décomposition
analytique des besoins et des fonctions. « Il ne donne pas deux
ou trois têtes au même corps », résume Sieyès au moyen d'une
frappante métaphore organologique, « mais séparant avec
soin, dans une seule tête, les différentes facultés qui
concourent à déterminer la volonté avec sagesse, et leurs opérations respectives, il les accorde par les lois d'une organisation naturelle qui fait, de toutes les parties de l'établissement

164   *La Révolution des pouvoirs*

législatif, une seule tête » [1]. Foin donc de toutes ces recettes
prétendûment consacrées par l'expérience des nations que
prônent les admirateurs de l'Angleterre ou même de l'Amérique. Campons ferme sur les principes qui ont été l'âme
même de la Révolution, son ambition originale par rapport
aux grands précédents et à leurs leçons soi-disant indépas-
sables, des principes qui ne peuvent que l'emporter puisqu'ils
ont la raison pour eux. « Il faut *s'en tenir* au système politique
du concours ou de l'unicité organisée », conclut Sieyès d'une
expression révélatrice en son tour défensif [2]. Et d'ajouter, dans
un élan visionnaire non moins parlant quant aux enjeux patri-
moniaux investis à ses yeux dans cette concurrence des
modèles : « Ce sera le système français, et puisqu'il est vrai que
c'est en même temps le système naturel, que l'art social y
mène par tous les pas qu'il enseigne à faire sur la ligne de la
perfectibilité humaine, il est permis d'espérer qu'il deviendra
un jour le système de tous les peuples éclairés et libres [3]. »
   C'est qu'il n'y a en vérité qu' « *un* pouvoir politique dans
une société, celui de l'association ». C'est par impropriété que
nous appelons « pouvoirs au pluriel, les différentes procurations que ce pouvoir unique donne à ses divers représentants » [4]. L'agencement des procurations doit donc être conçu
de manière à traduire efficacement cette unité originelle.
Quoi de plus choquant, au regard de cet impératif, que
l'espèce de « guerre civile permanente entre la représentation
populaire et le pouvoir exécutif » que postule le système de
l'équilibre ? Sieyès se flatte pour son propre compte de rendre
l'exécutif à sa véritable fonction, en en faisant, au lieu d'un
contrepoids, « la continuation et le complément de la volonté
sociale » dont il est chargé d' « achever l'acte en le réalisant » [5].
Cela grâce à sa dissociation judicieuse d'avec le gouvernement, qui rend celui-ci à sa vraie nature d'organe de pensée en
lui retirant « l'action directe sur les citoyens ». Dans un
monde où ce sont les lois qui règnent et non plus les hommes,

1. *Ibid.*, p. 20.
2. *Ibid.* C'est moi qui souligne.
3. *Ibid.*
4. *Ibid.*, p. 16. C'est Sieyès qui souligne.
5. *Ibid.*, p. 25.

on ne gouverne pas les citoyens, on gouverne « les moyens d'action que l'établissement public offre pour l'exécution de la loi ». De la sorte, ceux qui conçoivent les moyens d'exécution ne pèsent pas directement sur les citoyens, tandis que ceux qui exercent l'autorité, « les officiers publics, les administrateurs », sont eux-mêmes « gouvernés dans leurs fonctions ». Les agents ne sont que des agents, en même temps que les concepteurs ne sont au service que de la plus sûre expression de la volonté sociale. De même Sieyès se pique-t-il, au travers de sa distribution des assemblées entre un tribunat et une législature, de contenir la lutte inévitable des partis dans ses justes proportions sans qu'il soit porté atteinte à l'unité du « jugement national ». Avec deux assemblées égales en balance, le faux peut l'emporter sur le vrai et la minorité mettre en échec la majorité. Ici, la législature unique, « point central, régulateur suprême de toutes les parties de l'établissement public », tranche à l'instar d'un tribunal sur les propositions émanées du gouvernement et du tribunat, sans risque de brouillage de vœu de l'association, mais sans non plus le danger de méconnaissance, tant des besoins du peuple que de ceux du gouvernement que comporte l'omnipotence d'une assemblée où toutes les fonctions sont confondues [1]. Insérée dans une telle procédure arbitrale, la division des partis change de caractère : ils deviennent des « lutteurs dans l'état de nature, s'il n'y a pas au-dessus d'eux un supérieur reconnu ; ils sont forcés de se réduire au simple rôle d'avocats, dès qu'il y a une autorité compétente pour décider entre eux » [2]. Ainsi les propagandistes du système de l'équilibre sont-ils battus sur leur propre terrain. Non seulement, on peut répondre à toutes les réquisitions qu'ils mettent en avant pour le justifier à l'intérieur du « système français » du concours, mais on peut y satisfaire de façon beaucoup plus complète et plus sûre.

Il n'est pas jusqu'à la fameuse fonction de « surveillance » qui ne s'y trouve mieux remplie. Sieyès n'emploie pas le mot, mais on voit qu'il a pris la chose à cœur et qu'il s'est employé à

1. *Ibid.*, p. 23.
2. *Ibid.*, p. 28.

relever un défi que ses prémisses rendaient particulièrement épineux. Il en est résulté une inflexion notable de sa pensée politique. Il n'en livre que l'amorce, mais elle suffit à faire juger de l'importance du chemin parcouru. On a vu comment chez lui, au départ, la conjonction d'une vue unitaire du pouvoir et du principe représentatif débouchait sur une philosophie de la représentation absolue. Comment, dès lors, introduire dans un cadre aussi rebelle des mécanismes d'appel et de contrôle permettant de placer toutes ces délégations et procurations sous surveillance au profit du peuple qui se fait représenter ? Comment, en termes plus généraux, produire de la distance à soi et du retour sur soi à l'intérieur d'un monisme rigoureux ? Pour résoudre cette difficulté, Sieyès va se tourner vers un modèle judiciaire du fonctionnement politique dont son plan pour l'assemblée nommée *législature* offre la première ébauche un peu étoffée. Pour obtenir l'effet recherché, il faut diviser les fonctions, mais en les faisant se rencontrer devant un tribunal. De la sorte, puisque le jugement est un, l'unité de décision et de pouvoir sera respectée tout en étant éclairée à fond par un débat contradictoire, avec cette précaution supplémentaire qu'un tribunal ne se saisit que des causes qu'on lui présente, et qu'on n'aura pas à redouter, par conséquent, les intrusions et les abus d'une assemblée prompte à se mêler de tout. C'est très exactement le rôle qu'il attribue à sa législature. Il l'appelle carrément, d'ailleurs, à un moment, « tribunal législatif », en précisant qu'il n'est pas d' « une nature différente des tribunaux judiciaires » [1]. Il ne légifère pas spontanément (« légisférer », écrit Sieyès en amoureux impénitent de la néologie), il attend la demande, il juge entre les propositions qui lui sont soumises par le tribunat et par le gouvernement. Il a même cet avantage sur les tribunaux ordinaires, ajoute Sieyès, qu'il ne met pas aux prises deux parties, « chacune avec un intérêt bien distinct, bien opposé », mais qu'il ne connaît qu'une seule partie, celle du peuple, défendue par des avocats rivaux « qui disputent avec plus ou moins de bonne foi à qui la servira le mieux » [2]. Cette émula-

1. *Ibid.*, p. 24.
2. *Ibid.*, p. 28.

tion est la garantie que le juge tranchera en connaissance de cause, après que tous les arguments dans un sens et dans l'autre auront été épuisés, et que le peuple au nom duquel le jugement sera rendu aura de bout en bout l'inspection des tenants et des aboutissants de la décision prise. La grande supériorité des tribunaux par rapport aux formes ordinaires d'exercice au pouvoir, c'est que « tous puisent leur décision dans une autorité supérieure, les uns dans le code des lois positives, la législature dans le livre plus ancien et plus complet des lois naturelles » [1]. D'où une possibilité de vérification et d'appel, en fonction de cette référence explicite à une source incontestable, qui érige la forme-tribunal en parade enfin trouvée à l'arbitraire. Il convient de la généraliser et d'aménager l'ordre institutionnel tout entier comme une « échelle des jurys », plaçant chaque échelon sous le contrôle d'un échelon supérieur. C'est dans ce cadre qu'intervient le recours proposé à un « jury de constitution », ou « jurie constitutionnaire », comme Sieyès propose de l'appeler dans une autre embardée néologique. C'est le point de son programme sur lequel il passe le plus rapidement, tant « sa nécessité est palpable », dit-il. Et, en effet, il est des raisons de croire que l'idée d'un « frein salutaire », destiné à contenir « chaque action représentative dans les bornes de sa procuration spéciale », n'avait pas trop besoin d'être plaidée devant une assemblée où elle bénéficiait d'un assez large assentiment. Le peu d'indications qui nous sont fournies suffit toutefois à faire entrevoir la place stratégique qui lui revenait dans le nouvel état de la construction de Sieyès. Le jury constitutionnaire est le jury des jurys, la suprême instance d'appel du corps politique, son ultime possibilité de recours à une autorité supérieure par-dessus les pouvoirs où son pouvoir est représenté. Il est l'indispensable couronnement de l'édifice dans une architecture qui entreprend désormais de concilier non plus seulement deux principes, l'unité de pouvoir de l'association et la mise en représentation de ce pouvoir, mais trois, en ajoutant aux deux précédents la mise en forme judiciaire de la représentation.

1. *Ibid.*, p. 24.

UNE PHILOSOPHIE JUDICIAIRE
DE LA REPRÉSENTATION

La puissance qu'il prête à l'institution est sans doute le facteur qui explique que Sieyès, dans un second temps, ait accepté de sacrifier l'ensemble de son plan pour n'en retenir que le seul projet de jury constitutionnaire. Si la tête du dispositif est sauvée, sa capacité d'informer l'ordre institutionnel en son entier aura infailliblement pour effet, à défaut de le rendre bon, d'en corriger l'esprit et d'en infléchir le fonctionnement. Le renoncement n'a pas dû aller sans regrets puisque « rien n'est arbitraire dans la mécanique sociale et que la place de chaque pièce se trouve déterminée par des rapports qui ne dépendent pas de la simple volonté du mécanicien », ainsi que Sieyès ne manquera pas d'en faire la leçon à ses collègues lorsqu'il revient à la tribune le 5 août, seize jours après sa première intervention, pour une dernière et vaine tentative d'imprimer la marque de la science à l'élaboration en cours [1]. Mais le souci d'efficacité, joint à l'habitude de peser en n'étant entendu qu'à demi ou au quart, l'a déterminé à essayer néanmoins d'influer sur la marche du tout au travers de l'adjonction d'un rouage décisif. Nous n'en savons pas assez sur le rapport des forces à l'intérieur de la commission des Onze et sur le jeu des courants d'opinion dans l'assemblée pour exactement comprendre l'enchaînement des circonstances. Disons qu'on a le sentiment que Sieyès bénéficie dans les deux cas sinon de l'appui à proprement parler, du moins du préjugé fortement favorable d'une forte minorité. Une minorité assez vigoureuse pour obtenir d'abord qu'il soit entendu par les Onze et pour arracher ensuite, devant les réserves de la majorité de la commission, qu'il puisse présenter son plan devant la Convention, en dépit de la perturbation introduite dans le déroulement normal de la discussion. Une Convention présumée assez acquise dans certains de ses secteurs à

---

1. *Opinion sur les attributions et l'organisation du jury constitutionnaire proposé le 2 thermidor*, 18 thermidor an III, *Les Discours de Sieyès*, éd. citée, p. 31.

l'esprit des propositions de Sieyès pour que Thibaudeau, l'organe de la majorité de la commission, manifestement, en la circonstance, évite avec soin le conflit, à la suite du discours du 20 juillet, tout en désamorçant la tentative de réorientation du débat. Il noie le poisson, en déclarant le projet très proche des vues des Onze, à l'exception de la dangereuse initiative des lois confiée à l'exécutif, et en obtenant un renvoi dilatoire à la commission. Retour aux confrontations à huis clos. La minorité emporte cette fois, de haute lutte, imagine-t-on, l'adoption d'une des quatre propositions de Sieyès, celle qui regarde le jury constitutionnaire, mais dans une version minimale, avec le droit pour l'auteur, de nouveau, de venir plaider la cause de sa version maximale, concurremment à la lecture restrictive reprise à son compte par la commission [1]. Toutes concessions et dérogations aux règles ordinaires qui donnent l'idée du respect qui entoure l'oracle, même lorsque ses verdicts ne convainquent pas.

C'est donc cette version complète que Sieyès présente le 5 août. Dans le dessein d'introduire, au sein d'une constitution qu'il juge défectueuse, une institution qui, par son seul jeu, en modifiera insensiblement l'orientation, il a calculé large dans le décompte de ses attributions. Il s'agit d'infuser par le haut cet esprit judiciaire qu'il n'a pas réussi à faire admettre avec son premier projet et dont il redit les mérites. De même que la représentation bien comprise, dans son essence moderne, n'est autre chose que l'extension à la sphère politique du principe de la division du travail dont sont sortis tous les perfectionnements de la vie matérielle, l'avancée des lumières exige aujourd'hui de systématiser l'emploi d'un instrument de pacification des conflits qui a fait ses preuves dans la société civile. « Ceux, dit Sieyès, qui ne sentent pas le besoin d'introduire dans tous les rapports politiques et constitutionnels un moyen de conciliation depuis si longtemps en usage dans les relations civiles, ne s'aperçoivent pas qu'ils arrêtent les progrès naturels de l'état social, et que, dans la crainte de le

---

1. C'est ce qui paraît résulter du croisement des quelques sources d'information évoquées plus haut (p. 159, n. 2), des propres propos de Sieyès évoquant ses conférences avec la commission et des termes du débat ultérieur devant la Convention.

confondre avec l'ordre civil, ils le retiennent encore par plusieurs points dans la condition brute de l'état de nature [1]. » Les missions de ce tribunal exemplaire, chargé de civiliser la politique, doivent être à la hauteur de sa destination. Il faut qu'elles lui procurent un rayonnement et un retentissement social qui le mettront à même d'avoir un rôle d'entraînement. Aussi Sieyès lui taille-t-il un très vaste ressort, en ajoutant à la « garde du dépôt constitutionnel » deux autres fonctions de poids, le perfectionnement de la constitution et l'exercice d'une justice d' « équité naturelle », capable de suppléer aux vides de la juridiction positive. C'est un suprême foyer de référence pour le corps politique qu'il aménage de la sorte. Construit dans un double souci d'éminence par en haut et d'ouverture par en bas, il procure à l'association dans son ensemble le moyen paisible d'en appeler à son fondement en même temps qu'il offre un surcroît de garantie au citoyen pris « en nom individuel ».

Sur le principe de base de l'institution, le raisonnement est simple : là où il y a des lois, il faut une magistrature pour les faire observer ; les lois constitutionnelles ne sauraient échapper à cette règle. Il ne saurait être question, cependant, de confier « une aussi haute mission » à la magistrature civile – l'argument de fond ne nous est pas livré, mais on peut supposer, en fonction de l'esprit général de la construction, qu'il est de nature hiérarchique : des juges placés sous les lois positives ne sauraient juger les législateurs. Il est donc besoin d'une magistrature spéciale. Et puisqu'il s'agit, dans l'idée de Sieyès, d'étendre à la société politique les procédures élaborées primitivement à l'usage de la société civile, la volonté de continuité lui fait employer à son propos la qualification de « tribunal de cassation dans l'ordre constitutionnel [2] ». Il en est l'analogue à un échelon supérieur, en fonction de quoi, toujours selon la même logique, le jury constitutionnaire aura la cassation, y compris des actes du tribunal de cassation qui

1. *Opinion sur les attributions...*, *Les Discours de Sieyès*, éd. citée, p. 36.
2. *Ibid.*, p. 33.

porteraient atteinte à la constitution [1]. Point de divergence
important avec la commission des Onze, Sieyès exclut le
directoire exécutif de la sphère où s'applique ce contrôle, au
nom de considérations passablement embrouillées sur la responsabilité et l'irresponsabilité : il ne peut pas plus être poursuivi devant le jury constitutionnaire qu'il n'a la possibilité de
le saisir [2]. En revanche, Sieyès met son point d'honneur à
ouvrir le droit de réclamation au simple citoyen, une mesure
qu'il requiert comme un « hommage solennel » rendu à « la
cause finale de tout le monde social », la liberté individuelle.
Au travers de cette possibilité d'appel, chacun pourra vérifier
sans péril l'ultime raison d'être de l'ordre où il s'insère.

La grande originalité de cette magistrature, c'est qu'elle ne
se contente pas de veiller au respect des lois qui lui sont
confiées ; il lui revient, en outre, de veiller à leur amélioration.
« Le jury constitutionnaire », porte exactement le décret proposé par Sieyès, « s'occupera habituellement des vues qui lui
paraîtront propres à perfectionner l'acte constitutionnel et la
déclaration des droits de l'homme » [3]. Entendons bien : il n'a
pas « le droit de toucher lui-même à la constitution », ce qui
reviendrait à lui « commettre le pouvoir constituant ». Sa
charge se borne à émettre des propositions en la matière.
Encore ce pouvoir de proposition n'est-il pas permanent ; il
est prévu pour ne s'exercer qu'à époques fixes, de dix ans en
dix ans, la décision appartenant aux assemblées primaires, avec
ratification par la législature (qui dispose d'un veto) [4]. Cet
élargissement des attributions du jury répond à d'évidentes
arrière-pensées stratégiques. Quant à coiffer une constitution
défectueuse par un organe destiné à en redresser la marche,
autant se préoccuper des voies qui permettront de faire passer
ces inflexions prévisibles dans les textes. Mais le projet porte
très au-delà. Il est à noter d'abord qu'il correspond à un souci
permanent de Sieyès, fortement affirmé dès 1789. Un peuple

1. La mention figure à l'article VI du projet de décret (p. 45), sans être expli-
citée dans le corps du discours.
2. À souligner le souci de Sieyès de permettre non seulement aux conseils en
corps de saisir le jury, mais aussi éventuellement à la *minorité.*
3. *Les Discours de Sieyès,* éd. citée, p. 46 (article X).
4. *Ibid.,* pp. 38-40.

a toujours le droit de revoir et de réformer sa constitution »,
disait son projet de déclaration des droits, conformément d'un
côté à sa définition radicale du pouvoir constituant et de
l'autre côté à une philosophie de la perfectibilité rendant
essentielle la perspective des progrès de l'art social. On retrouve cette philosophie inchangée en 1795 : « Il faut à une constitution, comme à tout corps organisé, l'art de s'assimiler la
matière de son juste développement ; nous lui donnons en
conséquence la faculté de puiser sans cesse autour d'elle, dans
les lumières et l'expérience des siècles, afin qu'elle se tienne
toujours au niveau des besoins contemporains : c'est là une
faculté de perfectionnement indéfini [1] ... » Si inflexion il y a,
en 1795, elle consiste en ceci que la perfectibilité a virtuellement pris toute la place. L'expérience révolutionnaire a suffisamment montré les dangers de l'exercice du pouvoir constituant pour écarter la convocation d'assemblées spéciales à
intervalles périodiques [2]. La leçon commande de s'en tenir à
une procédure lente, graduelle et continue dans le cadre des
institutions normales, qui permettra de concilier l'« immuta-
bilité » que doit revêtir la loi constitutionnelle avec la nécessaire ouverture d'un « ouvrage de main d'homme [...] aux progrès de sa raison et de son expérience ».

D'ailleurs, ce mode de changement n'est-il pas davantage
conforme au mode d'être temporel qui singularise tant une
constitution qu'une nation ? « Les véritables rapports d'une
constitution politique », interroge Sieyès, ne sont-ils pas « plutôt avec la nation qui reste, plutôt qu'avec telle génération qui
passe ? » [3]. Une constitution vit dans le temps, « comme tout
être organisé » ; pour autant, sa durée n'est comparable ni à
celle d'un *individu* qui naît, croît, décline et meurt, ni à celle
d'une *espèce*, formée d'une « chaîne d'existences successives
d'individus ». On touche, au travers de ces formules que leur
tour elliptique achève de rendre énigmatiques, à l'un des traits
cruciaux de la pensée de Sieyès, à savoir son inscription à

1. *Ibid.*, p. 38.
2. Sieyès écrit : « Disons-le franchement, puisqu'il est impossible de ne pas le
penser : ne serait-ce pas vouloir dévouer la France à un retour périodique d'agitations incalculables dans leurs malheureux effets ? » (*ibid.*, p. 39).
3. *Ibid.*, p. 38.

l'intérieur même du cadre intellectuel et symbolique de l'ancienne monarchie, sa dépendance envers les schèmes générateurs du droit royal dans ce qu'ils comportaient de potentialités révolutionnaires. Sieyès est l'homme, pourrait-on dire, au travers de qui le long travail de la monarchie contre elle-même se révèle et aboutit, l'homme chez qui prend corps la secrète élaboration d'une figure impersonnelle du pouvoir au sein du pouvoir par excellence personnifié. Ce qu'il retrouve et mobilise en la circonstance, c'est le schème fondamental de la *perpétuité*, tel que Kantorowicz nous a appris à en déchiffrer les ressources créatrices, le schème de la continuité temporelle, de l'identité à eux-mêmes des corps politiques au travers et au-delà du renouvellement incessant de leurs membres mortels, identité qui les élève au-dessus de la commune durée humaine, pour en faire de quasi-personnes, invisibles et indéfiniment subsistantes à l'image des anges. Voilà pourquoi « la nation qui reste » relève d'un temps qui n'a rien à voir, en son inaltérable égalité avec lui-même, ni avec celui de la courbe de croissance et décroissance d'un individu, ni même avec celui de la persistance d'une espèce, faite d'une suite d'existences individuelles. La continuité de la nation la fait exister pour elle-même et en constante proximité avec elle-même au-delà des discontinuités qui résultent de la vie et de la mort de ses membres, tandis que la continuité de l'espèce ne naît que de la mise bout à bout de chaînons discontinus. Le temps de la nation, en d'autres termes, est un temps transcendant par rapport au temps de la nature, alors que le temps de l'espèce reste le temps de l'immanence biologique. Ce schème d'une incomparable fécondité – il aura été l'outil intellectuel de la métamorphose de l'organicité monarchique en impersonnalité démocratique –, Sieyès l'avait déjà utilisé à la veille de la Révolution pour établir la nécessaire permanence du corps législatif[1]. Et comme Antoine de Baecque le relève judi-

---

1. *Vues sur les moyens d'exécution dont les représentants de la France pourront disposer en 1789*, s.l., 1789, pp. 129-130. Texte sur lequel Antoine DE BAECQUE attire à juste titre l'attention (*Le Corps de l'histoire. Métaphores et politique*, Paris, Calmann-Lévy, 1993, pp. 122-129). Encore faudrait-il nuancer l'analyse. A. de Baecque a raison de détecter la présence sous-jacente du schème continuiste : mais elle reste entièrement implicite. Ce qui est mis en avant, c'est le schème

cieusement, il est à l'origine de l'idée du renouvellement partiel des assemblées qui sera l'une des constantes des projets de l'abbé [1]. Jointe à la permanence du corps, cette « régénération » par fractions, à raison par exemple d'un tiers tous les ans, fournira une représentation fidèle de la perpétuité nationale. L'étonnant est de découvrir que c'est toujours avec le même outillage symbolique que travaille le Sieyès de Thermidor – et ce sera encore plus vrai du Sieyès de Brumaire. L'inflexion de sa pensée passe par l'exploitation des ressources du schème de la continuité. En 1788, les circonstances rendaient inéluctables la déchirure des temps et l'expression pleine et entière du pouvoir constituant. En 1795, l'heure de la régénération complète est passée, l'édifice constitutionnel est désormais assis sur sa véritable base, il convient par conséquent de proscrire l'exercice du pouvoir constituant sous forme d'une « reproduction périodique et totale », qui trahit la durée propre où vivent la nation et la constitution. Il y aurait beaucoup à dire à cet égard sur l'image du phénix que Sieyès convoque au titre de contre-exemple. Car le phénix était précisément, comme on sait, le symbole qui permettait de résoudre la difficulté créée par la mort de l'incarnateur royal – soit le point de faiblesse d'un système qui plaçait la matérialisation de la continuité mystique du corps politique dans un être de chair, périssable par définition. À l'instar du phénix renaissant de ses cendres, le roi n'était supposé mourir que pour revivre aussitôt, la succession des personnes visibles s'accommodant ainsi de la perpétuité invisible de la dignité royale [2]. En 1795, la nation est rentrée en possession de ses prérogatives, c'est l'anonymat républicain qui règne,

---

anthropomorphique égalant l'action de la députation nationale « dans le grand corps politique » à celle de l'intelligence et de la volonté dans chaque individu. Schème anthropomorphique de provenance rousseauiste qu'A. de Baecque laisse, lui, complètement de côté. Les deux schèmes entretiennent des rapports complexes qui restent à clarifier. Ce silence et ce travail de l'ombre *derrière* une autre idée « officielle » me font rester dubitatif sur le degré de conscience de l'emprunt. Sieyès peut fort bien faire fond ici sur un matériau théologico-juridique traditionnel sans s'en rendre compte le moins du monde.
    1. *Le Corps de l'histoire, op. cit.*, p. 125.
    2. Ernst KANTOROWICZ, *Les Deux Corps du roi*, trad. franç., Paris, Gallimard, 1989, pp. 281-289.

plus n'est besoin de semblables fictions – « la renaissance du phénix est une chimère » [1]. Avec le bannissement du personnificateur royal, la transcendance temporelle de la puissance collective prévaut enfin dans sa perfection et ce dont il s'agit, c'est de définir un mode d'exercice du pouvoir constituant qui soit authentiquement congruent avec l'essentielle continuité des « êtres organisés » auxquels il prête expression. C'est la nature même de la nation et de la constitution qui demande d'exclure dorénavant les conventions et le double processus de destruction totale et de rénovation complète, à l'exemple du phénix, qui en est inséparable. Les leçons du droit fondamental rejoignent exactement sur ce chapitre les enseignements de la philosophie de l'histoire. La durée continue de la nation et l'œuvre graduelle de la perfectibilité convergent en tout point quant aux conclusions qu'elles imposent. Ce n'est certes pas l'aspect le moins remarquable de l'argumentaire de Sieyès que cette mobilisation conjointe d'un produit typique des Lumières et d'une figure venue du fond des âges.

Mais il y a une raison supplémentaire qui exige de prévoir une procédure de perfectionnement de l'acte constitutionnel, si prudente, si soucieuse d'éviter les ruptures qu'il faille la concevoir. Une raison proprement politique. On ne la trouve pas expressément formulée dans le texte de Sieyès. Elle demeure en filigrane. Elle se dégage cependant avec netteté dès qu'on cherche à rendre compte de la cohérence de son projet et du système d'attributions qu'il confère à son jury constitutionnaire – sauf à imaginer qu'il procède par empilement arbitraire, ce qui ne lui ressemble guère, on l'accordera. Il eût pu s'en tenir à ce qui apparaissait désormais, aux yeux de beaucoup, comme le noyau incontestable d'une pareille institution. Pourquoi cette extention inconsidérée, et pas seulement sous l'aspect de l'amélioration de la constitution, mais sous l'aspect plus aventureux encore du « tribunal des droits de l'homme » – au péril, qu'il ne pouvait ignorer, de couler la barque en la surchargeant, ce qui n'a pas manqué en effet de se produire ? Parce que, une fois acquis dans son esprit le principe de l'appel à la norme instituante par-dessus les pouvoirs

1. *Les Discours de Sieyès*, éd. citée, p. 38.

constitués, il ne pouvait, de par sa pente systématique, que le pousser au bout de ses conséquences. Dès pour commencer, pourquoi cette obstination à maintenir un mécanisme de perfectionnement au cœur de la machine constitutionnelle, alors que les précautions qu'il multiplie montrent que Sieyès partage les craintes de ses collègues à l'égard de la redoutable boîte de Pandore de la révision – craintes qui seront l'un des plus forts motifs de refus du projet ? C'est qu'il y va d'un principe politique essentiel dont rien ne permet de faire l'économie. On peut seulement l'organiser de façon à en limiter les risques. Il est indispensable, sans doute, d'ouvrir à l'association politique (prise dans ses organes représentatifs ou dans ses membres individuels) la possibilité d'en appeler de la lettre de la constitution contre les pouvoirs qui légifèrent en son nom. Mais ce recours ne saurait suffire. Car cette norme suprême est *la sienne* ; c'est elle qui l'a posée ; elle se trahirait en la plaçant comme au-dessus d'elle dans une intangibilité superstitieuse. Autant il importe qu'elle trouve, dans l'affirmation en acte de la supériorité de la constitution sur les pouvoirs délégués, la confirmation de sa propre suprématie en tant que pouvoir-source, autant il importe que soit signifié qu'elle est elle-même au-dessus de cette constitution qui organise son expression. La faculté d'en appeler au respect de la constitution, en d'autres termes, n'a de sens que si elle se double de la faculté d'en appeler de la constitution elle-même. Le pouvoir de préserver la constitution, pourrait-on aller jusqu'à dire, n'acquiert toute sa portée qu'en fonction du pouvoir de la changer. Ce serait trahir l'esprit de ce pouvoir, dans l'autre sens, que de lui laisser une entière latitude au présent comme s'il était l'organe de « la génération qui passe », alors qu'il lui revient d'être celui de la « nation qui reste ». Plus que le limiter, il faut le répartir dans le temps, de façon à l'harmoniser avec le rythme naturel de la perfectibilité et avec la puissance de permanence qui définit la nation. Reste qu'un tel pouvoir doit impérativement exister, et pas seulement pour recueillir les fruits du progrès des Lumières. La perfectibilité est son élément, pas sa véritable raison d'être. Il est là pour représenter l'ultime liberté instituante dont l'asso-

ciation dispose à l'égard de sa règle instituée. C'est à la nécessité de compléter et de boucler la prise du corps politique sur
lui-même qu'il répond en dernier ressort.
La « juridiction d'équité naturelle » ne reconnaît pas
d'autre fondement. Elle relève de la même logique. Elle s'inscrit à l'intérieur de la même économie des pouvoirs. Elle en
montre simplement une autre face parce qu'elle regarde un
autre point d'application, la garantie des droits individuels au
lieu de la garantie de la constitution. Mais, sur le fond, les
motifs qui font attribuer au jury l'amélioration de l'acte
constitutionnel et ceux qui lui font attribuer le jugement en
droit naturel, par-dessus les lois positives, sont d'un ordre
identique. Ici encore, à n'en pas douter, on reconnaît le souci
de Sieyès de populariser les fonctions de son jury constitutionnaire en les branchant sur les circonstances ordinaires de
la vie des citoyens – même si, prudemment, il réserve la
faculté de saisir le jury sous ce chef aux seuls tribunaux. On
retrouve également, d'ailleurs, le souci de sauver ce que les
anciennes prérogatives royales, le droit de grâce en
l'occurrence, comportaient de fondé. Il ne s'agit que de lui
ôter les allures extérieures d'arbitraire personnel qui ont fait se
méprendre à son sujet et le supprimer, pour l'élever à son
principe rationnel : « Le droit de faire grâce est nécessaire
quand c'est un devoir, et lorsque c'est un devoir, il faut lui
ôter sa dénomination : ce n'est plus grâce, c'est justice [1]. »
L'institution d'un juge de l'équité naturelle systématise ce que
la grâce royale assurait de manière aléatoire et confuse. C'est
en cela que consiste sa nécessité véritable : il faut qu'il soit
possible d'en appeler à la source du droit par-dessus le droit
constitué, à la justice au-delà des lois positives. De par l'infirmité humaine, celles-ci seront toujours lacunaires et fautives.
« Nulle part l'universalité des droits n'a été mise sous une
entière et égale protection de la loi. » Quels que soient les
efforts des législateurs pour rectifier les erreurs et pallier les
manques, ils seront toujours en retard sur le moment imprévu
du besoin. Seul un « tribunal des droits de l'homme » sera en
mesure de faire face à de pareils cas, « puisqu'on est assuré de

1. *Ibid.*, p. 41.

trouver toujours dans la grande loi naturelle la réponse qu'on ne peut pas toujours obtenir de la loi positive » [1]. Grâce à lui, la promesse de protection qui lie l'association politique à chacun de ses membres sera infailliblement tenue. Il est le maillon qui permet de fermer le système de la garantie sur lui-même. Comme la procédure de perfectionnement de la constitution donne au corps politique l'ultime disposition de sa propre règle, le jugement en équité naturelle lui procure la capacité ultime de respecter son engagement constitutif. En quoi ces dispositions forment un ensemble d'une cohérence rigoureuse. Elles procèdent du développement systématique de la philosophie judiciaire au travers de laquelle Sieyès renouvelle sa pensée de la représentation en l'an III. On est très loin ici de la « représentation absolue » des débuts, de son monisme brutal et de son immédiateté délibérée, même si on reste en fin de compte dans un cadre farouchement moniste. Avec l'esprit des tribunaux, c'est le renvoi à une autorité supérieure qui est devenu le ressort d'un processus représentatif qui concilie, grâce à lui, l'unité de la décision et la publicité qui naît de la contradiction. Le jury constitutionnaire est la clé de voûte de cette architecture du recours : il est l'instrument d'un appel aux sources du droit par lequel l'intime conformité du corps politique à son propre vouloir achève de se vérifier, achevant ainsi d'assurer la présence de la réflexivité au sein de l'unité.

QUI SURVEILLERA LE SURVEILLANT ?

Il n'y aura pas, dans la Convention, un seul orateur pour soutenir le plan de Sieyès. Comment une construction aussi complexe, argumentée dans un langage cryptique, eût-elle pu convaincre ? Même les plus zélés des admirateurs et amis de l'abbé paraissent avoir baissé les bras, saisis par la perplexité. Il est manifeste que la cohérence du système d'attributions prêté à la nouvelle institution leur a échappé. En particulier, la juridiction d'équité naturelle passe visiblement mal. Elle apparaît

1. *Ibid.*, p. 42.

comme une pièce surajoutée, sans lien nécessaire avec les autres éléments ni surtout avec la finalité principale du dispositif [1]. Elle heurte de surcroît la philosophie de l'égalité devant une loi rigoureusement générale, devenue comme une seconde nature pour le personnel révolutionnaire, et dont Sieyès, en son temps, avait été l'un des plus illustres chantres. Pis même, elle réveille le spectre des « jurisprudences arbitraires » d'Ancien Régime, et de leurs cohortes honnies « de commentateurs et d'interprétateurs », ainsi que l'objecte à Sieyès un partisan enthousiaste pourtant de l'idée d'un « jury conservateur de la constitution » et l'unique intervenant à reconnaître des mérites à son projet [2]. Par ailleurs, pour rentrer dans un cercle d'idées plus familières, la perspective du perfectionnement constitutionnel prend à rebrousse-poil une assemblée qui, dans sa masse anonyme, ne rêve plus que de textes intangibles et d'ordre définitif. Le dérangement qui s'ajoute à l'incongru, le tout sur fond de ténèbres, c'en est

1. On a un bon écho de cette réaction chez LAMARE. Celui-ci avait adressé son *Équipondérateur* à Sieyès, lequel lui fait tenir en retour ses deux discours. Lamare ne manque pas de lui témoigner son admiration – « je viens de lire, citoyen, avec un plaisir indicible l'écrit que vous avez bien voulu m'envoyer, répond-il le 25 juillet, quoique vous y tombiez à bras raccourcis sur les partisans de l'équilibre – allons, soit... » Il manifeste le même empressement à la suite du discours du 5 août – « je vous remercie, citoyen, du nouveau cadeau que vous avez bien voulu m'envoyer. Rien de mieux vu, selon moi, que votre jurie constitutionnaire... » Mais il y met une réserve qui en dit long : « Est-ce bien à ce corps qu'il convient le mieux d'attribuer le jugement d'équité ? Je ne sais. Cette troisième attribution ne s'amalgame point dans mes idées avec les deux autres et sans pouvoir en dire bien précisément la raison, j'aimerais mieux que votre jurie n'ait à s'occuper que de constitution » (lettre du 22 thermidor). Cette correspondance se trouve dans les papiers de Sieyès, Arch. nat., 284 AP 9 (5). Parmi les réactions significativement mitigées, signalons encore celle de RŒDERER dans le *Journal de Paris*. Il déclare avoir trouvé dans l'opinion de Sieyès « plusieurs idées neuves, saines et importantes, mais qui ne m'ont pas paru toutes réduites avec précision ni énoncées avec netteté » (23 thermidor an III, pp. 1310-1312). Il revient sur le problème quelques jours plus tard sous un autre angle : « ... On va dire que les amendements dont il s'agit sont le plan de Sieyès adapté à la constitution ! Oui, sans doute c'est le plan de Sieyès, c'est du moins la partie qui, à mes yeux, en est bonne, grande, utile [...]. En l'appuyant, je n'écoute ni mon ancienne amitié pour lui, ni mon ancienne habitude de respect pour son talent » (29 thermidor an III, p. 1326). LEZAY-MARNÉSIA, dans le même organe, met beaucoup moins de nuances dans la critique : il ne voit dans la proposition de Sieyès qu'une « idée bien étrange » ou « extraordinaire » (*Journal de Paris*, 22 thermidor an III, pp. 1298-1299).
2. Il s'agit d'Eschasseriaux, *Le Moniteur*, t. XXV, p. 483.

beaucoup, et le rejet est brutal. « Crois-moi, estimable Sieyès, l'apostrophe un de ses collègues, tu ne seras jamais le Lycurgue ou le Solon des Français... Tu cherches la pierre philosophale lorsque tu cherches une garantie stable des droits du peuple [1]. » Du coup, le projet restreint défendu par la commission des Onze et limitant le rôle du jury au seul examen des infractions constitutionnelles ne sera pas même considéré. Il est comme recouvert par l'éclat inquiétant de la version sophistiquée que l'intraitable abbé a tenu à toute force à plaider, et il est emporté dans son naufrage. Après un débat substantiel, qui semble, pour une bonne part, reproduire en public les échanges à huis clos dont la commission a dû être le théâtre, la Convention se débarrasse du problème par un vote unanime. Et pourtant, le principe de l'institution avait des fidèles, puisque au lendemain de ce vote sans appel un de ses adversaires se croit obligé de revenir à la charge. Le jury constitutionnaire « a encore beaucoup de partisans zélés ou prévenus », se justifie-t-il, avant d'expliquer, en guise de baume versé sur ces regrets, qu'il ne pouvait être qu' « esclave ou despote », « essentiellement corrompu ou corrupteur » [2]. Mais l'homme qui portait le principe n'avait pas son pareil pour dérouter et démoraliser ses propres troupes.

La discussion se répartit entre tenants du profil modéré retenu par la commission des Onze et détracteurs du principe même d'une institution spécialement attachée à la garde de la constitution. Encore le plus ferme et le plus éloquent d'entre ces derniers, Thibaudeau, est-il lui aussi membre de la commission, comme Berlier et La Revellière-Lépeaux, qui parlent en faveur du « recours en inconstitution ». On l'a dit, il s'agit largement d'un débat interne transporté à la tribune. L'argumentaire des partisans du jury dans son acception minimale est sans surprise. La Revellière l'adapte au goût du jour en soulignant que sa vertu primordiale est d'être conser-

1. P.D.G. Faure, député de la Seine-Inférieure, *Au représentant Sieyès sur son projet de constitution*, thermidor an III, p. 1 (opinion omise au compte rendu du *Moniteur*).
2. Lambert, député de la Côte-d'Or, *À ses collègues sur l'acte constitutionnel*, thermidor an III, p. 6. Thibaudeau évoque de même dans son discours « Les suffrages que cette institution a réunis en sa faveur » (*Le Moniteur*, t. XXV, p. 484).

vateur. Il contribuera, expose-t-il, à « tenir le peuple en garde
contre le goût des innovations », à lui « donner la permanence
dans ses idées et dans ses goûts », en bref à le guérir du funeste
héritage d'une « cour tyrannique et corrompue [qui] avait travaillé depuis dix siècles à nous rendre inconstants et légers »,
avec les effets que l'on a vus [1]. C'est ce qui fait la supériorité
du projet de la commission sur celui de Sieyès, dont la
conception risque de produire un organe « destructeur de
toute constitution », « l'instrument de révolutions sans fin » [2].
Le seul à introduire une note un peu originale est Eschasseriaux, déjà cité, le plus ouvert parmi les intervenants aux
intentions de Sieyès. Son propos se distingue par la mise en
perspective historique à laquelle il procède. Les républiques
modernes seront-elles capables d'échapper à la malédiction
des républiques anciennes ? Sauront-elles dominer les « agitations intestines » et l'instabilité chronique que les législateurs
de l'Antiquité échouèrent à dompter ? « C'est en vain, dit
Eschasseriaux, [qu'ils] épuisaient leur génie à chercher des
contrepoids des pouvoirs usurpateurs ou anarchiques, ils ne
faisaient que constituer toujours l'anarchie ou le despotisme [3]. » Telle est la grande question à laquelle les « déchire-

1. *Le Moniteur*, t. XXV, p. 489.
2. *Ibid.*, pp. 491-492.
3. *Ibid.*, p. 482. La réflexion sur les républiques anciennes est discrètement présente à l'arrière-fond de ce débat. C'est là peut-être qu'elle prend son essor. Elle
reçoit son expression la plus forte dans une série de *Lettres critiques sur le projet de
constitution* dues à Venceslas JACQUEMONT, ancien secrétaire général des contributions publiques sous le ministère de Clavière, ainsi qu'il se présente lui-même, et
futur membre du Tribunat. La deuxième de ces *Lettres*, datée du 27 messidor an III
(15 juillet), est consacrée aux « préjugés qui ont présidé à la confection du plan de la
constitution ». Elle incrimine avec vigueur le poids des modèles de l'Antiquité :
« C'est par un abus continuel de l'histoire que nos écrivains politiques ont voulu
nous tracer des préceptes dont ils n'ont point aperçu l'inconvénient dans nos
modernes institutions » (p. 21). Or l'histoire offre le spectacle de deux libertés bien
différentes : la liberté *politique* et la liberté *civile*, lesquelles n'ont jusqu'à présent
« jamais existé ensemble chez aucun peuple que nous connaissions ». Ce fait, poursuit l'auteur, « suffirait pour nous convaincre qu'aucune n'a été possédée pleinement ; car elles sont inséparables ». Au demeurant, précise-t-il encore, « ce n'est
point la raison qui, parmi les anciens et les modernes, chercha la meilleure forme
d'existence sociale ; mais c'est par instinct que les uns s'attachèrent à la liberté politique et que les autres préférèrent la liberté civile » (p. 28). Il n'y aura guère à ajouter, sur le fond, au contraste qu'il établit ; les principaux éléments sont en place :
« ... Ils ne jouissaient point des bienfaits de la liberté civile, ces peuples que nous

ments cruels » de l'expérience toute proche interdisent d'échapper. Des pouvoirs indépendants ne sont-ils pas voués fatalement à entrer en lutte et à se détruire ? L'unique chance de réconcilier la république avec l'ordre et la paix réside dans l'installation au cœur des institutions d' « un élément politique, qui, en conjurant les grandes révolutions, maintient tous les pouvoirs d'une constitution dans l'harmonie, sans nuire à leur marche, à leur activité, à leurs fonctions naturelles ; qui surveille l'exécution des lois comme la censure surveillait les mœurs, qui n'a de puissance que pour ramener toujours à la loi constitutionnelle et n'en a aucune pour la renverser » [1]. De façon inattendue, Eschasseriaux dépeint ce recours comme une sorte de version institutionnalisée, et,

---

sommes habitués à appeler républicains. Une malheureuse expérience ne leur faisait point sentir que la liberté politique n'est précieuse que parce qu'elle doit produire cette liberté civile qui, en consacrant l'indépendance des facultés humaines où la nature a placé nos plus chères jouissances et dont le pacte social n'a point exigé le sacrifice, est par conséquent la source du bonheur individuel et de la liberté civile. Ils combattaient sans cesse pour leur indépendance nationale, ils préféraient la mort à la tyrannie ; ils marchaient avec constance au milieu des horreurs de la guerre civile et étrangère vers une démocratie pure qui était à leurs yeux le plus haut point de la perfection ; et ils conservaient en même temps l'odieuse iniquité de l'esclavage domestique, ils conservaient avec une fanatique obstination des institutions qui blessaient leurs droits les plus sacrés... » (p. 26). Nous avons une correspondance de l'auteur avec Sieyès qui nous apprend à la fois que ses *Lettres critiques* n'ont eu aucun écho et qu'il a trouvé au moins un lecteur de poids. C'est au titre de la solidarité des incompris, en effet, qu'il s'adresse à lui, le 21 fructidor an III (7 septembre 1795) : « Citoyen, les trois lettres que j'ai l'honneur de vous adresser ci-jointes n'ont pas trouvé de lecteurs parmi tant de personnes qui s'occupent ici de politique [...] Il me semble que mes opinions doivent trouver grâce auprès de vous, puisque les vôtres n'en ont point dans le public » (Arch. nat., 284 AP 9). Nous apprenons par la même occasion qu'il connaît Charles Theremin, un temps secrétaire de Sieyès (lettre du 2ᵉ jour supplémentaire de l'an III). Lequel THEREMIN proposera quelques années plus tard l'une des premières formulations systématiques de l'antithèse, dans une brochure intitulée *De l'incompatibilité du système démagogique avec le système d'économie politique des peuples modernes*, Paris, an VIII. Il y développe l'idée de l'anachronisme : « Pendant le règne de la terreur, on avait, en quelque sorte, assimilé le peuple de Paris à celui d'Athènes » (p. 7), en reprenant l'opposition liberté politique / liberté civile orchestrée par Jacquemont, avec un accent supplémentaire sur les contraintes du « système d'industrie » des Modernes, fondé sur « le travail de tous ». Il présente son texte à Sieyès le 27 messidor an VII (14 août 1799) : « J'ai traité *ex professo* un sujet que vous et Condorcet n'avez traité qu'en passant. Vous ne devez donc pas être étonné de trouver votre nom dans une discussion dont l'initiative vous appartient » (Arch. nat., 284 AP 17). On entrevoit par quels types de fils souterrains est passée l'élaboration du thème.

1. *Le Moniteur*, t. XXV, p. 482.

partant, apaisée, de l'exigence machiavélienne de retour au principe fondateur : « Machiavel a dit que les républiques, pour être durables, avaient besoin souvent d'être rappelées à leurs principes. Les éléments des constitutions, dès qu'elles sont fondées, doivent être sans cesse remis à leur place lorsqu'ils veulent en sortir. Tel serait l'avantage du jury constitutionnaire qu'on vous propose d'adopter, qu'il sera à la fois et la main du législateur qui répare les imperfections de son ouvrage, et le poids politique qui tiendra toujours les pouvoirs en équilibre [1]. » Indication suggestive quant aux filiations de ce pouvoir conservateur cherché par les révolutionnaires avec tant d'obstination. Mais peut-on véritablement transformer en régularité procédurale ce qui relève pour Machiavel des scansions violentes et personnelles de l'histoire ? Reste enfin la question de la force qui permettra à l'institution d'obtenir l'exécution de ses arrêtés. La réponse est, là aussi, typique de ces Modernes en quête de leur voie politique originale par rapport aux Anciens, même si Eschasseriaux va chercher ses exemples, non sans risquer l'inconséquence, du côté de l'Aréopage athénien et des censeurs de Rome. L'appui naturel du jury, ce sera « l'opinion publique, le vœu de la nation, qui sanctionnera toujours ses arrêtés, quand ils seront justes » [2]. Mais le vrai problème est-il tant celui du soutien que ce pouvoir de régulation des autres pouvoirs est susceptible de trouver dans l'opinion ? N'est-il pas bien plutôt celui du pouvoir qu'il est susceptible de conférer à l'opinion ?

Les objections des opposants se concentrent autour de ce qu'ils dénoncent comme la faille logique du raisonnement en faveur d'un pouvoir surveillant : par qui ce pouvoir sera-t-il lui-même surveillé ? « Sieyès demande où sera le gardien de la constitution ? [...] je lui demanderai, moi, quel sera le gardien de ce gardien ? » proteste par exemple Faure, en termes véhéments et rustiques [3]. Louvet, député de la Somme (à ne pas confondre avec Louvet de Couvray, membre de la commission des Onze), expose longuement, dans le même sens, les

1. *Ibid.*
2. *Ibid.*, p. 483.
3. *Opinion sur le jury constitutionnaire*, fructidor an III, p. 4.

dangers d'un pouvoir nombreux, puisque Sieyès voulait cent huit membres pour son jury, irresponsable, « n'ayant rien au-dessus de lui pour le réprimer, rien à côté de lui pour l'arrê-ter », en un mot « sans contrepoids d'aucune espèce »[1]. Sous prétexte de multiplier les garanties, on introduit un corps vis-à-vis duquel il n'existera absolument aucune garantie. C'est l'argument qu'orchestre Thibaudeau avec un brio supérieur. Il pose le problème, « le plus difficile à résoudre en poli-tique », dit-il, dans toute son ampleur. Comment contenir des pouvoirs qui, par nature, tendent sans cesse à passer leurs limites ? Il y a deux sortes de moyens envisageables et il n'y en a que deux : « Les uns qui leur sont extérieurs, les autres qui leur sont inhérents[2]. » C'est l'illusion d'un passage par l'exté-rieur des pouvoirs en général, dont le jury constitutionnaire n'offre qu'une illustration particulière, qu'il entreprend de dénoncer. La garantie est inhérente à la disposition même des pouvoirs, plaide-t-il en substance, ou elle n'est pas. On voit ainsi redéfiler, pour être successivement réfutées, la série des solutions débattues depuis 1789 : « L'appel au peuple, des censeurs, ou tout autre corps établi pour juger les infractions à la constitution. » L'appel au peuple a pour lui la conformité aux principes. Mais il est aussi immaniable que dangereux en pratique. Quant à l'établissement d'un quelconque « corps institué au-dessus des pouvoirs publics pour examiner leurs actes », il tombe sous le coup d'une irrémédiable contradic-tion interne puisqu'il affirme la nécessité d'une surveillance dont il excepte par définition l'institution surveillante. Il ne fait, en d'autres termes, que « reculer la difficulté d'un degré de plus ». En toute rigueur, il faudrait pourvoir à la surveil-lance de ces cerbères, et l'on n'en terminerait jamais, « cette surveillance graduelle s'étendrait à l'infini »[3]. L'apparence de recours se défait ainsi dans l'aporie. « C'est courir après une perfection chimérique que de vouloir donner des gardiens à une constitution et des surveillants aux pouvoirs constitués supérieurs[4]. » Thibaudeau ne se contente pas d'argumenter

1. *Le Moniteur*, t. XXV, p. 481.
2. *Ibid.*, p. 484.
3. *Ibid.*, p. 486.
4. *Ibid.*, p. 448.

sur le terrain logique. Il mobilise un exemple concret à l'appui de sa démonstration, et un exemple stratégique, puisque c'est celui d'une des très rares institutions en ce genre prévues par une constitution moderne, et à ce titre une institution souvent citée en modèle, le Conseil de censure de Pennsylvanie. On l'a vu à l'œuvre. Qu'en est-il effectivement advenu ? Il a prouvé à la fois « l'existence du mal » et « l'impuissance du remède » : s'il n'a pas eu de peine à établir que « la constitution avait été violée assez souvent par le pouvoir législatif et par le pouvoir exécutif », il s'est montré beaucoup moins convaincant dans l'exercice de ses fonctions correctrices, divisé, partisan dans ses décisions et, pour finir, inutile puisqu'il n'a pu faire prévaloir ses avis [1]. Mais c'est aussi que la constitution de Pennsylvanie, en consacrant l'unité du corps législatif, s'était privée de la seule garantie efficace, celle qui résulte, non du détour par un illusoire au-delà des pouvoirs, mais de l'agencement interne des pouvoirs et dont la division des chambres forme la pièce maîtresse. « Opposer l'ambition à l'ambition », de manière que chaque partie du gouvernement retienne les autres dans leur place, voilà l'unique recette, et « peu m'importe qu'on appelle cela *équilibre* ou *concours* », lance vertement Thibaudeau à l'adresse des faiseurs de systèmes. « La division du corps législatif en deux parties qui aient des qualités et des principes d'action différents » représente la condition nécessaire et presque suffisante d'une telle neutralisation de la corruption des hommes par leur corruption même. Or, en la matière, le plan initial des Onze, déjà adopté en grande partie par l'assemblée, offre toutes les ressources qu'on peut souhaiter. « Tout se lie, tout se tient et se balance dans le travail de la commission. » Veut-on absolument un pouvoir capable de préserver la définition et l'harmonie des pouvoirs ? Il s'y trouve. « J'ai toujours pensé que le Conseil des Anciens serait par ses attributs le gardien, le conservateur de la constitution, le défenseur de la prérogative du pouvoir exécutif [2]. » Pourquoi aller chercher dans de vaines combinaisons ce qu'en réalité on a déjà sous la main ?

1. *Ibid.*
2. *Ibid.*, p. 489.

C'était jouer sur le velours que de prêcher les vertus de l'acquis et les mérites du *statu quo* à une assemblée pressée d'en finir. Ils devaient être nombreux à penser tout bas ce que Faure dit tout haut : « Voilà la philosophie de notre cher Sieyès qui nous a fait perdre une quinzaine [1]. » Un temps ébranlée, la masse conventionnelle retrouve, avec son assurance, son souci principal, autrement pressant : sortir au plus vite et au mieux du piège où l'histoire l'a enfermée. À quoi bon se mêler de résoudre une difficulté « métaphysique » dont le débat n'aura fait qu'établir l'absence d'issue dernière, quand l'essentiel paraît assuré dans le texte dont on dispose ? Entre l'incertitude des partisans de l'idée, désorientés par la version qu'en propose leur chef de file, et l'exaspération secrète ou avouée de la plupart devant cette lutte inutile avec l'aporie, la balance ne pouvait que basculer vers le rejet brutal. Il n'y aura pas encore cette fois de tiers-pouvoir arbitre des pouvoirs, en dépit du crédit considérable gagné par le principe. Il faudra attendre l'acte de clôture du 18 Brumaire pour qu'il finisse par l'emporter. Encore ne sera-ce que pour s'abîmer dans son triomphe.

---

1. *Opinion sur le jury constitutionnaire, op. cit.*, p. 4.

III

BRUMAIRE

Sacre et disgrâce
du tiers-pouvoir

Rarement constitution sera entrée en vigueur au milieu d'un tel scepticisme et sous un tel feu critique. Le gros des résistances et de l'hostilité va moins au texte lui-même qu'aux mesures d'accompagnement et, surtout, à la principale d'entre elles, le décret des deux tiers. Il était assez difficile de convaincre l'opinion, il est vrai, que la perpétuation du personnel conventionnel fournissait le moyen le plus sûr de « terminer la Révolution », comme Baudin en brandit officiellement le programme à la clôture du débat constitutionnel, le 18 août 1795 [1]. L'extraordinaire eût été qu'elle fût convaincue. Ce maintien en place était le prix à payer pour le retour à un régime légal normal. Il frappait en même temps la tentative d'une suspicion si lourde qu'il rendait sa réussite improbable. Et, de fait, la Révolution va continuer, pour des raisons qui ne se ramènent pas qu'à celle-là, assurément, mais où la coupure entre le pouvoir et le pays, sur un plan plus général, va tenir un grand rôle.

Mais les institutions sont, elles aussi, sur la sellette, à moindre échelle, dans le cercle des initiés et du côté de l'opinion éclairée. Les griefs se concentrent sur le point où l'insistance du préjugé révolutionnaire s'est montrée la plus intraitable : le statut du pouvoir exécutif. Les publicistes sont nombreux à déplorer sa faiblesse et son désarmement face au législatif. Parallèlement à la campagne de Sieyès en faveur du jury constitutionnaire, il y avait eu, d'ailleurs, une offensive

1. *Le Moniteur*, t. XXV, pp. 526-532.

de dernière heure pour redresser la barre. *In extremis*, à la fin de la seconde lecture de l'acte constitutionnel, le 17 août, Ehrmann propose de « donner au directoire un moyen constitutionnel par lequel il puisse mettre le corps législatif à même de suspendre ou de rectifier, soit une loi entière, soit l'une de ses dispositions », moyen dont il précise qu'il le décalque et l'adapte de la constitution américaine [1]. Les protestations qui accueillent son discours – « c'est le veto », « c'est un roi » –, la façon expéditive dont sa demande est écartée, en dépit de deux soutiens de poids, en la personne de Lanjuinais et de Daunou, en disent long sur l'enracinement d'une attitude imperméable à l'apprentissage comme à l'oubli. Les gazettes ne cessent de nous dire que le pouvoir exécutif est trop faible, s'exclame en substance Hardy, qui obtient la question préalable sur la proposition d'Ehrmann ; « pour moi, j'avoue que je suis effrayé de sa force et de l'isolement du corps législatif » [2]. Les vieilles hantises sont toujours à l'œuvre. L'échec ne désarme pas les oppositions qui s'expriment à l'extérieur de l'assemblée ; il les redouble. C'est dans ce contexte polémique que s'inscrivent, par exemple, les *Réflexions sur la paix intérieure* de Mme de Staël, revenue à Paris, en compagnie de Benjamin Constant, depuis la fin mai. Elle ne manque pas de plaider en faveur de l'indépendance du pouvoir exécutif et de la nécessité de lui reconnaître « une part quelconque dans la rédaction ou l'initiative de la loi pour que l'exécution soit d'accord avec la pensée » [3].

1. *Ibid.*, p. 519.
2. *Ibid.*, p. 520.
3. *Réflexions sur la paix intérieure*, in *Œuvres*, Paris, 1838, t. I, p. 114. RŒDE-RER s'est employé durant tout le débat à alerter l'opinion sur le sujet depuis sa tribune du *Journal de Paris*. Il y consacre une série d'articles sous le titre général : « Examen de cette question : le projet de pouvoir exécutif présenté par le comité des Onze remplit-il les conditions essentielles d'un bon gouvernement ? » (25, 26, 27, 29 messidor, 2 thermidor an III, pp. 1190-1224). Signalons encore, dans le même organe, l'article de LEZAY-MARNÉSIA sur « Le veto américain », postérieurement à la clôture du débat, le 5 fructidor (22 août), pp. 1357-1358. Lezay a rassemblé ses critiques dans une brochure, *Qu'est-ce que la Constitution de 95 ?*, Paris, an III. Parmi les textes allant dans le même sens, mentionnons encore la brochure de VAUBLANC, *Réflexions sur le plan de constitution présenté par la commission des Onze, par l'auteur des réflexions sur les bases d'une constitution*. « On ne peut lire la partie relative au pouvoir exécutif, écrit-il, sans s'apercevoir que vous l'avez considéré comme un pouvoir qu'il fallait craindre » (p. 23).

Au milieu de ce concert de critiques, on retrouve sans surprise les thèmes obsédants que la défaite n'a nullement découragés : la garantie, la censure, la surveillance. Le vieux Raffron revient à la charge, comme au lendemain de l'adoption de la constitution de 1793, avec sa censure des députés, au nom des mêmes arguments : « Le peuple, en nommant ses représentants, se met à leur merci. Il faut qu'il soit certain que sa confiance ne lui deviendra pas funeste [1]. » Un citoyen Delaplanche, architecte, propose de réunir « les corps législatif, exécutif, administratif et judiciaire sous la surveillance d'un corps de patriciens représentants du peuple, ce qui forme le Sénat de France » [2]. Un anonyme ramène, à propos de la Déclaration des droits, la question inévitable autant qu'irrésolue des moyens d'en assurer la prévalence effective. Il la juge « à peu près bonne, sauf quelques articles qui y manquent et quelques autres qui y sont de trop ». Mais, demande-t-il, « où en est la garantie » ? Il veut les grands moyens. Non seulement « il fallait proclamer la nullité de toute loi qui serait faite au préjudice de cette déclaration », mais ajoute-t-il, il fallait promulguer que « tout législateur qui en aurait été d'avis [serait] déchu du droit de citoyen et obligé de sortir du territoire de la République ». Il préconise dans ce dessein la création d'un « sénat de réviseurs politiques, composé de 25 membres choisis avec le plus grand soin et, pour ainsi dire, désignés par l'opinion publique ». Et c'est bien à un pouvoir s'exerçant au nom de l'opinion qu'il songe, puisqu'il précise : « Pour que ce sénat puisse s'aider des lumières de l'opinion publique, il aura pour le plus six mois pour se décider sur les lois qu'il jugera contraires à la déclaration des droits [3]. » Comme quoi, les

LEBRETON, député d'Ille-et-Vilaine, demande un président, au nom de la nécessité d'une « autorité individuellement concentrée » : « Les Américains ont un semblable magistrat et ils sont libres » (*Idées constitutionnelles*, Paris, thermidor an III, p. 14).
1. RAFFRON, *La Garantie du peuple*, Paris, thermidor an III, pp. 2-3.
2. *Plan d'organisation applicable à la constitution qui convient le mieux à la République française*, Paris, an III.
3. *Un mot sur la déclaration des droits naturels de l'homme, les devoirs du citoyen et leur garantie*, s.l.n.d., pp. 1-2. Le texte est signé des initiales J. R. L. Signalons encore la brochure de DUMOURIEZ, *De la République*, parue en décembre 1795 à Hambourg. Il propose de ne réunir la législature que trois mois par an et de créer dans l'intervalle un *comité de surveillance* de neuf membres dont « les fonctions

interrogations évacuées par la porte reviennent aussitôt par la fenêtre. Garantie, surveillance, censure : il y a là un nœud d'exigences et de problèmes désormais attaché comme leur ombre aux pas des législateurs. Où qu'ils aillent et quoi qu'ils fassent, il les précède ou il les suit.

L'ARGUMENT D'INCONSTITUTIONNALITÉ

Dans tous les cas, si l'existence d'un tel pouvoir censorial ou préservateur a été institutionnellement rejetée, le principe est profondément entré dans les têtes. On en retiendra deux attestations : le rôle que l'argument d'inconstitutionnalité se met à tenir dans les débats des assemblées et la pénétration de l'idée jusque chez ceux qu'on eût cru les plus imperméables à son influence, les « Égaux » du mouvement babouviste. Au cœur du régime et à sa marge contestataire, l'évolution des esprits marche dans le même sens.

À défaut d'institution pour vérifier le caractère constitutionnel de la législation, la mesure de cette conformité est devenue une préoccupation du législateur. Préoccupation authentique ou préoccupation rhétorique, peu importe, en somme, puisque ce qui compte ici, c'est la force qu'on prête à l'argument. Or il revient avec une régularité frappante à la tribune des Cinq-Cents et des Anciens, au moins durant leurs deux années de fonctionnement normal, avant qu'il soit rendu dérisoire par l'entrée dans le cycle des coups d'État que marque le 18 fructidor (4 septembre 1797). Il est un épisode qui illustre avec un relief particulier cette ascension au rang de maître argument. Juste avant de se séparer, le 4 brumaire an IV (26 octobre 1795), la Convention adopte une loi destinée à prévenir la Contre-Révolution, en réponse à la tentative d'insurrection royaliste du 13 vendémiaire (5 octobre). À l'arrière-fond, il y a l'insoluble casse-tête sécrété par la libéralisation du régime. En relâchant la répression, il s'expose aux

---

consisteraient à recevoir toutes les dénonciations qui seraient faites de toute démarche qui viderait ou même écarterait la constitution dans les actes ou la conduite du gouvernement » (p. 94).

menées de ceux qu'il avait poursuivis ou réduits au silence :
prêtres réfractaires qui rentrent, émigrés de retour ou parents
et agents des émigrés intriguant pour leur retour, royalistes
d'opinion infiltrés dans les places et qui relèvent la tête.
Comme le résume Tallien : « Le gouvernement républicain ne
pourra jamais s'établir d'une manière durable tant qu'il existera dans les fonctions importantes des hommes plus attachés
à l'idole de la royauté qu'au bonheur public [1]. » Il s'agit, en
conséquence, de mettre une bonne fois la République à l'abri
de ses ennemis par d'ultimes mesures de salut public mêlant le
bannissement et l'exclusion des fonctions électives. Le régime
directorial traînera cette loi du 3 brumaire an IV comme un
boulet. Elle sera l'objet de disputes récurrentes, chargées d'un
fort enjeu tactique, puisqu'elles engagent l'orientation même
du régime. Entre adversaires et défenseurs de la loi, il y va du
partage entre une politique de réconciliation conservatrice et
le maintien d'un républicanisme de stricte observance. On ne
retracera pas l'histoire de ces querelles. Ce qui nous intéresse,
ce sont les termes dans lesquels se présente le débat. Le remarquable est que la contestation de la loi se déploie sur le terrain
du droit. C'est comme « inconstitutionnelle » que Jard-
Panvilliers la combat, ainsi, lors de l'offensive en faveur de son
abrogation à laquelle on assiste à l'automne 1796 [2]. Thibaudeau opine dans le même sens, en soulignant qu'elle prive
« une classe de Français de l'exercice des droits politiques que
la constitution leur garantit » [3]. Dix jours plus tard, discussion
tumultueuse sur la manière de formuler les questions qui
seront soumises au vote. « Mailhe veut qu'on demande si la
loi du 3 brumaire est, ou non, contraire à la constitution »,
une proposition qui se heurte à de « violents murmures » et

1. *Le Moniteur*, t. XXVI, p. 311.
2. Conseil des Cinq-Cents, 20 octobre 1796, *Le Moniteur*, t. XXVIII, p. 464.
Le débat fait suite à un rapport de Riou du 24 septembre 1796 qui concluait
quant à lui que les dispositions les plus critiquées de la loi du 3 brumaire étaient
« approuvées par la morale, conseillées par la politique, conformes à l'esprit de la
constitution et à notre législation civile » (*ibid.*, p. 445). Sur l'interminable discussion autour de la loi du 3 brumaire, cf. Georges LEFEBVRE, *La France sous le
Directoire, 1795-1799*, Paris, Éditions sociales, 1977, pp. 80-82, 224-230, 279-
280.
3. *Le Moniteur*, t. XXVI, p. 311.

suscite même une « vive altercation » entre députés, avant d'être repoussée [1]. Pour finir, les Cinq-Cents se prononcent le 2 novembre pour le maintien de la loi, tout en restreignant son champ d'application, dont les prêtres insermentés se trouvent exceptés, en dépit des instances du Directoire. Les Anciens approuvent le 14 décembre, après une discussion où s'affrontent les mêmes arguments. Contre Portalis, Goupil-Prefeln, par exemple, fait valoir qu' « il n'y a, dans les six premiers articles de la loi du 3 brumaire, ni les trois dispositions que la résolution nouvelle y ajoute, rien d'inconstitutionnel... » [2]. Les adversaires de la loi ne se tiennent pas pour battus et, trois mois plus tard, Audoin revient à la charge par un biais parlant. Au lieu d'attaquer de front le texte en litige, il soulève, dans un esprit de réconciliation, le problème général des lois d'exception et des « moyens de défense extraordinaires » dont il a fallu entourer la constitution. Si ces derniers ont été nécessaires, ils ne le sont plus. C'est en croyant à la « force de la constitution » qu'on ralliera « beaucoup d'hommes qui paraissent ennemis de la République et qui ne redoutent en effet qu'un nouvel attelage révolutionnaire ». En conséquence de quoi, Audoin demande, et obtient, la création d'une commission « chargée de présenter au conseil des Cinq-Cents, au plus tard dans le courant du mois prochain, le tableau des lois qui ne seraient pas conformes au texte de la constitution qui nous régit » [3]. Ce sont deux rapports qui seront présentés au Conseil le 4 mai 1797, l'un, de Desmolin, portant sur les principes, l'autre, technique, de Bontoux. À Desmolin le message politique : au moment où la paix extérieure est en vue, il faut aussi se préoccuper de la concorde intérieure, en retranchant « ces décrets funestes et désastreux qui contrarient la constitution et qui ont si longtemps révolté les cœurs, éloigné et fatigué les esprits » [4]. La tâche, cepen-

1. Conseil des Cinq-Cents, 1er novembre 1796, *Le Moniteur*, t. XXVIII, p. 474.
2. *Ibid.*, p. 505. Roger-Ducos avait plaidé la veille pour le maintien « en son entier de cette loi qu'il croit constitutionnelle et nécessaire, au point qu'il faudrait la prendre si elle n'existait pas ».
3. *Rapport sur la nomination d'une commission chargée de faire un tableau des lois en désaccord avec la constitution*, 13 ventôse an V (3 mars 1797), p. 3.
4. *Rapport de Desmolin sur les lois inconstitutionnelles*, 15 floréal an V, p. 2.

dant, n'est pas aussi simple qu'il pourrait paraître. D'abord, parce qu'elle est « immense ». Ensuite, parce qu'elle ne va pas sans danger, si elle devait accréditer l'idée que rien n'est sûr dans l'édifice des lois existantes. Non seulement il faut excuser « les premiers fondateurs de la République par les circonstances mille fois critiques où ils se sont trouvés », mais il faut assumer l'héritage de leur œuvre. « Ne vous alarmez pas, citoyens », prend grand soin de préciser Desmolin, « tout ce qui a été fait n'est pas contraire aux règles. Parmi cette immensité de lois, il en est de très sages, de fondamentales à notre régime actuel »[1]. Autre précaution essentielle à prendre : il ne s'agirait pas d'ouvrir la porte, au travers de cette révision, à une remise en cause indéfinie de la législation. « Il faut distinguer deux choses que l'on confond trop souvent entre elles [...] je veux dire la mauvaise disposition d'une loi et son inconstitutionnalité. » Par exemple, « sous prétexte qu'une loi prononce une peine trop forte, on s'écrie qu'elle est inconstitutionnelle ». Pis encore, à la faveur de cette vogue perverse de la notion, « l'on voit des hommes soutenir effrontément que toutes les lois qui ont été rendues, toutes celles qui pourraient l'être encore, et dont on ne trouverait pas le texte dans la constitution, sont contraires à cette même constitution et doivent par cela seul être abrogées ». « Si vous ne vous prémunissez pas contre ces clameurs, avertit Desmolin, il en sera bientôt de l'inconstitutionnalité comme il en était jadis de l'hérésie[2]. » Il est donc indispensable, préalablement à toute démarche rectificatrice, de déterminer rigoureusement ce qu'« inconstitutionnel » veut dire. C'est dans cet esprit, assure-t-il pour conclure, que la commission a travaillé. La mise en garde est d'autant plus instructive qu'elle vient de gens pour qui cet argument d'inconstitutionnalité dont ils disent redouter l'extension incontrôlable est le moyen d'habiller une mesure d'opportunité politique dans le langage des principes. Car après ce vaste préambule de méthode, on

1. *Ibid.*, p. 5. Il poursuit : « Pendant l'amalgame même, pendant l'association que l'on voulait faire de la monarchie avec la liberté, il a été rendu des décrets vraiment salutaires ; il en a été rendu avec la deuxième assemblée, il en a été rendu sous la Convention, qui portent l'empreinte sacrée de la liberté. »
2. *Ibid.*, pp. 13-16.

retombe droit, avec le second rapporteur, Bontoux, en fait de
« lois anticonstitutionnelles », sur les « lois de sûreté générale,
dictées par des circonstances orageuses », dont la loi du 3 brumaire représente la quintessence [1]. La méthode est apparemment payante, d'ailleurs, puisque, présentée sous ce jour,
l'abrogation de la loi est votée cette fois sans difficulté par les
Cinq-Cents [2].

On peut encore évoquer un autre épisode typique pour
illustrer le phénomène. Le 15 mars 1797, à quelques jours du
début des élections législatives (elles auront lieu du 21 mars
au 4 avril, la nouvelle session devant commencer le 20 mai),
le Directoire saisit les Cinq-Cents de la proposition de faire
prêter aux électeurs un « serment de haine à la royauté et à
l'anarchie, d'attachement et de fidélité à la République et à la
Constitution de l'an III ». Ici aussi, c'est entièrement sur le
terrain de la conformité à la constitution que va se situer le
débat houleux dont la mesure fait l'objet dans les Conseils.
« Ce n'est pas seulement d'imprudence que j'accuse le message du Directoire, s'écrie Pastoret, c'est d'être l'audacieuse
violation des principes constitutionnels [3]. » Thibaudeau
« s'attache à prouver que le serment est inconstitutionnel et
impolitique » [4]. Siméon renchérit : « La résolution qu'on
présente à l'assemblée ne tend qu'à une précaution inutile,
odieuse, impolitique, et, pour tout dire en un mot, inconstitutionnelle [5]. » Les Cinq-Cents adoptent pour finir le serment dans une version édulcorée et la même discussion

---

1. *Rapport de Bontoux sur les lois inconstitutionnelles*, 15 floréal an V, p. 10.
Bontoux précise lui aussi, relativement au sens de la démarche : « C'est peu de
réconcilier la France avec l'étranger, réconcilions la France avec la France »
(p. 12).
2. Elle sera rejetée par les Anciens le 18 mai. Un dernier assaut sera le bon, en
juin : nouveau vote favorable des Cinq-Cents, le 9, ratifié à l'unanimité par les
Anciens le 27.
3. *Le Moniteur*, t. XXVIII, p. 622 (Conseil des Cinq-Cents, 16 mars). Dans
l'autre sens, le Directoire refuse, le 26 floréal an V (15 mai 1797), de promulguer
une loi adoptée par les Cinq-Cents, relativement aux conditions de tirage au sort
du directeur sortant, au motif que « cette loi ne lui paraissait pas constitutionnelle ». Il finit par s'incliner (G. LEFEBVRE, *La France sous le Directoire*,
op. cit., p. 269).
4. *Le Moniteur*, t. XXVIII, p. 622.
5. *Ibid.*, p. 623.

recommence aux Anciens, qui l'approuvent à leur tour, le 20 mars [1]. Le critère de constitutionnalité est devenu littéralement la pierre de touche du travail législatif, le signe de ralliement des législateurs, leur invocation rituelle. Sauf que ce beau légalisme n'aura eu qu'un court moment pour s'épanouir. Il ne tardera pas à être mis à rude épreuve. Les élections que redoutait le Directoire, à juste titre, tournent en faveur des royalistes. Trois des directeurs décident le coup de force contre leurs deux autres collègues et les Conseils. Arrêté au début de l'été, il est consommé le 4 septembre 1797. Élections cassées, épurations, déportations, retour de la censure, rétablissement de la loi du 3 brumaire, y compris les poursuites contre les prêtres réfractaires : l'enchaînement déstabilisateur des mesures d'exception est reparti. L'entrée dans la terre promise de l'ordre constitutionnel n'aura pas lieu.

Pendant ces premiers mois de 1797, où l'on dispute avec ferveur de constitutionnalité au sein du corps législatif, se tient à Vendôme, devant la haute cour de justice, le procès des babouvistes – du 20 février au 26 mai, très exactement. Rappelons que Babeuf et ses affidés avaient été arrêtés le 10 mai de l'année précédente, la formation du « directoire insurrecteur » remontant au 30 mars et la publication du *Manifeste des Égaux* au 6 avril. On est ici sur l'autre front du régime, celui de la lutte non pas contre la royauté, mais contre l' « anarchie », contre les nostalgiques et continuateurs de 1793. Un abîme s'est creusé entre le monde des ex-Conventionnels qui s'essaient à la légalité dans le respect du *statu quo* social et le monde des « patriotes » et « démocrates », comme ils s'intitulent eux-mêmes, qui entendent maintenir la flamme du mouvement populaire brisé en Prairial. Eh bien, si surprenante que la chose puisse paraître, on n'est pas sans retrouver à l'œuvre chez ces ennemis irréductibles de la République des propriétaires quelque chose des préoccupations qui hantent

---

1. *Ibid.*, pp. 627-628. Sur le serment dans les procédures électorales de la Révolution, cf. Patrice GUENIFFEY, *Le Nombre et la Raison. La Révolution française et les élections*, Paris, Éditions de l'E.H.E.S.S., 1993, pp. 265-271.

les tribunes officielles. Entre les Égaux et le personnel thermidorien, malgré tout ce qui les oppose, il y a une expérience historique commune, et les effets s'en font sentir, même s'ils s'expriment fort différemment chez les uns et chez les autres. Sans doute la première mesure du soulèvement projeté devait-elle être de rétablir la constitution de 1793 pour la promesse d' « acheminement à l'égalité » qu'elle portait. Mais lorsqu'on regarde d'un peu près la « législation définitive » qui devait la compléter, telle que les souvenirs de Buonarroti nous en restituent les contours, on s'aperçoit qu'elle introduit des tempéraments non négligeables dans l'exercice de la souveraineté du peuple. Le principe n'est pas en cause, au contraire. « Les projets du comité insurrecteur relativement à l'autorité publique », dit Buonarroti, « tendaient tous à assurer l'exécution du dogme fondamental : *le peuple délibère sur les lois*, consacré par la constitution de 1793, dont il forme le caractère distinctif »[1]. Simplement, pour assurer cette bonne exécution du principe, le comité multiplie des précautions et des innovations qui s'écartent sensiblement de la manière dont les législateurs de 1793 en concevaient, eux, la traduction et en particulier de l'image une et immédiate de la puissance souveraine qui les dominait. Ainsi propose-t-il, à côté des deux établissements prévus par le texte de 1793, les « assemblées de souveraineté » et l' « assemblée centrale des législateurs », la création d'un troisième, le « corps des conservateurs de la volonté nationale » – « un supplément, insiste Buonarroti, que le comité jugeait nécessaire »[2]. Comme l'indique son titre, le rôle principal de cette « espèce de tribunat », ainsi que le définit encore Buonarroti, eût été de « veiller à ce que les législateurs, abusant du droit de rendre des décrets, n'empié-

1. *La Conspiration pour l'égalité dite de Babeuf*, Paris, Éditions sociales, 1957, t. I, p. 190. Deux précisions : Buonarroti indique que presque tous les mémoires et projets relatifs à « la législation définitive de l'égalité » à laquelle le comité réfléchissait tout en préparant l'insurrection furent détruits au moment de la découverte de la conjuration. Ses souvenirs, dans leur approximation, ainsi qu'il le souligne lui-même, restent notre seule source. De surcroît, prend-il soin d'ajouter, « je suis loin de donner ces projets comme des points définitivement arrêtés » (*ibid.*, t. I, pp. 155-209). Tels, ils n'en sont pas moins instructifs.
2. *Ibid.*, p. 192.

tassent pas sur la puissance législative » ¹. En fait, les attributs
de cette tierce institution n'étaient pas complètement arrêtés.

S'il y avait unanimité sur le but – « tous reconnaissaient la
nécessité d'élever une digue contre la précipitation ou l'ambition d'une assemblée revêtue d'une grande autorité » –, le
désaccord persistait sur les moyens, rapporte toujours notre
mémorialiste. Les uns voulaient s'en tenir au classique appel
au peuple quand les autres voulaient donner davantage de
consistance intrinsèque aux décisions des conservateurs, et au
moins la faculté de suspendre les décrets en litige. Un débat
parfaitement rôdé et prévisible dans ses termes, qui n'a de
remarquable et d'inattendu que le lieu où il s'est transporté,
au milieu de ceux qu'on y eût cru les plus imperméables. On
peut en dire autant du projet de partage de l'assemblée centrale en deux sections, inspiré par la « crainte réelle des usurpations » ² – on voit à quel point les idées ont cheminé. Buonarroti dégage d'ailleurs la philosophie de ces dispositions
protectrices en un langage que n'eût point désavoué un zélé
partisan de l'équilibre, hier conspué avec la dernière énergie
chez les patriotes : « On apercevra aisément, écrit-il, que la
dispersion du pouvoir souverain en un si grand nombre
d'assemblées, a un grand avantage sur sa concentration en un
corps unique, plus exposé à devenir le jouet des factions et
d'une fausse éloquence. L'inconstance et la précipitation
reprochées aux démocraties ne sont plus à redouter, dans un
système où les délibérations passent par tant de degrés avant
d'être converties en lois ³. » Un langage d'autant plus frappant
que les principes qui justifiaient le resserrement du pouvoir
souverain autour d'un seul foyer n'ont pas varié. C'est parce
qu' « elle a pour appuis la simplicité des mœurs et l'uniformité des intérêts » que cette manière de former les lois est
« préférable à toute autre ». Cette homogénéité idéale du corps
politique appelait l'unicité de son expression ; elle autorise
dorénavant la diversité prudentielle des manifestations de sa
volonté. Encore les précautions ne s'arrêtent-elles pas là. Elles

1. *Ibid.*, p. 193. La puissance législative dont il s'agit est bien entendu celle
dont le peuple souverain ne saurait se dessaisir.
2. *Ibid.*, p. 194.
3. *Ibid.*

descendent jusqu'en bas, jusque dans les assemblées primaires ou « assemblées de souveraineté ». Chacune d'entre elle, à l'échelle de l'arrondissement, comporte un Sénat de vieillards, nommé par l'assemblée et destiné à éclairer ses délibérations par les avis de l'expérience et de la prudence. Car, « s'il est contraire aux droits imprescriptibles des peuples de les déposséder de l'exercice du pouvoir souverain, ou en les condamnant au silence, ou en soumettant à une sanction particulière les actes de leur volonté, il est juste et nécessaire, pour le maintien de ces mêmes droits, de les environner de lumières et de conseils, afin qu'ils ne prononcent que des décisions éclairées et utiles » [1]. Le corps des conservateurs de la volonté nationale (tiré des Sénats) ne forme ainsi que le couronnement d'un édifice de précautions qui, à tous les échelons, garantit la régularité et la sagesse des décisions collectives. Il est l'institution de dernier recours pour les cas où, en dépit de ces freins, l'assemblée centrale empiéterait « sur la puissance souveraine, en rendant sous la forme de décrets des actes législatifs contraires aux lois existantes » – « loi » devant s'entendre dans cette dernière occurrence comme loi constitutive. Il est l'organe du « jugement du peuple » au-dessus de ses délégués, toute la difficulté étant de savoir s'il se borne à le déclencher où s'il en exerce quelque chose lui-même par délégation. Non que le peuple détienne une toute-puissance infaillible. Il est des « points capitaux de droit naturel », comme l'égalité, que « le peuple lui-même ne peut ni violer ni modifier, parce qu'on ne saurait y toucher sans dissoudre à l'instant la société » [2]. Il n'est d'appel possible, en pareil cas, qu'au peuple contre lui-même, sous forme de résistance et d'insurrection. Où réapparaît le naturel d'une tradition très peu portée spontanément vers les moyens juridiques, mais au service d'une défense de la légalité fondamentale contre les possibles errements de la majorité du peuple en personne, perspective, elle, beaucoup moins ordinaire dans ladite tradition. Le raisonnement donne la mesure de l'incertitude quant aux voies de la politique implantée au cœur de la pensée, y compris la plus radicale :

1. *Ibid.*, p. 195.
2. *Ibid.*, p. 196.

l'expression du souverain est problématique par nature, elle est sous le coup de l'erreur et de la transgression jusque par rapport à ses propres fondements, elle demande des institutions et des procédures pour prévenir et redresser ses écarts. L'interrogation sur le tiers-pouvoir chargé de tenir les autres pouvoirs dans leur mission a rattrapé même les ultra-démocrates et les dévots de l'égalité réelle.

LE LABORATOIRE DES RÉPUBLIQUES-SŒURS

« Qu'est-ce que le 18 fructidor ? Tous les partis vont vous répondre, l'un : c'est une conspiration atroce déjouée ; l'autre : c'est un acte tyrannique d'une faction barbare. Moi, je répondrais : c'est l'effet nécessaire d'une mauvaise constitution, c'est le brisement d'une machine qui n'était pas calculée pour l'action [1]. » Le destin de ces lignes tranchantes dit tout sur le climat des deux années durant lesquelles la République thermidorienne va agoniser avant que le dénouement du 18 brumaire n'apporte le terme si longtemps cherché à une décennie de révolution. Elles sont écrites à l'automne 1798, avec le surcroît de désabusement amené par le coup d'État du 22 floréal an VI (11 mai 1798) par lequel le noyau directorial a rectifié, de nouveau, le résultat d'élections favorables cette fois aux Jacobins – « dans les circonstances actuelles, commente notre auteur, la balance des pouvoirs de notre constitution se fait par une révolution annuelle qui alterne entre les royalistes et les terroristes. Une année l'on tue les uns, une année l'on déporte les autres » [2]. Sur le fond, le propos est sans fard, mais il ne verra jamais le jour. Encore l'auteur, qui est Mme de Staël, en fonction de son dessein initial de publication, multiplie-t-elle les protestations de fidélité aux institutions, en renvoyant les conséquences de sa critique en règle de la constitution de l'an III à l'époque lointaine de la révision. Pour finir, en familière des allées du pouvoir, Mme de Staël

1. Mme DE STAËL, *Des circonstances actuelles qui peuvent terminer la révolution et des principes qui doivent fonder la république en France*, édition critique de Lucia Omacini, Paris-Genève, Librairie Droz, 1979, p. 179.
2. *Ibid.*, p. 162.

choisira de garder son livre et ses propositions par-devers elle. Sans doute nombre de réflexions du même ordre ont-elles dû connaître un sort analogue dans la période. Avec le 18 Fructidor, les faits ont parlé, les failles du mécanisme qui devait stabiliser le gouvernement représentatif sont à nu. Le problème constitutionnel est réouvert, et l'on retrouve dans la lice le cercle des initiés qu'on avait vus, dans l'été 1795, accompagner le travail de la Convention de leurs suggestions et de leurs critiques. Impossible, en même temps, de poser ouvertement le problème : les maîtres du régime assiégé s'y refusent avec la dernière intransigeance. Officiellement, « le chef-d'œuvre de la sagesse » reste au-dessus de toute remise en cause. Les timides pressions qui s'exercent à la tribune des conseils dans le sens de la réforme sont ignorées ou repoussées avec vigueur. La presse aux ordres fustige les novateurs et dénonce inlassablement les menées coupables de la royauté et de l'anarchie qui se dissimulent sous le masque des « changements à introduire dans la constitution ». Il y a donc toute une animation de coulisses autour du problème, qui nourrit les rumeurs, mais dont très peu transpire au-dehors – le sommeil auquel Mme de Staël abandonne le manuscrit des *Circonstances actuelles qui peuvent terminer la révolution* est à cet égard typique. C'est du côté des constitutions généreusement octroyées aux Républiques-sœurs qu'il faut aller chercher un écho public des évolutions et des solutions auxquelles on pense dans les cénacles autorisés [1]. Le régime s'en remet volontiers aux spécialistes, en effet, pour élaborer ou superviser les institutions républicaines qu'il distribue à travers l'Europe. Un personnage-pivot comme Daunou, ainsi, après avoir revu le projet de constitution de la République batave fin 1797, se retrouve législateur à Rome dans les premiers

---

1. Cf. les études de Raymond Guyot, « Du Directoire au Consulat. Les transitions », *Revue historique*, t. LXI, 1912 ; Albert Mathiez, « Saint-Simon, Lauraguais, Barras, Benjamin Constant, etc., et la réforme de la Constitution de l'an III après le coup d'État du 18 fructidor », *Annales historiques de la Révolution*, t. VI, 1929 ; Henri Grange, « Necker, Mme de Staël et la constitution de l'an III », in *Approches des Lumières, Mélanges offerts à Jean Fabre*, Paris, Klincksieck, 1974. Pour une vue d'ensemble, Jacques Godechot, *La Grande Nation. L'expansion révolutionnaire de la France dans le monde (1789-1799)*, Paris, Aubier, 1956.

mois de 1798. Cette réflexion de l'ombre, dont les rares témoignages suffisent à faire deviner qu'elle est intense, même si elle se cantonne dans un cercle de plus en plus restreint, n'éclatera au grand jour qu'avec le 18 Brumaire. Tout ce mouvement des esprits qui incube et fermente dans les parages du pouvoir sans passer dans l'expression publique trouve là d'un seul coup son débouché – encore que dans des conditions qui ne laisseront, tant à la confrontation des idées qu'à leur expression publique, que la portion congrue. Mme de Staël rapporte, à propos de l'ambiance fructidorienne, le mot d'un « homme d'esprit » qui pourrait bien être Daunou, justement : « En France, on ne permet qu'aux événements de voter [1]. » En l'occurrence, on les chargera aussi de penser.

Par rapport au point qui nous intéresse, on retiendra toutefois, au milieu de ces deux années d'obscurité confuse, trois signes qui attestent du travail continué de la question des moyens de retenir ou de contrôler les pouvoirs délégués. Il est clair qu'elle n'est pas immédiatement au centre de l'intérêt. La question pressante est celle des attributs de l'exécutif et des conflits avec le corps législatif auxquels sa faiblesse l'accule. Le thème n'en est pas moins toujours à l'œuvre, ne serait-ce qu'au titre des possibles remèdes à cette situation de discorde. On verra deux illustrations de son insistance dans la projection à la périphérie de la Grande Nation des questions constitutionnelles qui se posent en son centre. Mais on envisagera auparavant le traitement que lui réserve Mme de Staël, dont le point de vue a l'intérêt de nous transporter au centre du centre, au cœur du petit milieu où se retrouvent et se confrontent les autorités en la matière. Étant donné la place et le rayonnement de Sieyès dans ledit milieu, elle ne pouvait guère manquer d'évoquer ses propositions malheureuses au chapitre des moyens constitutionnels de fonder pour de bon la République. Et elle les évoque, en effet, avec un mélange caractéristique de révérence pour l'oracle et de réserve à l'égard de ses solutions. Hommage à la lucidité prémonitoire : « Sieyès avait si bien prévu les défauts de la constitution qu'il

1. *Des circonstances actuelles*, éd. citée, p. 157.

voulait prévenir par un jury constitutionnaire la lutte probable des deux pouvoirs. » Mais scepticisme vis-à-vis du moyen préconisé : « Ce jury étant lui-même éligible et temporaire eût été choisi d'après l'esprit dominant, et trois assemblées au lieu de deux se fussent réunies d'après l'impulsion du moment [1]. » Le principe de l'institution est toutefois récupéré. Mme de Staël suggère de réunir les attributions du jury « à la puissance du Conseil des Anciens », afin d'en faire un authentique corps conservateur. L'idée est de transformer le Conseil des Anciens en une chambre à vie où l'on réunirait « les principaux auteurs de la révolution ». Ainsi ceux-ci, avec leurs nouveaux pouvoirs, seraient érigés en gardiens de la République, la ruse suprême étant de « placer les principes démocratiques sous la sauvegarde des formes aristocratiques » [2]. Car seule une « institution aristocratique » peut convenablement accomplir une tâche de conservation. Les républicains ne savent qu'acquérir, ils doivent apprendre à maintenir en se mettant à l'école de leurs adversaires. « Il faut qu'ils adoptent quelques-unes des idées de l'aristocratie pour établir solidement les institutions populaires », appuie Mme de Staël, d'une thèse déjà croisée et dont on n'a pas fini de constater le rôle séminal [3]. La défense de la République ainsi assurée, il devient possible de rendre « la pleine liberté aux élections du Conseil des Cinq-Cents » sans craindre leurs conséquences pour la nature même des institutions. Il ne manque plus que d'ajouter aux prérogatives du Directoire le veto suspensif et le droit de dissolution pour que se trouvent rassemblées les conditions d'un fonctionnement régulier du régime représentatif.

C'est entièrement, en effet, sous l'angle de la logique de la représentation que Mme de Staël conduit son analyse, et c'est ce qui en fait le prix. La clé du problème de l'exécutif, c'est qu'il s'agit d'un pouvoir qui n'est pas moins d'essence représentative que le pouvoir aux décisions duquel il est censé être subordonné. « Un Directoire, dit-elle, se considérera toujours

1. *Ibid.*, pp. 162-163.
2. *Ibid.*, p. 174.
3. *Ibid.*, p. 164.

et doit se considérer comme représentant de la nation et non comme délégué du pouvoir législatif[1]. » Déplacement capital par rapport à la tradition révolutionnaire, auquel, dans le cas de Mme de Staël, le poids de la pensée de Necker n'est sûrement pas étranger. Mais un déplacement induit plus largement par les données de l'époque, puisque le jeune général Bonaparte l'enregistre au même moment, par ses moyens propres, dans une lettre confidentielle à Talleyrand. Il dresse pour commencer un implacable constat de carence : « Malgré notre orgueil, nos mille et une brochures, nos harangues à perte de vue et très bavardes, nous sommes très ignorants dans la science politique morale. Nous n'avons pas encore défini ce que l'on entend par pouvoir exécutif, législatif et judiciaire [...]. Depuis cinquante ans, je ne vois qu'une chose que nous avons bien définie, c'est la souveraineté du peuple ; mais nous n'avons pas été plus heureux dans la fixation de ce qui est constitutionnel que dans l'attribution des différents pouvoirs. L'organisation du peuple français n'est donc encore véritablement qu'ébauchée... » Il faut poser le problème tout autrement qu'on ne l'a fait. Le changement passe, en particulier, par une redéfinition de la représentation ; elle doit être saisie en bloc, avant tout découpage abstrait d'instances ou de fonctions : « Le pouvoir du gouvernement, dans toute la latitude que je lui donne, devrait être considéré comme le vrai représentant de la nation. » C'est seulement à partir de cette attribution première qu'on peut valablement procéder à une division des magistratures. Il en résulte un renversement de la prééminence au profit du pouvoir d'action, par rapport à « ce que nous appelons aujourd'hui pouvoir législatif », qui se trouve réduit au rang de « magistrature qui surveille et n'agit pas »[2]. Comme on peut le constater, la réévaluation de la nature de l'exécutif est à l'ordre du jour, en ces lendemains de Fructidor, et il est assez étonnant de voir celui qui sera le grand acteur et bénéficiaire de cette ressaisie de la représentation par l'action en formuler le principe deux ans à l'avance. Mais à partir du moment où

1. *Ibid.*, p. 181.
2. *Correspondance de Napoléon*, n° 2223, Paris, 1859, t. III, pp. 313-314.

l'on reconnaît de la sorte une fonction représentative à l'exécutif, la question des rapports entre les deux pouvoirs et du mode de résolution de leurs éventuels conflits prend une autre allure et s'éclairait pour ainsi dire d'elle-même. Puisqu'ils relèvent du même type de légitimité, il n'y a que leur source commune qui soit réellement en mesure d'arbitrer leurs démêlés. C'est vrai déjà dans les circonstances ordinaires : « L'opinion publique dans toute sa force, constate Mme de Staël, peut seule, dans un gouvernement libre, forcer l'un des pouvoirs à céder à l'autre, si par malheur ils diffèrent [1]. » *A fortiori*, quand le désaccord persiste et s'envenime, il ne saurait y avoir d'autre issue que de retourner devant le corps électoral. D'où l'importance stratégique du droit de dissolution, en lequel réside tout le secret de la puissance régulatrice cherchée en vain du côté d'une instance arbitrale. « Il faut que cette branche du pouvoir public [le Directoire] ait une manière d'en appeler au sentiment du peuple, si elle était en différend avec l'autre, et le véritable jury constitutionnel, c'est le seul pouvoir supérieur à tous les autres, la volonté du peuple exprimée par de nouvelles élections qui lui sont redemandées par le Directoire exécutif qui en appelle à lui de la conduite de ses représentants [2]. » Nous est livré ici le fond des réserves de Mme de Staël à l'égard de la formule de Sieyès : s'il est besoin, en effet, d'un arbitre, ce n'est pas une institution spécialisée qui peut trancher, la cause ne relève plus des pouvoirs délégués, quels qu'ils soient, mais du pouvoir source de toute délégation. Aux antipodes du recours chimérique à une magistrature à part, la procédure de dissolution rend le mécanisme de contrôle effectif en l'incorporant à l'économie normale des pouvoirs.

La formule a l'avantage technique, par rapport à la consultation directe du peuple sur les décisions litigieuses, d'être davantage conforme à la logique représentative : le peuple donne son sentiment au travers de la désignation de ses représentants, et c'est à ceux-ci de régler dans leur ordre le

---

1. *Des circonstances actuelles*, éd. citée, p. 181.
2. *Ibid.* La dissolution ainsi comprise exige, bien entendu, l'abandon du renouvellement partiel des assemblées au profit d'un renouvellement total.

ou les points de discorde. Elle a, par ailleurs, le considérable et double intérêt, d'abord de faire ressortir *a contrario* l'enjeu de cette quête obstinée d'un tiers-pouvoir arbitral, ensuite de mettre encore un peu plus à nu, du même mouvement, les difficultés inhérentes à sa définition. L'objection de Mme de Staël, si forte soit-elle, passe à côté de ce que cherchent en vérité les tenants d'une institution telle que le jury de Sieyès ; elle n'est pas de nature à mettre un terme à leurs efforts. Ils lui accorderaient sans aucune peine que « le seul pouvoir supérieur à tous les autres » est la volonté du peuple. Mais ce qu'ils poursuivent, c'est la mise en représentation de cette supériorité, son inscription à l'intérieur même de la sphère des pouvoirs délégués, comme si cette dernière ne se bouclait sur elle-même et n'atteignait sa forme pleine qu'à la condition qu'y soit figurée la suréminence du souverain sur ses mandataires. L'achèvement du mécanisme représentatif suppose la représentation de son dehors en son propre sein, sous les traits d'une instance chargée de relayer la puissance de dernier mot du peuple représenté. On conçoit à partir de là la précarité constitutive d'un tel pouvoir : il représente quelque chose qui ne peut pas être, à proprement parler, représenté. C'est ce que l'objection de Mme de Staël comporte de vérité. Si le pouvoir de dernier recours est la volonté du peuple, ce pouvoir, par définition, est fait pour s'exercer directement et non par procuration. Et, pourtant, on ne peut pas ne pas tenter l'épreuve. Il ne suffit pas que la possibilité d'un tel passage par la sanction du peuple en corps soit ouverte ; il faut encore que le principe de cette limitation des représentants soit en quelque manière incarné dans le dispositif institutionnel de la représentation. Mais on mesure les incertitudes qui en résultent quant au statut de cette institution-limite qui n'existe que pour renvoyer à une puissance qui la dénonce virtuellement elle-même. On entrevoit l'interminable querelle qu'elle est vouée à susciter. Elle s'installe au point de plus grande tension entre l'abstraction représentative et l'exigence représentative.

La constitution batave du 23 avril 1798 est le produit d'une longue et laborieuse gestation, entre une âpre discussion sur place, les effets de la tutelle directoriale et les contrecoups des convulsions politiques françaises [1]. Nous n'en retiendrons qu'un épisode, qui illustre davantage l'évolution des esprits à Paris que parmi les patriotes des Provinces-Unies. Un premier projet, arrêté le 10 novembre 1796, est rejeté par référendum le 8 août 1797. À peine la nouvelle Convention s'est-elle réunie, le 1ᵉʳ septembre, que survient, trois jours plus tard, le coup d'État du 18 fructidor. Il va durcir l'attitude des autorités françaises, restées jusque-là relativement discrètes dans leurs « conseils » et pressions intéressées en faveur d'un régime unitaire, puisque c'est là que se situe le principal du débat, entre « démocrates », soutenus par la France et partisans de la tradition décentralisatrice et fédéraliste. Le Directoire rappelle le représentant français, Noël, pour le remplacer par Delacroix, lequel arrive à La Haye dans les derniers jours de 1797. Il mènera rondement son affaire, avec l'aide d'un coup d'État, le 22 janvier 1798, qui donne opportunément le pouvoir aux unitaires, puisque à peine trois mois plus tard, le 17 mars, un nouveau projet est adopté, qui sera ratifié par référendum le 23 avril. Delacroix était arrivé pourvu, apparemment, d'un « modèle » amené de Paris, qu'après négociation et adaptations locales il renvoie au Directoire pour approbation. Parmi les Directeurs, c'est Merlin de Douai qui supervise les opérations, mais c'est Daunou, semble-t-il, qui a joué le rôle effectif d'expert-consultant [2]. La copie de travail qui figure dans ses papiers, et qui doit donc se situer à une étape de cette navette, entre la fin 1797 et le début 1798, comporte des annotations instructives qui méritent de nous

---

1. Outre Guyot et Godechot déjà cités, cf. D. R. C. Verhagen, *L'Influence de la Révolution française sur la première constitution hollandaise de 1798*, Utrecht, 1949, et en dernier lieu, L. de Gou (éd.), *De Staatsregeling van 1798. Bronnen voor de totstand koming*, La Haye, 1988.
2. Les Archives nationales possèdent deux copies du « Projet de constitution pour la république batave » (A.F. III 70, dossier 283, plaq. 2, papiers du Directoire, relations extérieures). L'une est manifestement une transcription au propre et l'autre une copie de travail, annotée de deux mains différentes, dont celle du rédacteur de la lettre d'envoi qui est un exposé des motifs. C'est un brouillon de cette copie de travail qui figure dans les papiers de Daunou, d'après lequel nous citons (mais les textes sont à quelques annotations près identiques). Sauf erreur, le rôle de Merlin de Douai, auquel R. Guyot attribue généreusement la paternité de l'ensemble (« Du Directoire au Consulat », art. cité) paraît s'être limité aux quelques interventions marginales qui enrichissent la copie Daunou.

retenir. Le conseiller-réviseur explique à l'usage de ses commanditaires qu'il a travaillé d'après trois sources : l'ancien projet de constitution batave, rejeté durant l'été 1797, la constitution française en vigueur, plus « quelques nouvelles idées » qui sont, comme il se doit, les plus intéressantes. L'intention générale est dans la droite ligne des soucis du moment : « On s'est appliqué à rendre au pouvoir législatif et surtout au pouvoir exécutif la puissance qui leur est nécessaire ; on eût fait peut-être davantage pour le dernier de ces pouvoirs si l'on n'eût craint de trop offenser des idées démagogiques qui paraissent très répandues et très accréditées dans la République batave [1]. » À défaut d'une panoplie complète, l'exécutif, qui s'intitule Conseil d'État, autre dénomination d'avenir, dispose de quelques armes offensives et défensives dont le Directoire français était dépourvu. Ainsi, à défaut de l'initiative des lois, possède-t-il la faculté de peser sur l'ordre du jour – « en tout temps, le Conseil d'État peut inviter la Grande Chambre à prendre un objet quelconque en considération » [2]. Dans l'autre sens, ses décisions sont protégées : « Le corps législatif ni aucune autorité ne peut casser les arrêtés du Conseil d'État [3]. » Mieux encore, il vérifie la forme constitutionnelle des lois avant promulgation : « Lorsque par l'examen du préambule d'un acte du corps législatif le Conseil d'État reconnaît que les formes prescrites par la constitution n'ont pas été observées, il renvoie la loi à la chambre des anciens en exposant le motif qui s'oppose à cette publication [4]. » Sans doute cette disposition représente-t-elle un pis-aller par rapport à une solution plus drastique devant laquelle notre expert a reculé, non sans regrets. Si la crainte des « démagogues » l'a limité en matière de renforcement de l'exécutif, explique-t-il, « on s'est abstenu à plus forte raison de proposer l'essai d'un jury constitutionnaire ; institution infiniment séduisante mais dont l'épreuve ne serait peut-être pas sans péril » [5]. La confidence laisse entrevoir que, sous la fidélité obligée au

1. Bibliothèque nationale, manuscrits, N.A.F. 21981, f° 519.
2. *Ibid.*, f°. 343.
3. *Ibid.*, f°. 175.
4. *Ibid.*, f°. 548.
5. *Ibid.*, f°. 519.

modèle de l'an III qui domine, malgré les correctifs, l'expansion constitutionnelle de 1797-1799 — dix constitutions en deux ans —, on songeait, chez les initiés, à de plus sérieux remèdes. Le cas de l'éphémère et tragique République parthénopéenne est tout différent. Ici, point de supervision depuis Paris, ou de législateur envoyé carrément sur place ; l'inspiration est entièrement autochtone. Le rôle de la France, décisif il est vrai, est borné à la fortune des armes. Pour le reste, la République napolitaine, quand elle est proclamée le 23 janvier 1799, le jour de l'entrée des troupes françaises, se gouverne par ses propres moyens. Elle possède, en la personne de Mario Pagano, son penseur-fondateur original. L'exemple n'en est que plus démonstratif. Car cette constitution librement élaborée contient la gamme complète de ces institutions dont nous avons suivi la trace et qu'on vient de voir un expert directorial renoncer à promouvoir. Elle comporte une *censure*, elle comporte un tribunal constitutionnel, sous le nom d'*éphorat*, et bien d'autres choses encore. Le caractère extérieur le plus frappant de l'œuvre de Mario Pagano réside dans le renouement nominal avec l'Antiquité, rarement poussé à ce degré, en dépit des rémanences constantes qu'on a pu constater. Athènes, Sparte et Rome se conjuguent dans les titres de la constitution napolitaine, sous l'égide, elle, spécifiquement moderne des droits de l'homme qui apportent à l'édifice la « base solide et immuable » qui faisait défaut aux républiques anciennes, comme le précise le Discours préliminaire [1]. Le pouvoir exécutif est exercé par cinq archontes, le législatif comporte un sénat, il y a aussi les préteurs dans la république, laquelle reconnaît par ailleurs le très contemporain principe de la gradualité des fonctions, cher au cœur de Sieyès et de ses fidèles. Et il est prévu, donc, au titre de « l'éducation et de

1. *Raccolta delle costituzioni italiani*, Turin, 1852, t. II, p. 54. Je remercie Marina Valensise d'avoir eu la gentillesse de me procurer ce texte. Sur l'ensemble des codifications italiennes, cf. C. GHISALBERTI, *Le costituzioni « giacobine », 1796-1799*, Milan, 1957. Sur Pagano en particulier, cf. Gisèle SOLARI, *Studi su Francesco Mario Pagano*, éd. par Luigi FIRPO, Turin, Edizione Giappichelli, 1963, en particulier « L'attività legislativa di Mario Pagano nel governo reppublicano del 1799 a Napoli », pp. 255-335.

l'instruction publique », un tribunal de censure de cinq membres par canton qui surveille les mœurs en général et les fonctionnaires en particulier. Un titre entier de la constitution, enfin, le titre XIII et avant-dernier, est consacré à la « garde de la constitution », avant les dispositions relatives à sa révision qui la clôturent selon l'usage. Cette garde est assurée par un corps d'éphores, au nombre de trente, renouvelé annuellement en entier par les assemblées électorales. Les éphores ne siègent que quinze jours durant leur année de mandat. Pour être concentrées dans le temps, leurs prérogatives n'en sont pas moins étendues. Elles tiennent en cinq points : les éphores examinent si la constitution a été conservée dans toutes ses parties ; ils vérifient que les pouvoirs se sont tenus dans leurs limites constitutionnelles ; ils les y remettent, le cas échéant, en cassant et annulant les actes en excès sur leurs attributions ; ils proposent au Sénat la révision des articles dont l'expérience a montré l'inadéquation ; ils réclament au Corps législatif l'abrogation des lois adoptées en contradiction avec les principes constitutionnels [1]. Sans doute est-ce précisément l'ampleur de ce contrôle qui a conduit à l'enfermer dans les limites d'une aussi brève session. On se trouve, en fait, devant un compromis entre la solution du tribunal constitutionnel et la formule des « conventions périodiques », telle qu'on en agitait l'idée en 1791, dans les derniers mois de la Constituante, compromis dicté par l'argument, central déjà chez les Constituants, de la paralysie que ne manquerait pas de créer l'institutionnalisation permanente d'une telle surveillance. Un signe de plus, s'il en était besoin, de la profondeur du sillon creusé par ces projets qu'on aurait tort de croire vains parce qu'ils n'ont pas abouti. C'est depuis une consécration sans lendemain comme celle que leur assurent les malheureux patriotes de Naples qu'il faut juger du retentissement, du rayonnement, de la maturation continue de ces idées inlassablement reprises et disputées au centre de la Grande Nation sans jamais se matérialiser. Mais cette fois,

---

1. Article 368 de la constitution. Le titre XIII, « Custodia della Costituzione », consacré aux attributions des éphores, ne comporte pas moins de trente articles (350 à 380), pp. 108-112 du recueil cité.

justement, les temps sont mûrs à Paris. Quand la République parthénopéenne s'effondre, après moins de six mois d'existence, en juin 1799, sous les coups de la révolte sanfediste, la République directoriale n'en a plus pour longtemps. Sieyès, élu Directeur en mai – tout un programme –, est rentré de son ambassade berlinoise le 9 juin. Dès le 18, il a tourné à son profit le coup de force annuel enclenché par les élections du printemps – un coup de force « jacobin », celui-là, des Conseils contre le Directoire. Le crédit des institutions est au plus bas. La voie est libre pour une révision à laquelle il ne manque plus que de trouver un bras armé. Les perfectionnements de l'art social, si longtemps tenus en échec par la routine et le préjugé, vont enfin pouvoir se concrétiser. Sauf que ce sera dans une version et dans des conditions qui rendront rétrospectivement leur quête inintelligible et dérisoire.

« REVENIR AUX IDÉES DE 1789 »

À la lumière du 18 Fructidor et de ses suites, l'échec de Sieyès en l'an III est devenu un brevet supplémentaire de génialité. La marche des événements a confondu ses détracteurs. Jamais son prestige d'augure constitutionnel n'a été aussi grand. Jamais l'attente à l'égard de ses lumières n'a été aussi forte. Elle est d'autant plus vive que la passion pour la chose publique s'est à peu près éteinte. Finie l'époque de la mobilisation des énergies autour des matières de gouvernement, des projets qui déferlent, des brochures qui se multiplient. Revenu de tout, recru d'aventures et de promesses aussitôt démenties, le pays qui pense s'en remet au talent d'exception de penser pour lui. En cet automne 1799, Sieyès, pour la première fois depuis 1789, est en position de dicter sa loi. Il y a deux hommes vers lesquels se portent tous les suffrages, deux hommes providentiels auxquels le pays est prêt à se confier, l'un, Bonaparte, « la gloire de la Nation », de retour d'Égypte, pour occuper le pouvoir, l'autre, Sieyès, pour concevoir les formes dans lesquelles ce pouvoir doit être organisé. Or, si l'un est décidé à tenir sa place, toute sa place, l'autre n'est pas prêt, en réalité, à remplir le rôle qu'on espère de lui. L'oracle est défaillant. La formule institutionnelle miracle, que tant d'années d'épreuves et de méditation faisaient croire disponible sur simple demande, n'est pas au rendez-vous. Cruel moment de vérité et mystère d'un homme manifestement ordonné pour l'échec, alors que toutes les conditions d'une revanche éclatante sur l'incompréhension étaient réunies, c'est l'inaboutissement qui l'emporte. Les vues que Sieyès se laisse arracher s'avèrent, en leur systématisme décousu, selon l'inimitable manière du maître, d'une complexité ésotérique aussi déroutante qu'à l'ordinaire et d'une praticabilité aussi incertaine. Il a, d'autre part, en face de lui un partenaire à l'esprit aussi positif que prompt, point décidé à s'en laisser compter, et qui n'aura pas grand-peine à satisfaire sa soif d'autorité en se taillant dans le dispositif imaginé par son trop confiant associé un emploi à sa mesure. De sorte que, si la langue et la machinerie visible des institutions de l'an VIII sont celles de Sieyès, c'est une âme tout autre qui est venue se greffer sur ce corps. Extérieurement, le résultat ressemble à l'aboutissement de la longue quête des moyens de stabiliser la constitution représentative. En particulier, le fameux pouvoir conservateur tant attendu se trouve pour la première fois solennellement reconnu et intronisé. Huit jours avant le 18 brumaire, l'influente *Décade philosophique*, l'organe des Idéologues, notait l'unanimité désormais régnante autour de l'idée : « Tout ce qu'il y a de bons esprits en France ont reconnu la nécessité d'un pouvoir conservateur qui, semblable à la clé d'une voûte, retiendrait dans sa place chaque partie de l'acte constitutionnel [1]. » Unanimité victorieuse, mais seulement en apparence. Car l'intime vérité des institutions, qui ne tardera pas à éclater au grand jour, réside non pas dans l'accomplissement, mais dans la clôture et la disqualification de cette recherche de la bonne forme du pouvoir républicain. Les oripeaux de la République conservatrice dissimulent, et pour peu de temps, l'irrésistible émergence d'une légitimité antinomique – la résurgence, en réalité, sur les ailes du génie des armées, du pouvoir en personne, de la légitimité

1. *La Décade philosophique*, 10 brumaire an VIII, p. 249.

incarnée, de la matérialisation du collectif dans un homme. Aux antipodes de l'impersonnalité républicaine, Bonaparte réinvente et réintroduit le principe monarchique, en ce qu'il a de plus profond, à l'intérieur du cadre de droit qui semblait devoir le plus l'exclure : car c'est au titre de représentant de la Nation, lui aussi, qu'il personnifie le pouvoir, et même de représentant plus « représentatif » que ses antécédents élus dans les formes. Où l'on découvre que la légitimité représentative, ce peut être aussi bien la légitimité plébiscitaire qui trouve à se projeter dans un individu que l'anonyme légitimité républicaine qui ne désigne des individus que pour les dissocier de leurs fonctions. Une très encombrante découverte, destinée à demeurer la croix du monde démocratique, et dont nous n'avons toujours pas fini d'apprivoiser les conséquences. Un séisme historique, en tout cas, qui non seulement arrête et clôt l'errance révolutionnaire, mais renvoie au dérisoire ces spéculations tâtonnantes sur les moyens d'assurer la bonne marche du régime représentatif, alors pourtant qu'elles fournissent l'habit dans lequel le nouveau surgit enveloppé. Dans le moment même où ces institutions recherchées et prônées en vain depuis tant d'années finissent par s'imposer, elles se transforment en curiosités plus ou moins aberrantes d'une époque révolue, elles basculent dans l'inintelligible au regard de la postérité.

La grande question qui obsède les têtes politiques, en l'an VIII, est celle des élections. Une question point prévue par la théorie, mais douloureusement dictée par l'expérience des remises en cause annuelles du régime à chaque retour du suffrage. Entre la pression royaliste et les poussées jacobines, la République bourgeoise s'avère incapable d'intégrer les courants profonds qui travaillent l'opinion. C'est tout le secret de son échec politique, que la faiblesse de ses institutions ne fait qu'amplifier. À défaut d'une impossible ouverture politique, il reste la fuite en avant dans la sophistication institutionnelle. C'est la voie où s'engage Sieyès. La difficulté est de nature à stimuler l'imagination du théoricien. Comment sauver le principe représentatif tout en se débarrassant des élections ? Tel est devenu à peu près le problème à ses yeux. C'est autour de la résolution de cette intéressante quadrature du cercle que gravitent les vues de Sieyès sur « l'organisation de l'établissement public » à l'époque de Brumaire. Pour relever le défi, il est amené à remanier l'ensemble de son système, y compris son projet de jury constitutionnaire, qui acquiert un rôle encore plus important dans la version nouvelle. Ce seront les ultimes perfectionnements de l'art social.

« Il faut en revenir aux idées de 1789 », dicte-t-il à son confident Boulay de la Meurthe, truchement bénévole de l'oracle, qui a entrepris de l'accoucher du secret constitutionnel qu'il est supposé détenir [1]. Et c'est en effet l'opération à laquelle il se livre. Sieyès retourne à son idée initiale de la représentation-incorporation pour la durcir encore et la pousser à ses dernières conséquences. « Le peuple dans son activité politique n'est que dans la représentation nationale ; il ne fait corps que là [2]. » C'est par la représentation que le peuple existe comme corps politique. Il ne saurait donc ni être dit lui préexister, ni posséder une expression à part d'elle. « Hors de l'élite représentative, nul n'a le droit de représenter, nul n'a le droit de parler au nom du peuple [3]. » Il y a quelque chose de fascinant, plus de cinq ans après le régicide, à voir Sieyès mobiliser dans ses notes les schèmes éprouvés de l'organologie monarchique pour étayer cette philosophie de l'absorption-

---

1. *Théorie constitutionnelle de Sieyès. Constitution de l'an VIII. Extraits des mémoires inédits de Boulay de la Meurthe*, Paris, 1836, p. 5. Le récit de Boulay sur les conditions dans lesquelles il a obtenu de Sieyès qu'il lui dicte les « quelques idées qu'il avait dans la tête », à défaut de la « constitution toute prête » que chacun attendait, est justement célèbre. En réalité, il n'existe pas moins de cinq comptes rendus différents de ce qu'étaient les projets de Sieyès : outre celui de Boulay, celui que donne un article du *Moniteur* du 10 frimaire an VIII, celui que rapporte MIGNET dans son *Histoire de la Révolution française* (Paris, 1836) d'après le témoignage de Daunou, celui que livre un texte de RŒDERER, en plus de ses Mémoires, « Organisation d'un gouvernement représentatif » (Arch. nat., AB XIX 1919), celui enfin que comportent les *Mémoires* de FOUCHÉ (nouvelle édition par Michel Vovelle, Paris, Imprimerie nationale, 1993). Ces comptes rendus sont commodément réunis, comparés et analysés dans un mémoire inédit de Paul GAUCHER, *Les Projets constitutionnels de Sieyès et la constitution de l'an VIII*, Paris, Institut d'Études Politiques, 1955. Je privilégierai le témoignage direct des papiers de Sieyès, qui ne lève pas toutes les incertitudes, il s'en faut, ni ne répond à toutes les questions.
2. Arch. nat., 284 AP 5 (2).
3. BOULAY DE LA MEURTHE, *Théorie constitutionnelle, op. cit.*, p. 6.

substitution représentative. « Organiser le peuple, c'est donc le dégrader, c'est créer deux corps pour faire la même chose, c'est chose contradictoire [1]. » Le peuple n'est pas séparable de la représentation, il n'y a pas de sens à l'en dissocier pour l'y comparer, *a fortiori* pour le déclarer supérieur [2]. De cette pensée radicale de l'unité découle en pratique la reconnaissance d'une dualité : dualité entre la « partie gouvernante » et la « partie gouvernée » de la nation, comme traduit Boulay, dualité entre le « haut » et le « bas » de l'établissement public, pour coller de plus près au langage de Sieyès. Il serait absurde d'imaginer un engendrement du pouvoir représentant par le corps politique, ou un transfert de pouvoir, puisque c'est le pouvoir représentant qui fait être le corps politique. Le pouvoir est par conséquent en un sens toujours déjà donné. Le processus représentatif ne consiste pas à le créer de toutes pièces, mais à le mettre en correspondance avec la nation, dans un double mouvement d'aller et de retour, de montée et de descente, grâce auquel la nation investit le pouvoir de représentativité, tandis que la représentation donne voix à la nation. L'idée d'un tel dédoublement des « fonctions ascendantes et descendantes » est ancienne chez Sieyès, puisqu'on la trouve à l'œuvre sous sa plume dès juillet 1789 [3]. Mais c'est dans le cadre de cette ultime refonte qu'elle déploie toutes ses virtualités. Ce sont les célèbres formules : « la confiance vient d'en bas », alors que « l'autorité vient d'en haut » ; ou, dans une version plus développée : « Nul ne doit être revêtu d'une fonction s'il n'a la confiance de ceux sur qui elle doit s'exercer. Mais aussi, dans un gouvernement représentatif, nul fonctionnaire ne doit être nommé par ceux sur qui doit porter son

---

1. Arch. nat., 284 AP 5 (1).
2. « Si le corps représentatif, au lieu d'être le corps de l'établissement public tout entier, n'est que la tête du peuple, le peuple sera donc un corps sans tête dès que vous le comparerez à sa représentation. Que, de son côté, sera une tête sans corps ? Mais enfin, l'un avec l'autre sont un corps complet. Pouvez-vous dire alors qu'une partie du corps est supérieure à l'autre, ou que le peuple est seul souverain, et souverain de ses représentants qui ne sont représentants que du corps sans la tête, puisque c'est eux qui forment la tête ? » (Arch. nat., 284 AP 5 [1]).
3. Dans la brochure intitulée *Quelques idées de constitution applicables à la ville de Paris*, Versailles, 1789, p. 19 et p. 23 sq.

autorité. La nomination doit venir des supérieurs qui représentent le corps de la nation [1]. »

Ce qu'il faut bien comprendre, encore une fois, c'est que ce dédoublement s'inscrit dans le droit fil de la pensée la plus constante de Sieyès sur la représentation. Il procède de sa pure et simple radicalisation à l'épreuve des événements, et il en éclaire fortement en retour les attaches et la teneur véritable. Une fois acquis, donc, le principe de ce partage entre « échelles ascendantes » et « échelles descendantes » – partage au service de l'*unité* du corps politique –, les difficultés les plus insolubles en apparence se dissipent d'elles-mêmes. L'essence du régime représentatif apparaît enfin pleinement pour ce qu'elle est, moyennant la conciliation entre la démocratie *à la base* et la représentation *au sommet*. Car Sieyès y insiste, en des formules destinées à demeurer énigmatiques si l'on n'a pas reconstitué la chaîne de son raisonnement : « Démocratie, base du système représentatif et de l'établissement public. Le gouvernement élevé sur cette base est nécessairement représentatif et ne doit pas ressembler à la base [2]. » Il n'y a pas qu'une simple opposition entre les deux régimes. La supériorité du gouvernement représentatif est précisément d'intégrer la démocratie comme l'un de ses moments et de la dépasser, dans un renversement de la base et du sommet qui rend l'autorité vraiment nationale et vraiment efficace [3]. Ce n'est qu'à cette condition que se trouve assurée l'exacte correspondance entre le point de départ du processus politique – « tous les citoyens » – et son point d'arrivée – « tous les habitants » [4].

En pratique, cela veut dire que l'exercice de la souveraineté du peuple doit être dissocié d'une grossière procédure électorale dont tout le principe consiste à méconnaître la discontinuité et la dissemblance qui interviennent nécessairement

1. Arch. nat., 284 AP 5 (2).
2. BOULAY DE LA MEURTHE, *Théorie constitutionnelle, op. cit.*, p. 5.
3. En effet, dit Sieyès, « le gouvernement est essentiellement national et non local : il tombe de la représentation nationale qui est le peuple représenté, il ne vient pas du simple citoyen, puisque celui-ci n'a pas le droit de représenter le peuple ni de pouvoir en son nom » (Arch. nat., 284 AP 5 [2]).
4. Ce sont les expressions de SIEYÈS dans un « Tableau des échelles ascendantes et descendantes » (Arch. nat., 284 AP 5 [2]). Elles indiquent bien le repli circulaire du corps politique sur lui-même qu'il s'agit d'opérer.

entre la base et le sommet, ce moment d'inflexion où le mouvement ascendant se renverse en mouvement descendant. À la vulgaire et trompeuse désignation par le suffrage, Sieyès substitue une invention de son cru, supposée concrétiser cet achèvement procédural de la « république représentative » : le système des « listes de confiance et de notabilité ». La formation de la représentation nationale se déroule en deux phases bien distinctes.

Une phase qu'on peut dire à bon droit démocratique, puisque le peuple y dégage de lui-même, sans aucune condition restrictive, la part de lui-même qu'il juge la plus apte à le gouverner – « quelqu'un ayant demandé que les listes de notabilité fussent réglées sur un tarif des fortunes, relate significativement Boulay, Sieyès s'y opposa fortement, en disant que cette idée était *aristocratique*, et que la sienne était seule vraiment républicaine »[1]. Le mécanisme comporte plusieurs échelons, pour des motifs à la fois de praticabilité, de précaution et de fonctionnalité, puisqu'il ne s'agit pas seulement de désigner ceux qui sont susceptibles d'occuper les emplois de représentants nationaux, mais par la même opération l'ensemble de ceux qui sont susceptibles de remplir des fonctions publiques aux différents niveaux, la commune (les grandes communes que Sieyès voulait en 1789 et qu'il ramène à cette occasion), le département et la nation. Il existe donc trois degrés, et trois types de listes, obtenues par réductions, épurations et concentrations successives, mais l'esprit « démocratique » d'autodésignation reste identique tout au long de ce processus de fractionnement. La seconde phase, la phase qui correspond au génie propre du système représentatif est placée, elle, au contraire, sous le signe de l'hétérodésignation. On peut la dire la phase élective au sens strict, celle au cours de laquelle sont nommés les titulaires des emplois, sur la base, certes, des listes de notabilités déjà formées, mais par un acte de choix qui tombe d'en haut, conformément à la précellence de la nation sur les simples citoyens. C'est ici qu'on retrouve l'ex-jury constitutionnaire, devenu *Collège des conservateurs*, dans un rôle décisivement élargi. C'est lui, en effet, qui, en sus de ses attributions antérieures,

1. Boulay de la Meurthe, *Théorie constitutionnelle, op. cit.*, p. 15.

forme l' « assemblée électorale », dite encore la « puissance électorale unique ». Si l'on suit l'exposé de Boulay, il est comme la pointe extrême de la phase démocratique de distillation de la partie gouvernante et, à ce titre, le point d'inflexion du processus, le lieu où le mouvement ascendant se retourne en mouvement descendant : « ... Ce collège étant composé de ce qu'il y avait de plus pur dans la liste nationale, laquelle était elle-même le produit de trois épurations successives, on devait le considérer comme un corps véritablement représentatif de toute la France, et le plus capable d'en maintenir l'unité et d'en exprimer les vœux qui ne pouvaient jamais être que conformes à l'intérêt général [1]. » Depuis ce « sommet de la hiérarchie politique », où la démocratie se transmue d'elle-même en représentation, les conservateurs choisissent les « représentants dans l'ordre législatif » sur la liste nationale de six mille noms qu'ils ont préalablement établie et promulguée. Ils désignent également leur équivalent dans l'ordre exécutif, la « puissance électorale » en la matière, que Sieyès appelle le « Grand Électeur ». Il y a sur ce point un flottement ou dans nos informations ou dans la pensée de Sieyès, qui n'est pas tout à fait sans intérêt. Par un côté, dans la ligne de son inspiration de toujours, il entend séparer rigoureusement les fonctions législatives et les fonctions exécutives (afin de permettre leur conjonction à un niveau supérieur). En même temps, de l'autre côté, il a le souci de la cohérence pyramidale de sa construction. D'où une tension irrésolue, chez ses auditeurs ou chez lui. Tantôt le rôle du Collège des conservateurs est présenté comme se bornant à investir le Grand Électeur, lequel existe et fonctionne ensuite indépendamment de lui pour nommer les deux consuls, les ministres, les ambassadeurs, etc. [2]. Tantôt le Grand Électeur est donné pour président du Collège des conservateurs [3]. La dyarchie électorale se combine alors avec l'unité de la terminaison en pointe de l'établissement public. Ce qui concorde avec les nombreux schémas que nous montrent les papiers de

1. *Ibid.*, p. 36.
2. C'est le cas chez Boulay.
3. C'est le cas chez Rœderer (point confirmé par Miot de Melito ; cf. Paul BASTID, *Sieyès et sa pensée*, Paris, Hachette, 1939, p. 433 et p. 645).

220   La Révolution des pouvoirs

Sieyès, où il s'efforce, au fil d'un tâtonnement obsessionnel, de faire entrer sa pensée dans la forme d'une pyramide. Au sommet, la source unique du droit – le plus développé de ces croquis étage ainsi successivement la constitution dont le jury est le gardien, les droits de l'homme dont la constitution procède, et les lois naturelles, enfin, qui dominent et engendrent à leur tour les droits de l'homme [1]. À la base, la totalité des citoyens-habitants. La forme pyramidale permet de figurer l'enserrement du processus représentatif et de son double mouvement d'ascension et de descente à l'intérieur des « limites constitutionnelles » dont les conservateurs, tête de l'établissement public en tant qu'organe tangible du droit fondateur, sont les dépositaires en même temps qu'ils sont les détenteurs de la puissance électorale au nom du peuple.

Quoi qu'il en soit de cette incertitude quant à l'ajustement du Grand Électeur et du Collège des conservateurs, la démarche qui préside à la définition de l'une et l'autre autorité est, elle, parfaitement claire. Elle relève, d'une part, de la systématisation de vues antérieurement esquissées par Sieyès, à propos, par exemple, de son Monarque-Électeur de 1791, ou bien à propos de la nécessaire distinction entre le gouvernement et le pouvoir exécutif en 1795 [2]. Elle procède, d'autre part, du souci nullement nouveau, mais devenu délibéré et méthodique, de renouer la continuité des temps et de recomposer à l'intérieur de la République les offices indispensables que remplissaient la royauté et l'aristocratie au-delà de leurs abus [3].

1. Arch. nat., 284 AP 5 (1). C'est un schéma de cet ordre que reproduit MIGNET, d'après Daunou, dans son *Histoire de la Révolution française, op. cit.* On voit l'origine du flottement : en termes stricts de hiérarchie politique, c'est le Grand Électeur qui est premier, en termes de principes, c'est le droit et le relais par lequel cette source perfuse dans le corps social, donc le Collège des conservateurs.
2. Cf. ci-dessus p. 158 pour 1791 (la polémique avec Paine) et p. 162 pour 1795 (la constitution de l'an III).
3. L'idée remonte loin chez Sieyès, puisqu'on la trouve ébauchée dans des notes très antérieures à 1789. « Les trois formes monarchie, aristocratie et démocratie, plus ou moins modifiées, se réunissent dans la vraie constitution », affirme-t-il dans l'une d'entre elles. Cela, si on le comprend bien, au titre de la diversité des formes et des fonctions de la représentation. Il doit y avoir une représentation honorifique de la majesté nationale, une représentation législative des volontés publiques et une représentation administrative de l'action (Arch. nat., 284 AP 3 [2]).

Dans les deux cas, l'idée est de suspendre le fonctionnement des pouvoirs à des autorités qui lui restent extérieures : elles mettent les pouvoirs en branle en désignant leurs titulaires, elles les encadrent, elles veillent à leur bonne marche, mais elles ne participent d'aucune manière à leurs opérations. Elles ne se contentent pas d'exercer un contrôle ou de marquer un arrêt : elles créent littéralement ces pouvoirs qu'elles tiennent en tutelle sans y participer.

Le Grand Électeur, ainsi, « imprime le mouvement à la machine exécutive et lui donne l'unité, étant indépendant et placé au-dessus des passions particulières et de l'intérêt des factions, il choisit et destitue les gouvernants et les ministres sous la seule influence de la raison et de l'opinion publique bien constatée ». Pour autant, « il surveille, mais il ne gouverne pas », même si « on gouverne, on exécute sous son nom, on lui rend compte ». Sieyès ajoute en somme un étage supplémentaire à la séparation du gouvernement comme pensée (représenté en l'an VIII par les deux consuls et les Conseils d'État dont ils sont flanqués) et l'exécutif comme action qu'il proposait en l'an III. Le Grand Électeur incarne la puissance supérieure de réflexion qui confère à cette dissociation entre l'idée et l'acte sa pleine portée opératoire. Paradoxalement, son impotence au milieu de la puissance est ce qui le constitue en représentant, comme Sieyès l'indique d'une sentence bien dans sa manière, aussi aiguë que cryptique. La proposition première est dans la ligne d'une thématique antérieure dont l'intelligence ne soulève pas de difficulté ; c'est son réemploi qui appelle l'attention. Le Grand Électeur, explique Sieyès, « est le représentant de la majesté nationale, au dedans et au dehors ». Suit une notation, elle, en revanche tout à fait énigmatique : « ... et comme le peuple n'exerce aucun droit exécutif, il n'en exerce lui-même aucun [1]. » Comme s'il s'établissait une correspondance ou une consonance entre la base et le sommet de par l'absence d'action des deux puissances qui sont en même temps, directement et indirectement, à l'ori-

---

1. L'ensemble des citations concernant le Grand Électeur sont tirées des « Observations constitutionnelles dictées au citoyen Boulay de la Meurthe », Arch. nat., 284 AP 5 (2).

gine de l'action politique. C'est dans la mesure où il ne gouverne pas, tout en étant l'âme tutélaire du gouvernement, que le Grand Électeur fournit une représentation adéquate de la capacité politique du peuple : il en figure la supériorité de principe et le dessaisissement effectif par rapport aux pouvoirs délégués. Comme s'il était besoin d'une *mise en scène* institutionnelle de la prééminence du peuple souverain sur les pouvoirs dont il remet l'exercice, et comme si c'était dans cette figuration que consistait la vérité du mécanisme représentatif, beaucoup plus que dans de rustiques procédures électorales. La suggestion donne à penser. C'est la même distance par rapport à l'immédiat des affaires, suppose-t-on, qui qualifie le Grand Électeur pour rendre sensible la « majesté nationale » : son attitude le range naturellement du côté de « la Nation qui reste » aux dépens des « générations qui passent ». Une prérogative qu'on aurait tort de prendre à la légère. Elle occupe une place d'importance dans l'esprit de Sieyès. « La primatie nationale, dit-il, est une qualité qu'il est bon de faire représenter [1]. » La supériorité de la royauté, telle qu'il la défend en 1791 contre Paine, est précisément à ses yeux de donner corps à cette « primatie de tous sur chacun ». « La monarchie, expose-t-il dans une note, est établie pour conserver une égalité que l'on ne peut obtenir dans les Républiques. Elle est le véritable frein de l'inégalité. Elle dit : à quelque hauteur que tu t'élèves, il y aura toujours l'intérêt social au-dessus de toi. Il n'y a qu'une inégalité légale, celle de tous sur chacun et celle-là est représentée sur la personne du prince [2]. » Et il ne s'agit pas que d'une propriété symbolique. Il s'ensuit une conséquence politique de première grandeur que ramasse une maxime de Pline régulièrement invoquée par Sieyès : « Ayons un roi pour nous sauver du péril d'avoir un maître. » En tant qu'il représente la majesté de la nation, le roi est « l'éteignoir de toutes les ambitions », celui qui signifie à « l'orgueil le plus exalté » qu'il est une hauteur à laquelle nul autre parmi les citoyens, quelque riche, quelque grand qu'il soit, ne saurait s'élever. Sans doute le Grand Électeur n'est-il pas roi, Sieyès

---

1. Arch. nat., 284 AP 3 (2).
2. Arch. nat., 284 AP 5 (2).

prend la peine de le stipuler vigoureusement. Mais il remplit dans le cadre de la République la fonction de verrouillage par la majesté qui s'attachait à la personne du roi : « Il prévient et neutralise par sa seule existence toute ambition dangereuse dans les gouvernants ou dans tout autre citoyen [1]. » Car si la République veut vivre, il faut qu'elle dérobe à la monarchie le secret de ce qu'elle comportait de force.

De la même façon, il appartient au Collège des conservateurs de recréer un équivalent de l'ancienne influence aristocratique. À l'exemple du Grand Électeur, il s'agit d'un pouvoir hors pouvoirs, d'une institution exclusivement chargée d'assurer l'existence des autres institutions : « Ce Collège n'est rien dans l'ordre exécutif ; rien dans le gouvernement ; rien dans l'ordre législatif. Il est parce qu'il faut une magistrature constitutionnaire, un régulateur entre les grandes autorités indépendantes [2]. » Mais dans les frontières de cette ineffectivité au regard des pouvoirs efficients, ses attributs se sont singulièrement élargis depuis l'embryon de 1795 qui, pourtant, semblait déjà monstrueux à beaucoup. Le gros du changement tient, bien sûr, à la révision copernicienne du régime du suffrage qui concentre en lui la puissance électorale de toute la nation. Puisque les députés sont les représentants, non du département particulier qui les a nommés, mais de la nation entière, pourquoi ne pas faire procéder à leur désignation par une assemblée électorale unique, qui donnera une image beaucoup plus fidèle des enjeux de l'opération que la dispersion en assemblées sectionnaires fatalement grevées par l'esprit de localité, dès lors que cette assemblée unique est elle-même formée selon des voies qui en font un condensé insoupçonnable de la nation et qu'elle respecte l'indépendance de la représentation nationale proprement dite ? Le même argument qui avait servi en juin 1789 à proscrire les mandats impératifs sert en novembre 1799, dans une exploitation hyperbolique, à justifier la dépossession des citoyens au profit d'un substitut de corps électoral, comme s'il fallait mettre la capacité de désigner des représentants à son tour en représen-

1. *Ibid.*
2. *Ibid.*

tation [1]. Le Collège des conservateurs, soulignons-le, en effet, se trouve exactement dans la même position d'extériorité que le peuple vis-à-vis du pouvoir législatif : il le nomme et il le surveille, mais il ne se mêle pas de son travail. En quoi il est le symétrique, de nouveau, du Grand Électeur : il représente à l'intérieur des institutions leur principe extérieur, il met en scène à la place du peuple le fait que le peuple est la source et la fin de tout pouvoir. Une telle assemblée ne saurait naturellement procéder elle-même de l'élection et être soumise à un renouvellement périodique, comme l'était le jury constitutionnaire de l'an III. Sieyès franchit le pas et compose carrément son Collège de membres à vie, interdits de toute autre fonction, afin de rendre encore plus éclatante leur « consécration perpétuelle au bien public ». Les conservateurs formant le point de rebroussement où la distillation progressive de la confiance engendre l'irrésistible élixir de l'autorité, ils se choisissent eux-mêmes par cooptation. Et sur la base de cette faculté, Sieyès leur accorde la disposition d'une arme pacifique, mais infaillible, pour contrer les désordres de la popularité et les menaces de l'ambition : le droit d'absorption, qui leur permet d'appeler à l'instant parmi eux quiconque leur paraît dangereux pour la marche régulière des affaires publiques. L'instrument est braqué au premier chef sur le Grand Électeur : il est le moyen de contrôle et de garantie des conservateurs à son égard. Mais il est d'une application générale : il prévient de manière honorable et paisible les périls que l'exception personnelle fait courir au règne des lois, qu'elle procède de la démagogie ou qu'elle découle du génie. Sieyès livre une indication intéressante sur la provenance du système. « Cet appel dans le Collège, commente-t-il, remplace tout ce qu'il pouvait y avoir de bon dans l'ostracisme des anciens [2]. » Comme s'il s'était agi de recueillir et de fondre l'ensemble des mécanismes protecteurs consacrés par les différentes législations, tout en les rendant conformes aux exigences actuelles de l'art social. Le progrès est notable : au lieu d'exclure, on neutralise en incluant.

---

1. Voir BOULAY DE LA MEURTHE, *Théorie constitutionnelle, op. cit.*, pour un exposé des idées de Sieyès sur la question.
2. Arch. nat., 284 AP 5 (2).

Ainsi pourvu, le Collège des conservateurs est véritablement érigé en « surveillant de tous les pouvoirs », en sus de ses fonctions électorales et constitutionnelles [1]. Encore son rôle ne s'arrête-t-il pas là. Il est doté de surcroît d'un pouvoir de *censure*. Il est censeur au sens étroit et négatif, dans le cadre de ses prérogatives électorales ; lorsqu'il dresse la liste nationale des notabilités, « en effaçant les choix que l'intrigue, la corruption ou l'insouciance auraient pu faire ou laissé faire » [2]. Mais il l'est surtout au sens large et positif de formateur de l'esprit public. Sieyès entend lui voir jouer en ce domaine un rôle d'entraînement capital. Conserver un régime, explique-t-il, demande d'abord d'en imprimer les valeurs dans les âmes : « Dans tous les États constitués suffisamment pour conserver leur existence, il est dans l'établissement public, et surtout au premier grade de cet établissement, une puissance morale qui, par son influence sur les mœurs, l'esprit et même les modes, contient tous les mouvements particuliers dans une sphère déterminée et empêche les écarts des ambitions désordonnées. » Dans les républiques anciennes, cette puissance reposait sur « une masse aristocratique-héréditaire », tandis qu'elle était exercée au sein des monarchies par « le monarque, les princes du sang, les grands et la couronne ». Toutes choses qui ne sont plus et dont nous ne voulons plus, constate Sieyès, mais auxquelles il est impératif de trouver un substitut moderne : « En renversant l'échafaudage vicieux auquel l'expérience et le temps avaient attaché un genre de service public, il faut chercher les moyens de pourvoir à ce service, sans quoi on ne satisferait point un besoin national et l'ordre public en souffrirait. » Il appartient à l'institution spécialement dédiée dans la République à la « conservation de ce qui est » de combler cette lacune essentielle : « c'est dans le Collège des conservateurs que nous voulons placer cette grande influence des mœurs, des vertus, des services, des noms et

---

1. *Ibid.* On notera à ce propos la formule de Daunou, rapportée par Mignet : le Collège des conservateurs « devait être pour la loi politique ce que la Cour de Cassation était pour la loi civile » (*Histoire de la Révolution française*, Paris, 1836, *op. cit.* t. II, p. 267). Dans le « Tableau figuratif » condensant ses souvenirs, Daunou parle semblablement d'un « tribunal de cassation politique » (*ibid.*, p. 268).
2. Boulay de la Meurthe, *Théorie constitutionnelle, op. cit.*, p. 14.

même de la propriété [1]. » D'où les fastueux émoluments que Sieyès réserve à ces places, afin d'asseoir leur ascendant. Il voulait, commente Boulay, que son Collège, « placé au sommet de la hiérarchie politique, eût un revenu assez considérable pour ouvrir des salons, y recevoir toute la bonne société, et donner ainsi à la capitale une direction qui serait bientôt imitée par les autres villes [2] ». Ce déploiement de richesse et d'apparat autour des plus hauts emplois publics – le Grand Électeur n'était pas moins somptueusement doté – n'allait pas sans heurter de front tant le sentiment de l'égalité que la tradition de l'austérité républicaine, pour ne pas parler des sarcasmes qui saluaient le reniement de l'ancien grand pourfendeur des privilèges. Sieyès n'ignorait pas l'objection, et il s'emploie à la prévenir. « On dira que c'est là de l'oligarchie », dicte-t-il à Boulay, « je réponds que c'est la seule manière de mettre un frein à l'oligarchie naturelle des richesses dans toute République grande et riche : que c'est encore le seul moyen d'anéantir l'ancienne influence aristocratique et de la faire passer tout entière du côté de la République [3]. » La conservation de la République exige, en d'autres termes, au-delà du strict mécanisme institutionnel, de s'emparer de la société telle qu'elle est. Une tâche qui demande, à son tour, deux choses : d'abord, de battre en quelque sorte l'ancienne aristocratie sur son propre terrain, la corruption thermidorienne ayant fait assez voir ce qu'elle gardait de prestiges et de séductions ; ensuite, de balancer l'inévitable oligarchie économique, rançon de la liberté du travail et des échanges, par une oligarchie politique créée de toutes pièces à ce dessein et capable de détourner les incidences de la suprématie sociale au bénéfice des usages et des idées dont le régime a besoin pour vivre. Comme le Grand Électeur républicanise le principe monarchique, il faut républicaniser le principe aristocratique. Entendons : il faut naturaliser ce qui passait de « service public » au travers de lui au sein d'un monde qui exclut le pri-

1. Arch. nat., 284 AP 5 (2).
2. BOULAY DE LA MEURTHE, *Théorie constitutionnelle, op. cit.*, p. 37.
3. Arch. nat., 284 AP 5 (2). Boulay traduit : « Sieyès était convaincu de l'importance de faire tourner au profit de la Révolution l'influence de la richesse et des plaisirs qui avait presque toujours été contre elle » (p. 37).

vilège, le monopole et l'hérédité, d'un monde qui ne connaît que « la liberté, l'égalité des droits et l'homogénéité des personnes » [1]. Le Collège des conservateurs est conçu pour être le véhicule de cette nécessaire réinstauration de la supériorité symbolique à l'intérieur de l'égalité juridique. Il ne s'agit plus simplement de briser avec l'Ancien Régime, comme en 1789 ; il s'agit de le supplanter, en incorporant cette part d'image et de rayonnement dont l'expérience révolutionnaire a révélé par défaut le caractère à la fois impalpable et déterminant. C'est toute la philosophie de ces « pouvoirs imposants » qui prennent une telle place chez le Sieyès de Brumaire et qui marquent l'apothéose du pouvoir de surveillance si obstinément recherché par la Révolution. La quête s'engage à propos de l'indispensable contrôle de la représentation ; elle croît et s'épanouit autour de la garde de la constitution ; elle culmine ici dans le recouvrement de l'empire sur les âmes qu'exerçaient les pouvoirs abolis.

UNE INSTITUTION MORT-NÉE : LE SÉNAT DE L'AN VIII

On sait ce qu'il est advenu de ce plan mirifique. Le point et le seul qui tracassait Bonaparte était de savoir ce que devenait au juste son pouvoir à lui dans le nouvel édifice. Or il ne se retrouvait nulle part dans les rôles dessinés par Sieyès. Il ne se voyait pas dans la majestueuse impotence, ou l'évanescence décorative, du Grand Électeur. L'idée de partager le gouvernement avec un deuxième consul ne lui souriait pas davantage. Et, dans tous les cas, la perspective de l'absorption parmi

1. BOULAY DE LA MEURTHE, *Théorie constitutionnelle, op. cit.*, p. 18. L'idée que le « système représentatif » doit « s'emparer de tout ce qu'il y a de bon » dans les trois formes classiques de gouvernement, monarchie, aristocratie et démocratie, tout en neutralisant leurs inconvénients, est systématisée par CABANIS dans le plaidoyer en faveur du nouvel ordre qu'il publie au lendemain de sa consécration. (*Quelques considérations sur l'organisation sociale en général et particulièrement sur la nouvelle constitution*, 25 frimaire an VIII. Le texte est reproduit dans les *Œuvres philosophiques*, Paris, P.U.F., 1956, t. II, voir en particulier pp. 470-478.) Le régime représentatif constituerait de la sorte une variante spécifique, sur la base d'un tri au second degré, du régime mixte.

les pontifes constitutionnels achevait de le révulser. Il était sûrement l'homme le moins fait pour entrer dans le partage entre la surveillance et l'action qui organise le système de Sieyès : ni décidé à se cantonner dans la surveillance ni décidé à subir sa tutelle. Il voulait bien d'un « pouvoir imposant », mais à condition de le joindre au « pouvoir efficient ». Il aura d'autant moins de mal à se débarrasser du carcan qui le menaçait et à plier le dispositif à ses vœux que le projet de Sieyès, au fur et à mesure qu'il est révélé, d'abord dans le cercle étroit du personnel concerné, puis dans le milieu politique au sens large, jusqu'à ce qu'enfin *Le Moniteur* du 10 frimaire (1er décembre) porte les bruits de la ville sur la place publique, suscite son lot habituel de perplexités, de réticences et de railleries. La radicalité de la construction avait, il est vrai, de quoi inquiéter, comme les subtilités bizarres sur lesquelles elle débouchait avaient de quoi troubler. En fait, une fois encore, Sieyès met le personnel révolutionnaire en face d'une vérité de lui-même qu'il n'aime pas regarder. On veut bien de son système de listes de notabilités, parce que tout ce qui peut réduire la participation du peuple aux affaires est de bonne prise, mais on n'est pas prêt à assumer la troublante philosophie de la représentation qui le fonde en principe, tant elle s'écarte de ce qu'on range communément sous ce chef. Il n'y a plus l'ombre de la recherche d'une ressemblance entre le corps politique et ceux qui parlent en son nom dans cette représentation-incorporation, ramassée dans une assemblée électorale unique de cent membres, qui désigne par en haut des représentants, certes investis de la confiance d'en bas, mais nommément délégués par personne. On peut dire même que le corps politique n'existe plus, n'est plus visible ni audible en dehors de ceux qui lui prêtent visage et voix. D'une représentation comprise en termes de *relation* entre le pouvoir et le pays, on a complètement basculé dans une représentation conçue comme *substitution* du pouvoir au pays. C'était déjà le sens des formules de Sieyès en 1789, sans doute, mais elles ne constituaient alors qu'une interprétation parmi d'autres. La théorie commande cette fois la pratique à un point qui rend difficile de l'ignorer. Or le problème principal auquel la

République thermidorienne se trouvait confrontée tenait précisément au refus du pays électoral de se reconnaître dans les « perpétuels » de 1792 qu'on lui imposait de reconduire. Ce que propose ni plus ni moins Sieyès, c'est de résoudre le problème en supprimant la possibilité de le poser. C'est très exactement ce que Lucien Bonaparte objecte à Boulay : « Vous voulez des conservateurs à vie, et qui mettrez-vous dans ce corps ? Des hommes qui auront été membres des assemblées nationales ? Mais tous ces hommes déplaisent à la nation [1]...» Il n'était sûrement pas le seul à sentir la difficulté et l'impropriété de la réponse. En regard de ce sacre du tenant-lieu, l'hypertrophie des pouvoirs de surveillance n'en devient que plus étrange. Ils avaient été généralement imaginés, à l'origine, comme des pouvoirs destinés à parer aux écarts des assemblées et à les tenir dans une correspondance continuée avec la volonté exprimée par le corps électoral, ou bien à l'intérieur de limites constitutionnelles figurant le vœu permanent de la nation. Or, ici, il n'y a plus à proprement parler de terme de référence par rapport auquel procéder à pareille vérification, faute de corps politique habilité à se manifester en dehors de ses représentants. Sieyès évoque le rôle de « l'opinion publique bien constatée » dans le choix et la destitution des gouvernants par le Grand Électeur. Mais qu'est-ce qu'une opinion à laquelle est d'avance dénuée toute portée représentative ? Tout se passe comme si l'exorbitante croissance des pouvoirs de contrôle des pouvoirs venait compenser la disparition du peuple souverain comme acteur politique et pôle identificatoire. Le besoin de surveiller devient d'autant plus intense que le repère sur lequel guider la surveillance s'évanouit. Comme si Sieyès, dans cette ultime version de son art social, poussait aux dernières limites à la fois le mal et le remède, l'impossible et son antidote. D'un côté, il s'enfonce dans la « représentation absolue » jusqu'à la perte sans retour de ce qui est à représenter. Mais, parallèlement, de l'autre côté, il élargit jusqu'à la démesure la place des instances réflexives nées du souci de maintenir les représentants dans les bornes de ce qu'ils ont à représenter. Une tension interne qui,

1. *Ibid.*, p. 52.

sans être forcément formulée, n'a pas dû peu compter dans le malaise où son vaste dessein s'enlise. Une contradiction secrète et paralysante qui va faire encore un peu plus, s'il en était besoin, le lit de Bonaparte. Car au-delà des atouts multiples que ce dernier possédait dans son jeu, force est de constater que c'est comme un représentant vrai qu'il s'impose sans coup férir. Un représentant qui, sans doute, sur le modèle des porte-parole de la Nation à la Sieyès, et c'est là qu'est le malentendu, n'a pas besoin du suffrage populaire pour être investi (même s'il n'en négligera pas la ratification). Mais un homme neuf, à la différence des vieux chevaux de retour de la Convention, puissamment singularisé par un destin éclatant, choisi pour lui-même et indéniablement porté par la faveur publique. Un homme, en un mot, en lequel le pays se reconnaît largement. C'est avec et par Bonaparte que resurgit la représentation-ressemblance dont toute l'organisation de sa pensée éloignait un Sieyès. Aux antipodes de la représentation-substitution, héritage de l'incorporation monarchique, où Sieyès reste enfermé, Bonaparte ramène la représentation-relation, à base de circulation réfléchie entre des pôles distincts, ou d'un rapport restitutif entre la base et le sommet, même s'il le fait sur un mode fondamentalement équivoque. Il l'instaure, en effet, par le canal d'une représen-tation-incarnation, renouant avec la personnification monar-chique, et où se mêlent l'identification au sens de la reconnaissance dans un personnage représentatif et l'identifi-cation au sens de la concentration exclusive de la légitimité dans un individu. Reste que, d'une certaine façon, en dépit de cette ambiguïté qui témoigne de son appartenance au même univers mental et symbolique que celui de Sieyès, c'est lui qui trouve la solution au problème de la représentation que la Révolution a échoué de bout en bout à dominer, malgré tous les raffinements institutionnels échafaudés pour pallier son infirmité. C'est en cela aussi que le plan radical et monstrueux enfanté par Sieyès marque un terme : probablement ne pou-vait-on aller plus loin dans l'impasse, entre la fuite en avant dans l'intenable remplacement du corps politique par ses représentants et l'effort extrême pour en redresser les effets par la mise en tutelle des pouvoirs représentatifs. Mais l'issue était à portée de la main. Avec l'élu de la Nation d'un genre nouveau qui se découvre en Bonaparte, une autre histoire commence. Ne nous étendons pas sur les péripéties. Le désaccord entre le savant et le militaire une fois avéré, leur entourage essaie de raccommoder les morceaux et de trouver un compromis. Les tentatives de transaction menées par Rœderer et Boulay échouent. Il est alors décidé de recourir à l'arbitrage des deux sections formées dans les anciens Conseils pour s'occuper de la nouvelle constitution. Pour finir, trois jours plus tard, Bonaparte provoque l'abandon du plan Sieyès comme base de travail et demande à Daunou de rédiger un nouveau projet, le soir pour le lendemain [1]. Daunou soutiendra la gageure, et c'est à partir de son canevas élaboré en une nuit, le 4 décembre, que sera conduite la discussion du texte définitif. Une affaire expédiée de main de maître, en huit jours. Après une dernière soirée de travail, la constitution est adoptée à la date du lendemain 13 décembre (22 frimaire an VIII). Elle entérine la prééminence sans partage du nouveau maître du pays. Le Grand Électeur de Sieyès est remplacé par un premier consul aux attributions tellement effectives qu'il réduit les deux comparses dont il est flanqué, le consul de l'intérieur et le consul de l'extérieur initialement prévus, à la portion décorative. En revanche, le système des listes d'éligibilité est retenu, contre Daunou, qui avait essayé de sauver le régime électif classique. Il subsiste un Sénat conservateur, également admis par Daunou, qui en propose une version intéressante,

1. À titre anecdotique, et pour boucler la boucle, citons une lettre de l'ex-abbé Brun de la Combe que nous avons rencontré en critique et anticipateur de Sieyès en 1789. Devenu professeur de logique aux écoles centrales, il lui fait des offres de services, le 12 frimaire an VIII, en se gardant bien de lui rappeler ce passé d'objecteur : « Je viens de rencontrer un ex-député sortant de chez le ministre de l'Intérieur qui m'a donné pour nouvelle que votre projet était abandonné et que Daunou était chargé d'en rédiger un autre. Votre plan contient entr'autres deux vues tellement frappées au coin du génie législateur que je regarderais comme un grand malheur qu'il pût être abandonné par le fait. Si la nouvelle qui m'a été donnée est donc vraie, je vous invite au nom du salut public auquel vous avez la gloire d'avoir consacré votre ouvrage, je vous invite et conjure [...] de prendre les moyens convenables de conserver et perfectionner votre chef-d'œuvre... » (Arch. nat., 284 AP 16.)

comme on va voir. C'est là d'ailleurs qu'on pousse Sieyès, qui s'y endormira du sommeil espéré. S'il est toujours composé de membres à vie, s'il continue d'être l'assemblée électorale qui désigne les législateurs, les tribuns, les consuls et les juges de cassation en plus de ses attributs en matière de contrôle constitutionnel [1], il a perdu le redoutable pouvoir d'absorption qui, dans l'esprit de son concepteur, devait l'ériger en neutralisateur imparable des excès de personnalisation. Le principe de l'institution avait fini par acquérir une telle réputation salvatrice que l'une des rares brochures qui sortent pour saluer la nouvelle constitution ne manque pas d'y reconnaître l'un de ses titres de supériorité les plus sûrs – « ... La constitution de l'an III n'avait établi aucun pouvoir conservateur de ses droits. Il existe par celle de l'an VIII [2]... » L'ensemble des arguments qu'on a vu défiler est au rendez-vous : « Où était la garantie du peuple ? Où était la balance des pouvoirs ? Quelle était la puissance qui pût faire rentrer les autorités dans la ligne constitutionnelle et assurer au peuple l'exercice de ses droits ? Elle n'existait nulle part. La constitution de l'an VIII l'a créée... » L'auteur devient lyrique pour évoquer les bienfaits qu'on est fondé d'attendre de ce Sénat si longtemps attendu : « Dépositaire des droits du peuple, il les conserve et ne peut les anéantir ; il les maintient et ne peut les envahir, c'est le sanctuaire constitutionnel que ni les passions, ni les intrigues de parti ou celles de l'ambition ne peuvent atteindre ; c'est le pouvoir qui épure, vivifie et conserve ; en un mot, c'est la sauvegarde du peuple, la sagesse nationale [3]. »

L'expérience décevra cruellement ces grands espoirs. Nul ne dressera un constat plus impitoyable et plus amer de cet

---

1. Article 21 de la constitution du 22 frimaire an VIII : « Il [le Sénat conservateur] maintient ou annule tous les actes qui lui sont déférés comme inconstitutionnels par le Tribunat ou par le Gouvernement ; les listes d'éligibles sont comprises parmi ses actes. »
2. DOCHE-DELISLE, *De la supériorité de la constitution de l'an VIII sur celle de l'an III*, Paris, an IX, p. 6. Il nous est précisé que l'auteur est directeur des contributions du département de la Charente.
3. *Ibid.*, p. 19. Il faut mentionner aussi l'éloquente formule par laquelle l'auteur salue le rehaussement de l'exécutif : « Il est enfin de la dignité du peuple français que le chef du gouvernement, celui qui le représente, soit revêtu d'une autorité telle qu'elle annonce la confiance qu'il a en lui » (p. 30).

échec que Daunou, pourtant l'un des plus actifs promoteurs de l'idée, dans l'ombre, il est vrai, davantage qu'en première ligne. La brève gestation du texte de l'an VIII représente justement, sans doute, le moment où il a le plus directement pesé. Il n'est pas parvenu, en réalité, à faire passer le dispositif original qu'il avait conçu et dont l'analyse tend à faire croire qu'il l'avait mûri depuis longtemps. Il se présente, en effet, comme une réponse à l'objection qui s'était avérée dirimante en l'an III : qui surveillera le surveillant ? Très bien de prévoir une instance de contrôle. Mais où est la garantie qu'elle-même n'abusera pas de sa prérogative d'examen des autres pouvoirs pour les envahir et les supplanter ? L'innovation marquante proposée par Daunou consiste à pourvoir le Corps législatif d'un moyen de défense contre les débordements éventuels du Sénat. Il existe de la sorte un contrôle du contrôleur. Le mécanisme est suspendu à l'intervention des *tribuns* tels que Daunou les conçoit, une autre suggestion de son cru, qui ne connaîtra pas un meilleur sort. Ils sont dix, élus pour deux ans par les Cinq-Cents (Daunou propose de diviser le Corps législatif en un Conseil des Cinq-Cents et un Conseil des Deux-Cents, dans le droit fil de la constitution de l'an III). Ils exercent une fonction de police interne et de représentation externe qui n'est pas sans rappeler divers projets chargeant des *censeurs* de mettre de l'ordre dans le travail parlementaire. Ils ont l'initiative des lois, celles-ci sont présentées « par un tribun parlant au nom de la majorité de ses collègues » [1]. Ils vont présenter les projets de loi aux Deux-Cents au nom des Cinq-Cents. Et, en cas de besoin, ils en appellent des décisions du Sénat conservateur. Un article de projet précise formellement que « le Sénat ne peut s'immiscer en aucune manière et sous aucun titre dans l'exercice d'aucun pouvoir législatif, exécutif ou judiciaire ». Il est suivi d'un

---

1. Précisons encore que les tribuns n'ont pas voix délibérative dans le Conseil (mais leur commission est la seule qui puisse y être formée). Le projet de Daunou est commodément reproduit dans la 2ᵉ édition du livre de TAILLANDIER, *Documents biographiques sur Daunou*, Paris, 1847, pp. 180–181, d'après lequel je cite. On a l'exemplaire original dans les papiers de Daunou, sous forme d'un jeu de fiches où les articles proposés au recto sont doublés au verso par les articles finalement adoptés (Bibl. nat., manuscrits, N.A.F. 21.891).

autre qui ajoute : « Si les Tribuns pensent qu'un acte du Sénat contrevient à l'article précédent, ils publient, au sein de l'un et l'autre Conseil législatif, une déclaration ainsi conçue : Vu l'acte du Sénat ... dont la teneur suit ... les Tribuns empêchent. » Cet empêchement ne leur remet pas pour autant le dernier mot. La procédure ne s'arrête pas là. Elle ouvre aux sénateurs la possibilité d'un appel contre l'arrêt qui leur est opposé : « Si cette déclaration est signée de la majorité des tribuns, elle annule l'acte. Le Sénat peut néanmoins, dans un délai de dix jours après cette déclaration, adresser un message au corps législatif pour demander à prouver que l'acte annulé était du nombre de ceux que la constitution lui attribue. Ce message du Sénat a pour effet de faire considérer l'acte annulé comme un projet de loi, sur lequel le Corps législatif délibère dans les formes ordinaires, avec cette seule différence que le projet est défendu au sein du Conseil des Deux-Cents par trois sénateurs députés à cet effet [1]... » Daunou prévoit même le cas où la question de savoir si un acte du Sénat « excède ses attributions constitutionnelles » viendrait à se poser pendant les vacances du Corps législatif [2]. En principe, donc, la boucle est cette fois complètement bouclée. On n'introduit pas dans le circuit constitutionnel un élément susceptible de le désorganiser sous prétexte de le compléter, de par son exorbitante soustraction à tout examen : il est à son tour inséré dans la chaîne des dépendances et des vérifications mutuelles. La vérité est que le problème n'était plus de saison, et que cet ultime perfectionnement ne pouvait intéresser que la très étroite confraternité des anciens combattants de la liberté constitutionnelle toujours sur la brèche, les derniers à comprendre que leur marotte était sortie de l'ordre du jour. S'il y a néanmoins un Sénat conservateur dans la constitution de l'an VIII, c'est beaucoup plus au titre de vestige d'une utopie morte que de rejeton d'un souci vivant.

Le résultat dépassera tout ce qu'une configuration natale d'aussi mauvais présage laissait attendre. Daunou aura des mots terribles, vingt ans plus tard, pour cette institution tard

---

1. Taillandier, *Documents biographiques, op. cit.*, p. 179.
2. *Ibid.*, articles 40 et 41.

venue et mal venue, dont la conduite, entre avidité, inexistence et servilité, sera un démenti permanent aux espérances placées dans son principe et dont la trajectoire se résoudra en une inexorable descente dans l'ignominie. Il faut entendre la mélancolie autocritique qui colore son réquisitoire : « Après avoir mis les garanties individuelles au nombre des lois fondamentales, on a quelquefois conçu l'idée d'instituer un corps permanent, je ne sais quel sénat plénipotentiaire, dont l'unique fonction devait être de veiller à la conservation de ces lois. Mais il est encore prouvé par les faits comme par la nature des choses qu'un tel corps ne songe jamais qu'à se conserver lui-même, qu'il a peur de compromettre sa propre existence en s'efforçant de maintenir les autres institutions ; qu'il se hâte de les sacrifier pour ne pas tomber avec elles, et que c'est lui qui leur porte les premiers coups [1]. » L'homme qui dresse ce constat accablant, son ton pourrait le faire oublier, est de ceux qui ont présidé à la conception du monstre. Rien n'aura été épargné, il est vrai, aux infortunés adeptes de ce fameux pouvoir qui devait remédier au mal du pouvoir. Non content de ratifier les pires iniquités et de se soucier fort peu de servir à autre chose, le Sénat napoléonien fera une mémorable sortie de la scène en essayant de sauver son pactole pour prix de sa trahison. Daunou y lit, avec le recul, le destin fatal d'un semblable établissement : « Les garanties particulières dont ses membres jouissent, les trésors qui s'accumulent entre leurs mains, les rendent très indifférents sur ces garanties vulgaires que tous les citoyens réclament. Des plaintes qu'ils ne craignent pas d'avoir à former eux-mêmes ne leur sont qu'importunes, et ils font en sorte de ne pas les entendre ; et s'il arrive que, reniant enfin un tyran qu'il ne leur est plus possible de soutenir, ils entreprennent de renouveler la constitution de l'État, ils oseront y stipuler encore leurs propres intérêts pécuniaires et les placer au nombre des fondements de l'ordre social. » La péroraison s'élève à la vibrante solennité des jugements sans appel rendus au nom du tribunal de l'histoire : « Proscrire et conscrire, moissonner chaque année une

---

1. *Essai sur les garanties individuelles que réclame l'état actuel de la société*, Paris, 1819, p. 216.

génération nouvelle, désorganiser les élections publiques et la représentation nationale, annuler des déclarations de jury, anéantir toute résistance au pouvoir absolu, fonder le despotisme, le nourrir et le bénir, se charger de son opprobre et s'enrichir de ses faveurs : voilà le résumé de l'histoire de tous les sénats [1]. » Irrévocable verdict et abjuration sans espoir de retour qui ferment sur une note sinistre la longue quête en alchimie des pouvoirs dont on s'est efforcé de retrouver la trame et le sens. Ce ne fut pas qu'une aspiration sans suite ; ce fut aussi l'épreuve d'un aboutissement dans le méconnaissable et l'insoutenable.

DU POUVOIR CONSERVATEUR
AU POUVOIR NEUTRE

La désillusion n'est pas venue d'un seul coup. Il a fallu du temps pour que les vicissitudes de l'institution finissent pas entraîner la condamnation de son principe. En 1806 ou 7, un Destutt de Tracy, figure éminente et même fondatrice de l'Idéologie, en parle encore avec chaleur et conviction. Il est vrai qu'il est sénateur. Mais c'est l'opposant libéral à l'Empire qui s'exprime, en l'occurrence, sans la moindre complaisance pour les faiblesses de l'organe auquel il appartient, avec la franchise désintéressée qu'autorise le secret du cabinet. C'est avec lui-même et à destination de quelques proches tout au plus qu'il s'explique, dans le commentaire sur *L'Esprit des lois* qu'il rédige alors, à l'apogée du pouvoir d'un seul, afin de son-

1. *Ibid.*, p. 217. Encore faut-il peut-être relativiser la disgrâce de l'idée après Brumaire et l'Empire. Le hasard me met entre les mains l'ouvrage d'un certain Julien Le Rousseau, *De l'organisation de la démocratie*, Paris, 1850. Ce quarante-huitard typique, qui déclare se rattacher « aux principes du radicalisme le plus absolu », envisage, dans son projet d'une constitution idéale, l'établissement d'un « pouvoir inspectif », chargé de veiller au maintien de la constitution, qui rappelle étonnamment les spéculations de la première Révolution. « Cette suprême magistrature, qui représente la conscience du peuple » – elle est dite ailleurs « représenter spécialement la stabilité de l'intelligence et du jugement dans le pays » –, « est la barrière qui s'oppose soit aux envahissements de l'agence exécutive, soit aux faiblesses et aux tergiversations de l'assemblée chargée de prononcer sur la valeur des lois » (p. 292). Une recherche systématique pourrait réserver d'autres surprises.

der en théorie les chances de la liberté, dans l'attente de jours meilleurs. Or l'esquisse de constitution qu'il y dessine comporte un « corps conservateur » comme l'une de ses pierres angulaires [1]. Il s'étend si longuement sur ses attributions qu'il croit devoir s'en justifier. Il s'y est arrêté, dit-il, « parce que cette institution a été imaginée depuis peu et parce qu'elle me paraît de la plus extrême importance. C'est, suivant moi, la clef de la voûte, sans laquelle l'édifice n'a aucune solidité et ne peut subsister » [2]. Le sentiment de la solution enfin trouvée est toujours vif. L'impuissance du Sénat de l'an VIII, « fantôme inutile » qui n'a pu « défendre un moment le dépôt qui lui était confié », ne prouve rien. Elle tient à une conjoncture exceptionnelle où la nation, recrue d'efforts et de malheurs, était résignée à un « esclavage » auquel, par ailleurs, le texte constitutionnel ouvrait grand la porte. En revanche, placé dans la constitution de l'an III, un corps conservateur convenablement organisé « se serait maintenu avec succès entre le Directoire et le Corps législatif ; il aurait empêché la lutte violente qui a eu lieu entre eux en 1797 (18 fructidor an V) ; et cette nation jouirait actuellement de la liberté, qui lui a toujours échappé au moment de l'atteindre » [3].

Selon une démarche éprouvée, la construction procède par analyse des fonctions : la machine politique n'est complète que si, en plus d'un corps pour vouloir (le législatif) et d'un autre pour agir (l'exécutif), elle en comprend un troisième, « pour conserver, c'est-à-dire pour faciliter et régler l'action des deux autres » [4]. Pour remplir ce rôle, il est pourvu de prérogatives étendues. Il ne se borne pas à « prononcer l'inconsti-

1. A.-L.-C. Destutt de Tracy, *Commentaire sur l'Esprit des lois de Montesquieu*, Paris, 1819. Comme on sait, l'ouvrage a d'abord été publié en 1811 aux États-Unis par les soins d'un de ses plus illustres destinataires, Jefferson. Il a paru en français à Liège, en 1817, sans l'aveu de l'auteur, avant d'être repris à Paris deux ans plus tard. Sur les conditions de sa rédaction et l'attitude de Destutt, voir en dernier lieu Emmet Kennedy, *A Philosophe in the Age of Revolution. Destutt de Tracy and the Origins of « Ideology »*, Philadelphie, 1978. Rappelons que les trois premières parties des *Éléments d'idéologie* sont parues respectivement en 1801, 1803 et 1805.
2. *Commentaire sur l'Esprit des lois, op. cit.*, pp. 206–207.
3. *Ibid.*, p. 208.
4. *Ibid.*, p. 203.

tutionnalité, et par conséquent la nullité des actes du Corps
législatif ou du Corps exécutif » ; il est doté de fonctions électorales : il désigne les membres de l'exécutif et les juges
suprêmes à partir de listes issues du suffrage (ou il définit, à
l'inverse, les listes d'éligibles, Destutt laisse l'option ouverte) ;
il possède, enfin, la faculté de destituer les membres de l'exécutif sur la demande du Corps législatif [1]. Il est composé de
membres à vie, nommés en bloc au départ par la Convention
constituante, et remplacés ensuite par les Corps électoraux,
d'après des listes d'éligibles formées par l'exécutif et le législatif. Toutes dispositions destinées à faire de ce corps un vrai
pouvoir politique, même s'il n'est là que pour « faciliter et
régler » l'action des autres pouvoirs. Pour le reste, le profil est
sans grande surprise et les formes relèvent de la variation sur
des thèmes connus. Le trait le plus significatif réside dans le
sentiment nostalgique de l'occasion manquée : la partie thermidorienne était jouable, on avait l'instrument sous la main,
dont on n'a pas su se saisir à temps ; quand on s'y est rendu, il
était trop tard. C'est ce remords qui assure la survie de l'idée
dans l'ombre, en dépit de la disgrâce que lui vaut son incarnation présente.
    De cette perpétuation souterraine, nous avons une trace
beaucoup plus mémorable encore. Le cheminement secret
débouche ici, en effet, sur une postérité féconde. Il démarre
en amont, dès le resserrement du garrot consulaire, avant
même l'étranglement impérial, mais surtout il se prolonge en
aval. Chez Destutt de Tracy, on a l'impression d'avoir affaire
à la rémanence abstraite et un peu dérisoire d'une solution
devenue à ce point chère au cercle de ses concepteurs qu'ils ne
parviennent pas à s'en détacher, lors même que le problème
ne se pose plus. Chez Constant, on est passé dans la génération des héritiers et des élèves. D'où peut-être une liberté
d'approfondissement qui, en déliant l'idée de sa rigide
matrice d'origine, lui conférera, avec la capacité d'adaptation
à un contexte différent, une autre portée politique.
    Tandis que le grand dessein de Sieyès s'enlise dans le cul-de-
sac lugubre et doré du Sénat de l'an VIII, un jeune collègue de

1. *Ibid.*, p. 203–204.

Daunou au Tribunat, opposant comme lui au despotisme qui
s'affirme, travaille à délivrer la notion du « pouvoir régulateur » ou du « pouvoir conservateur » de sa dénaturation officielle – à la différence de Destutt, il cherche, on n'a pas de
peine à le comprendre, une autre dénomination : il l'appellera
« pouvoir préservateur ». Mais comme Destutt, en revanche, il
réfléchit en fonction de l'échec du régime thermidorien. Il
reprend à la racine, en remontant en deçà du fatal dévoiement
de Brumaire, le problème de la révision des institutions de
l'an III. Qu'eût-il véritablement fallu pour stabiliser la République en France ? De son projet proprement dit, nous ne
connaîtrons rien pendant plus d'un siècle et demi. Le fruit de
ses réflexions ne restera pas entièrement celé, toutefois,
puisqu'il informera l'une des plus fortes lectures de la monarchie constitutionnelle. Ainsi la recherche révolutionnaire du
tiers-pouvoir trouvera-t-elle, par l'intermédiaire de Benjamin
Constant, un surgeon tangible et inattendu dans l'interprétation libérale du régime de la Restauration. Le « pouvoir
neutre ou préservateur » qui devait former la clé de la consolidation républicaine devient, à défaut, la clé de la réconciliation du pouvoir royal avec la liberté.

Lorsque Constant entre au Tribunat, à la Noël 1799, « élu »
par le Sénat que préside Sieyès, il voit enfin satisfaite l'ardente
ambition nourrie depuis son arrivée à Paris, au printemps
1795, « la sublime ambition républicaine » d'être de ceux qui
parlent et décident au nom du peuple. À trente-trois ans, il va
pouvoir donner sa mesure dans la noble carrière, espérée entre
toutes, d'orateur parlementaire. Il n'aura pas longtemps
l'occasion d'y briller. À peine en fonction, le 5 janvier 1800, il
entame une carrière d'opposant qui va le ranger parmi les
« douze ou quinze métaphysiciens, tous bons à jeter à l'eau »
dont Bonaparte entreprendra de se débarrasser au plus vite. Il
fait partie, en janvier 1802, de la charrette épuratoire que le
Sénat, docile, offre en holocauste à l'exaspération du premier
consul. C'est dans ce climat d'adversité, entre la prompte
désillusion quant à la vraie nature du régime qui s'installe et
les lendemains de sa disgrâce, que Constant élabore le traité
qui nous est parvenu, manuscrit, sous le titre singulier de

Fragments d'un ouvrage abandonné sur la possibilité d'une constitution républicaine dans un grand pays [1]. La continuité d'inspiration est frappante avec *Des circonstances actuelles qui peuvent terminer la Révolution*, le livre que Mme de Staël s'était résignée, elle aussi, à garder sous le boisseau, en 1798, et dont Constant avait au moins suivi de très près la rédaction. Il s'agit, pour le tribun malheureux, de revenir en deçà de la funeste bifurcation de l'an VIII, de retrouver le socle républicain de l'an III, même si c'est pour critiquer les insuffisances du système qu'il porte. Il se réinscrit délibérément dans la problématique réformatrice où évoluait la réflexion menée en compagnie de Mme de Staël avant Brumaire. Constant écrit d'une certaine façon comme si le sort n'en était pas jeté, comme si les choix restaient ouverts, même s'il écrit à la lumière de la critique des innovations de l'an VIII. Il a la nostalgie de ce qu'eût pu être une révision réussie, au lieu et place du changement de logique impulsé par Sieyès et couronné par Bonaparte. S'il s'élève à la généralité intemporelle des principes, c'est à l'intérieur d'une dépendance marquée envers les termes du débat thermidorien. Sans doute cette attache n'est-elle pas étrangère à la relégation du manuscrit dans une obscurité définitive : même en précisant qu'il s'agissait d'un « ouvrage abandonné » (et de « fragments », alors qu'on est devant un développement complet), et donc de l'épave d'une histoire révolue, l'empreinte du moment de conception était trop forte pour être relativisée et surmontée. D'où l'abandon de ce manuscrit qui n'avait été dit « abandonné » que pour être sauvé de l'oubli et qui porte, du coup, un titre en forme de prophétie sur son propre destin.

Par rapport à Mme de Staël, dont les principales suggestions touchant au renforcement des prérogatives de l'exécutif sont reprises, la nouveauté de la constitution républicaine selon Constant réside dans le rôle accordé à ce « pouvoir préservateur » vis-à-vis duquel elle demeurait sceptique. Sur ce chapitre, Constant a entendu la leçon de Sieyès, au moins dans le

---

1. L'ouvrage a été récemment édité par Henry GRANGE d'après le manuscrit de la Bibliothèque nationale, Paris, Aubier, 1991. C'est à cette édition qu'iront toutes mes références. Je n'entre pas dans les problèmes complexes de datation que pose le texte : ils sont relativement indifférents à l'aspect retenu ici.

principe, car la version qu'il en propose est sensiblement différente. Là, en revanche, où il diverge radicalement d'avec Sieyès, c'est sur le chapitre du régime électif. Les pages consacrées au mode de suffrage comptent parmi les plus remarquables des *Fragments*, qu'il s'agisse de la critique des adultérations introduites par le système des assemblées électorales depuis le début de la Révolution, ou qu'il s'agisse de la démolition en règle du mécanisme dissociant la confiance d'en bas et la désignation d'en haut imaginé par Sieyès [1]. Constant prononce un vigoureux plaidoyer en faveur de l'élection populaire directe, sans laquelle « le système représentatif n'est que parodie misérable ou despotisme argumentateur » [2]. Il faut que le peuple se reconnaisse dans ses représentants ; ce n'est qu'à cette condition que les assemblées disposent d'une autorité suffisante en face de l'exécutif. « L'élection populaire peut seule investir la représentation nationale d'une force véritable et lui donner dans l'opinion des racines profondes. Vous ne surmonterez jamais, vous ne ferez jamais taire ce sentiment qui nous crie que l'homme que nous n'avons pas nommé n'est pas notre représentant [3]. » C'est pour ce motif que Constant condamne le resserrement du choix dans des assemblées électorales étroites, alors que le suffrage doit être fait pour distinguer des individualités notoires et mobiliser l'identification publique. « ... L'on n'attire les regards de plusieurs milliers de citoyens, écrit-il, que par une grande opulence ou par une réputation étendue. Quelques relations domestiques accaparent une majorité dans une réunion de deux ou trois cents. Être nommé par le peuple exige des partisans placés au-delà des alentours ordinaires et par conséquent un mérite positif [4]. »

1. Elles forment les chapitres VII à X du livre VI des *Fragments* (pp. 291–320 de l'édition Grange). À noter que Constant ne s'en prend pas directement à Sieyès : il s'en prend aux arguments développés à l'appui de sa mécanique par Cabanis et Rœderer.
2. *Fragments d'un ouvrage abandonné*, éd. citée, p. 301. Naturellement, Constant se prononce en faveur d'une restriction censitaire aux seuls propriétaires, en fonction toujours du même argument, celui du « revenu nécessaire pour exister indépendamment de toute volonté étrangère ».
3. *Ibid.*, p. 300.
4. *Ibid.*, p. 293.

Mais la démarcation la plus tranchée à l'égard de la constitution de l'an VIII est celle qui porte sur l'exécutif. Constant montre une opposition résolue au gouvernement d'un seul, à ce qu'il appelle la « monarchie élective » – rappelons que quelques mois après son éviction du Tribunat, le Consulat est devenu Consulat à vie. Il est resté un fervent du pouvoir exécutif « complexe », c'est-à-dire collégial, tel que le Directoire en offrait le type. Les dysfonctionnements manifestes qui ont affecté celui-ci, plaide-t-il, ne sont pas venus de la pluralité de ses membres, mais de son impuissance face aux assemblées, « de l'impossibilité d'arrêter constitutionnellement le pouvoir législatif dans sa marche » [1]. C'est à cette lacune qu'il faut remédier, en lui conférant « la faculté de dissoudre les assemblées représentatives » et le droit d' « arrêter l'effet de leurs délibérations par le veto ». On retrouve les remèdes de provenance anglaise déjà préconisés par Mme de Staël.

Parmi les grands interlocuteurs entre lesquels Constant se définit, il faut encore mentionner Necker, l'un des auteurs les plus invoqués des *Fragments*, qui publie en 1802 ses *Dernières vues de politique et de finance*. L'ouvrage lève une bonne part des distances où l'adhésion républicaine tenait Constant à l'égard du sage de Coppet. Il se retrouve dans son jugement sur la Constitution de l'an VIII et sur la dictature qu'elle habille. Necker, surtout, a fait un chemin notable de son côté. Convaincu, selon ses termes, qu' « une suite d'événements sans pareils [ont] fait de la France un monde nouveau », appelant une pensée à la hauteur de cette nouveauté, il s'est arraché à son éloge familier de la monarchie tempérée pour s'ouvrir concurremment à la considération de l'hypothèse républicaine. Qui sait, après tous les défis à l'imagination qu'il a fallu affronter, si le plus improbable n'est pas à l'ordre du jour ? Et le plus improbable, aux yeux de Necker, c'est « l'union de l'ordre, de la liberté et de l'égalité à un gouvernement un et indivisible », réalisé à l'échelle d'une « vaste contrée » [2]. Dans un ultime effort contre ses propres préjugés, il part à la

1. *Ibid.*, p. 247.
2. *Dernières vues de politique et de finance offertes à la Nation française par M. Necker*, s.l., 1802, p. 106.

recherche du « grand œuvre en politique », c'est-à-dire de la République qui triompherait de ce redoutable problème. Il se retrouve de la sorte sur le terrain du républicain Constant, lequel va mettre largement à profit sa science consommée des mécanismes institutionnels. À nombre d'égards, la matrice problématique de son traité se trouve dans la comparaison méthodique dressée par Necker entre la monarchie héréditaire et tempérée et la république une et indivisible. Tel est, dessiné dans ses reliefs principaux, avec ses repoussoirs et ses attracteurs, le paysage de problèmes et de personnes au milieu desquels notre tribun désillusionné, puis déchu, plante son chevalet de législateur.

L'originalité de sa démarche, qui accuse en même temps la date du propos jusqu'à l'étrangeté, tient à sa systématicité défensive. Le problème de l'organisation des pouvoirs est envisagé exclusivement sous l'angle des *abus* qu'ils sont susceptibles de commettre et des *garanties* qu'il est possible de leur opposer. Thermidor avait imposé le point de vue de la précaution contre une optique purement positive où il n'était question que de la meilleure manière de procurer à la souveraineté du peuple sa plus large expression. Il l'emporte ici jusqu'à occuper toute la place, dans une optique devenue prioritairement négative où l'on regarde d'abord dans les pouvoirs les excès qui leur sont inhérents. Les intérêts des gouvernants sont irrémédiablement distincts de ceux des gouvernés, tout au plus peut-on tâcher de les rapprocher. Encore ne faut-il pas « se faire illusion sur l'efficacité de ces moyens, ni se flatter que l'on parvienne jamais à amalgamer complètement ces deux intérêts. Il faut toujours être en garde contre les effets de leur discordance primitive, bien que la cause en soit quelquefois tellement cachée qu'elle ne puisse s'apercevoir » [1]. C'est l'analyse de l'intérêt, et elle seule, qui doit guider cette circonspection jamais assez en éveil – car « l'on ne crée pas un pouvoir sans créer un intérêt » [2] –, qu'il s'agisse de prévoir les débordements ou de calculer les barrières. Dans ces limites et à cette froide lumière, le problème de la constitution libre

---

1. *Fragments d'un ouvrage abandonné*, éd. citée, p. 148.
2. *Ibid.*, p. 375.

garde son actualité et reste soluble, en dépit des circonstances et des apparences contraires. Le refus de « désespérer de la liberté » se traduit simplement par un refus de la naïveté qui pousse la préoccupation protectrice à de vertigineuses extrémités. C'est dans la perspective de cette prévention méthodique que Constant reprend et renouvelle la question que Thermidor avait fait apparaître dans sa béance et sa pureté : de la nécessité d'un troisième pouvoir. Prémisses et propositions de base sont strictement conformes à l'orthodoxie révolutionnaire. Il n'existe que deux pouvoirs politiques à proprement parler, le judiciaire, qui n'a « de relation qu'avec les individus », étant nul politiquement. Malgré et contre Necker, Constant maintient, d'autre part, l'idée que « le pouvoir législatif est évidemment le premier de tous en rang et en dignité » [1]. Il demeure enfin l'adepte de la « complexité » du pouvoir exécutif, dont il porte le collège à sept membres au moins. Il se borne sur ce chapitre à reformuler la nécessité du partage des deux pouvoirs dans le langage rigoureux de la garantie. Dans la mesure où les représentants font la loi sans l'appliquer, explique-t-il, ils sont « gouvernants en principe », mais « gouvernés en application », tandis que les membres de l'exécutif, qui mettent en œuvre des lois édictées par d'autres, sont bien « gouvernants en application », mais « gouvernés en principe » [2]. De la sorte, les intérêts des uns et des autres rejoignent à quelque titre les intérêts des commettants qui les ont désignés ou, du moins, « cessent, jusqu'à un certain point, d'être en opposition avec eux », pour rester fidèle au style de la précaution. Constant fait là-dessus le tour des abus à redouter et des garanties à mobiliser. Son examen systématique de ces dernières le conduit à en inventorier six : « La division du corps législatif en deux chambres, le veto accordé au pouvoir exécutif, le droit de dissolution contre les assemblées législatives, l'indépendance du pouvoir judiciaire, la responsabilité du pouvoir exécutif et la limitation de son autorité sur la force armée [3]. » Mais la traversée de l'ensemble des solutions ima-

1. *Ibid.*, p. 151.
2. *Ibid.*, p. 148.
3. *Ibid.*, p. 363.

ginables l'amène surtout à conclure à leur insurmontable insuffisance.

Même en supposant toutes ces précautions accumulées, force est de constater qu'elles « ne garantissent suffisamment ni les pouvoirs constitués l'un contre l'autre, lorsqu'ils se divisent, ni les citoyens contre ces pouvoirs, s'ils se réunissent. Nos institutions ne mettent point hors de la portée des dépositaires de l'autorité les droits et les libertés des individus. Nous ne trouverons jamais, dans nos corporations électives et amovibles, un moyen de rendre inviolables ces libertés et ces droits » [1]. Tout le temps où l'on raisonne dans le cadre classique où « l'institution politique ne se compose que de deux pouvoirs », le problème est insoluble. C'est donc de ce cadre qu'il faut sortir, en passant à une structure à trois termes. Les défaillances prévisibles en matière tant de protection des pouvoirs que de protection contre les pouvoirs se ramènent en effet à une source unique : « Dans une constitution où il n'existe de pouvoirs politiques que celui qui fait la loi, et celui qu'il l'exécute, lorsque ces deux pouvoirs sont divisés, personne n'est là pour rétablir la concorde entre eux ; et lorsqu'ils sont unis, personne n'est là pour arrêter les empiétements que leur union favorise. C'est cette lacune qu'il faut remplir ; et pour la remplir, il faut créer un troisième pouvoir qui soit neutre entre le pouvoir législatif et le pouvoir exécutif [2]. » La nécessité de ce pouvoir « intermédiaire », insistons-y, n'est aucunement dérivée de la nature du politique ; elle est purement déduite d'une construction axiomatique de la garantie, dans un mélange assez remarquable d'artificialisme et de pragmatisme. La création d'un tel frein, explique Constant, relève du même ordre de considérations que la division du législatif ou le veto de l'exécutif. Ce ne sont pas des mesures qui répondent à des exigences de principe ; « elles ne nous sont commandées que par l'expérience » [3]. Les faits démontrent le besoin d'une autorité capable à la fois de remédier aux luttes intestines des mandataires du peuple et de protéger la liberté du peuple. Cette considération suffit à rendre

1. *Ibid.*, p. 371.
2. *Ibid.*, p. 373.
3. *Ibid.*, p. 377.

l'établissement d'une semblable autorité « admissible et indispensable ».

Quels sont les moyens, maintenant que les fins sont clairement identifiées ? Quelles attributions accorder au pouvoir préservateur pour le mettre en mesure « de défendre le gouvernement de la division des gouvernés et de défendre les gouvernés de l'oppression du gouvernement » [1] ? Constant lui en prête deux : la dissolution des assemblées représentatives, qu'il ôte à l'exécutif pour la confier à son nouveau pouvoir, et la destitution des membres de l'exécutif, étant par ailleurs entendu que les deux procédures ne peuvent intervenir simultanément, afin de ne pas créer de vacance des pouvoirs dont les préservateurs pourraient être tentés d'abuser. C'est l'une des autres fortes particularités du dispositif imaginé par Constant que le mode d'action dont il entend pourvoir son tiers-arbitre et qu'il appelle « discrétionnaire ». S'il reprend à Sieyès le modèle du tribunal – « le pouvoir préservateur, écrit-il, est pour ainsi dire le pouvoir judiciaire des autres pouvoirs » [2] –, il repousse en même temps l'idée d'un arbitrage fondé sur la défense de la loi constitutionnelle, pour plusieurs raisons. L'une tient à sa philosophie du progrès : il redoute les effets d'un pouvoir « conservateur » ou « stationnaire », arc-bouté sur la lettre des textes – « vous ne pouvez prévoir suffisamment l'effet d'un article pour le déclarer d'avance sacré » [3]. L'exemple du Sénat de l'an VIII, revu an X, est là, d'autre part, pour faire repoussoir. Mais, surtout, Constant voit dans la faculté d'annuler les actes déclarés inconstitutionnels l'infaillible moyen d'alimenter la guerre des pouvoirs qu'il s'agit de prévenir. Pour être efficace et pacifique, l'action du pouvoir préservateur doit échapper aux formes caractéristiques de la démarche judiciaire [4]. Ainsi tranche-t-il dans

1. *Ibid.*, p. 387.
2. *Ibid.*, p. 390.
3. *Ibid.*, p. 426.
4. Cf. par exemple, *ibid.*, p. 381 : « Pourquoi ne pas réunir le pouvoir préservateur au pouvoir judiciaire ? Parce qu'il est impossible de passer d'une autorité discrétionnaire à l'exercice d'une autorité astreinte à des formes. » Également p. 451 : « Il faut dans tous les gouvernements une autorité non pas illimitée, mais discrétionnaire. » Par ailleurs, Constant, n'en réintroduit pas moins quelque part l'annulation des actes inconstitutionnels : il y a flottement dans sa pensée.

le vif, « discrétionnairement », en renvoyant les représentants devant les électeurs ou les gouvernants devant les assemblées qui les désignaient, sans créer l'ambiance contentieuse inséparable des procédures de jugement, quelles qu'elles soient. Il ne se prononce pas sur les personnes : il ne frappe que les fonctions. Il ne juge pas tant lui-même qu'il ne déclenche le jugement des instances électorales. Reste la question des moyens, cette fois, de mettre ce pouvoir à même d'exercer de telles attributions. La question, autrement dit, des intérêts susceptibles de le guider dans l'accomplissement de sa tâche, car il n'y a pas plus de raison de faire de l'angélisme à son égard qu'à l'égard des autres pouvoirs. De ce qu'il a une destination claire, il ne suit pas qu'il s'y tiendra si l'on ne veille pas à ce que son intérêt soit de s'y tenir. La question est épineuse, à l'évidence, puisqu'il faut qu'il se sente assez solidaire des gouvernés pour vouloir la sauvegarde de leur liberté, mais aussi assez solidaire des gouvernants pour vouloir la stabilité des institutions. La formule est ni plus ni moins, remarquons-le au passage, le développement au second degré de celle qui fait du partage entre le législatif et l'exécutif la première des garanties en installant à quelque titre les gouvernants en posture de gouvernés. Le pouvoir préservateur est celui qui garantit la garantie, en empêchant, par un bout, cet indispensable partage de dégénérer, et en empêchant, par l'autre bout, les gouvernants de se liguer pour se dissocier des gouvernés. Comment donc créer cet intérêt à la fois « indépendant du peuple et distinct de lui » [1], et indépendant des pouvoirs constitués ? Constant retrouve ici Sieyès et le Sénat de l'an VIII dans une importante mesure – un Sieyès qu'il n'incrimine jamais nommément, du reste, dans ses attaques contre les institutions consulaires, et dont il se borne à citer élogieusement, *in fine*, un propos de l'an III [2].

1. *Ibid.*, p. 376.
2. CONSTANT présente son propre propos comme confirmant « la vérité du principe établi par un homme auquel tous les partis accordent des idées neuves, une capacité profonde et une grande perspicacité. C'est une idée fausse, dit Sieyès, que de faire gouverner les citoyens par le pouvoir public. On gouverne les moyens d'action que le pouvoir public offre pour l'exécution de la loi » (*ibid.*, p. 449). Toute la démarche de Constant consiste au fond à jouer Sieyès contre Sieyès.

Les fonctions à vie et l'inéligibilité à tout autre emploi créent l' « intérêt neutre » recherché. D'un côté, « les fonctions à vie séparent du peuple les individus qui en sont investis. Ils n'ont plus à rentrer dans la condition commune ». De l'autre côté, « l'inéligibilité sépare du gouvernement les individus inéligibles ». En même temps, ces individus restent intéressés d'un côté à la « liberté du peuple », sans laquelle leur propre liberté et leur dignité disparaîtraient, de l'autre côté, au « maintien du gouvernement », auquel leur propre institution ne survivrait pas [1]. La bonne formule était presque trouvée ; elle a été entièrement dénaturée par la fonction élective conférée au Sénat conservateur, fonction destructrice de sa nécessaire neutralité. Pour asseoir et populariser l'institution, Constant lui accorde, en outre, deux prérogatives plus ou moins dérivées du jury constitutionnaire de l'an III : le droit de grâce, réminiscence du « juge d'équité naturelle » de Sieyès, et le « droit d'accueillir les pétitions des citoyens contre les actes de l'autorité », substitut de la saisine individuelle directe du juge constitutionnel. De la sorte, estime Constant, reprenant le raisonnement qui était celui de Sieyès, le pouvoir préservateur montrera une « utilité manifeste et journalière » et gagnera auprès des citoyens « la considération suffisante pour remplir la fonction plus difficile de juge suprême des autres pouvoirs » [2]. Dans la ligne toujours de cette transposition édulcorée, il lui attribue également une part, mais limitée, de la procédure d' « amélioration constitutionnelle » : le pouvoir préservateur sanctionne les modifications proposées d'un commun accord par le législatif et l'exécutif. En revanche, conformément au Sieyès de l'an III et contre le Sieyès de l'an VIII, il veut un pouvoir procédant de l'élection et en aucun cas de la cooptation [3].

Comme Daunou, enfin, son souci de cohérence le propulse

1. *Ibid.*, p. 383.
2. *Ibid.*, pp. 434-436.
3. À raison d'un membre par département, désigné selon un système mêlant les « réductions » imaginées par Sieyès pour ses « listes de confiance » et le suffrage direct. CONSTANT pose par ailleurs des conditions d'âge pour les candidats (quarante ans au moins) et reprend l'idée de la gradualité des fonctions (ils doivent avoir été membres du législatif ou de l'exécutif (*ibid.*, pp. 437-438).

devant la redoutable question de la clôture du système de la garantie sur lui-même : « Lorsqu'on ne met la garantie contre l'abus d'un pouvoir que dans un autre pouvoir, il faut une garantie contre ce dernier ; ce besoin de garantie renaît toujours et n'a pas de bornes [1]. » Ses formulations témoignent d'un flottement notable sur le sujet ; il est manifestement partagé quant à l'efficacité dernière de son dispositif. Il commence sur une note optimiste. Le verrouillage du mécanisme est assuré, affirme-t-il, la condition est remplie. Pour éviter le renvoi à l'infini du contrôle du contrôleur, il n'est qu'une issue, qui est de contraindre le contrôleur à l'auto-contrôle. « La garantie n'existe réellement que lorsqu'elle est placée dans les intérêts du pouvoir qui garantit [2]. » Or tel est le cas, s'emploie-t-il à montrer avec minutie : le pouvoir préservateur ne pourra être que conforme à sa mission puisqu'il n'aura qu'à s'écouter lui-même et à poursuivre ses propres intérêts pour s'y conformer. Son égoïsme normal sera l'assurance de ses loyaux services. Quelques pages plus loin, cependant, le doute se réouvre : « ... Les abus du pouvoir préservateur peuvent être terribles ; aucune garantie constitutionnelle ne peut être établie contre eux. On ne peut donner une garantie à la garantie elle-même [3]. » Il ne reste plus à Constant qu'à se raccrocher à la perspective rassurante des limites intrinsèques d'un pouvoir qui ne règne que sur les fonctions : « Il ne peut rien commander aux individus. » Problème résolu ou problème en suspens ? Problème soluble ou problème insoluble ?

La liberté que procure la clandestinité n'aura pas suffi pour atteindre une solution convaincante, même sur le papier. C'est sur l'incertitude et l'aporie que débouche cette aride reconstruction de la garantie, vouée à l'abandon, on le comprend à présent, autant par sa fragilité intime que par l'adversité des circonstances. L'impasse n'est pas moindre sur le versant obscur de l'histoire que sur le versant éclairé. Au spectacle du majestueux dévoiement des idées de Sieyès sur la

1. *Ibid.*, p. 441.
2. *Ibid.*
3. *Ibid.*, p. 451.

scène officielle répond cette secrète épreuve de la limite intellectuelle que nous fait découvrir le manuscrit de Constant. Au total, d'ailleurs, l'invisible difficulté de pensée qui arrête le disciple est plus parlante que la dénaturation prospère à laquelle succombe le projet du maître. Elle en dit plus long sur l'échec de ces efforts de dernière heure, voire d'après l'heure, pour redresser la logique fatale de la fondation révolutionnaire. Elle en met à nu la racine ultime, dans la mesure où Constant, homme neuf, n'est pas enfermé dans le legs de 1789 et dans la philosophie identificatoire de la représentation avec laquelle se débat pathétiquement son illustre aîné. Brutalement dit, la construction de Sieyès ne nous offre qu'une tentative tératologique pour corriger une vision intenable de la politique par la radicalisation de cet intenable même. Sa défaite et l'adultération de son dessein sont, en somme, des actes de charité du destin ; elles l'exonèrent d'une responsabilité qui, son système l'eût-il emporté, se fût révélée autrement lourde. Rien de pareil chez Constant, grandi hors du moule initial et libre de son empreinte ineffaçable. Son adhésion à la logique révolutionnaire s'arrête à la démarche, sans les préjugés qui lui sont communément associés. Il est pleinement dans l'esprit de 1789 par l'exigence d'une reconstruction radicale où tout part des droits des individus et où tout y aboutit [1]. Il y échappe par son extériorité naturelle à l'équation première des Constituants et à la problématique des droits de la Nation tels qu'incarnés par ses représentants, dont les protagonistes de l'événement semblent ne s'être jamais remis. Mais, du même coup, de par cette indépendance, la note aporétique sur laquelle il s'interrompt acquiert une portée singulièrement profonde. Elle fait apparaître la strate dernière des résistances à l'entreprise fondatrice, et c'est ce qui permet de reconnaître à ce fruit tardif de l'imagination constitutionnelle la valeur symbolique d'un terme par rapport à la quête ouverte en 1789. D'un côté donc, la logique individualiste dans toute sa rigueur. De l'autre côté, les leçons politiques de dix années d'épreuves. Au milieu, la catégorie de

---

1. Son livre se conclut sur un propos typique : « Toute l'action d'un gouvernement organisé de la sorte est en faveur de l'individu » (*ibid.*, p. 449).

garantie comme la catégorie médiatrice devant permettre de penser et de résoudre le problème politique en termes individualistes stricts. Avec pour leçon finale que l'ordre politique ne se laisse pas ramener au rang de pur instrument des individus. Il y a des nécessités de la chose politique et de la marche des pouvoirs dont la déduction des droits ne rend pas compte : le calcul abstrait à partir des droits ne permet pas spontanément de les trouver, l'expérience l'a suffisamment montré, et lorsqu'on entreprend de satisfaire aux impératifs du fonctionnement des pouvoirs, on ne retombe pas sur la garantie des droits. Le système qui rendait les deux ordres d'exigences réversibles ne se laisse pas boucler sur lui-même. Tel est l'enseignement exemplaire qui se dégage de cette dernière grande tentative pour mener à bien la Révolution des droits de l'homme. Les prodiges d'ingéniosité qu'elle déploie comme l'extrême artifice auquel elle conduit ne font que révéler, sous une forme terminale parce que pleinement raisonnée, l'impuissance à accorder l'édifice et les fondements qui commande l'échec révolutionnaire. En ce sens, si c'est Sieyès qui tourne la page révolutionnaire dans les faits, en remettant le droit à la force, c'est intellectuellement dans ces pages où Constant explore les limites du droit, à son corps défendant et sans espoir de lecteurs, que le dernier mot est dit.

Cet enseignement, nul ne l'a mieux tiré que l'auteur lui-même, son parcours ultérieur en témoigne. Il est directement au principe de son atterrissage au sein de la monarchie constitutionnelle en tant qu'opposant libéral, une douzaine d'années plus tard [1]. Lequel passage acquiert dans cette lumière une signification qui déborde de beaucoup le cas Constant. Le saut du principe républicain au principe monarchique s'effectue chez lui sous le signe d'une telle continuité qu'on pourrait presque parler d'une translation naturelle. L' « ouvrage abandonné » ménage, en effet, une place au

---

1. Je reprends ici l'expression de « monarchie constitutionnelle » dans son sens descriptif courant pour qualifier le régime de la Restauration. Sur l'inappropriation du concept, voir les judicieuses observations de Stéphane RIALS, « Essai sur la monarchie limitée », et « La question constitutionnelle en 1814-1815 : dispersion des légitimités et convergence des techniques », in *Révolution et Contre-Révolution au XIXe siècle*, Paris, Albatros, 1987.

modèle de la monarchie tempérée qu'il est rétrospectivement difficile de ne pas lire comme une prédestination à son ralliement futur. Constant a fait sienne l'idée de Sieyès selon laquelle le régime de la liberté ne peut vivre sans recréer en son sein ce qui faisait la force de l'Ancien Régime. Or, parmi ces forces, il y avait l'embryon de neutralité que créait la limitation de la royauté par la coutume et la durée. Constant va ainsi chercher chez un « partisan éclairé de la monarchie », le Constituant Stanislas de Clermont-Tonnerre, le principe d'une dissociation essentielle : « Il y a, dans le pouvoir monarchique, deux pouvoirs : le pouvoir exécutif, investi de prérogatives positives, et le pouvoir royal composé de souvenirs et d'illusions religieuses ou traditionnelles, ce dernier est en quelque façon un pouvoir neutre entre le peuple et le pouvoir exécutif proprement dit qui est toujours délégué à des ministres [1]. » L'intervalle entre les deux laisse entrevoir la possibilité d'une version libérale de la monarchie, qui se bornera à creuser et à régulariser le partage entre la face pouvoir neutre et la face pouvoir exécutif. Il n'est pas jusqu'à l'hérédité en général, de la même façon, qui n'introduise un élément de tempérance dans le jeu des pouvoirs. « L'intérêt héréditaire, dit Constant, crée une espèce de neutralité. » Il s'avance même jusqu'à écrire : « Malgré ses inconvénients, l'hérédité vaut mieux que l'absence de tout pouvoir neutre [2]. » De là à ériger ce pis-aller en ressort d'une préférence positive, il y a un pas que la marche implacable de l'histoire et l'absence d'alternative rendront assez aisément franchissable. D'autant plus qu'entre-temps un autre aspect de cette indispensable neutralité, déjà présent en 1802, n'aura fait que croître en importance dans l'esprit de Constant, en fonction de la place croissante occupée par la dimension de l'histoire au sein de sa réflexion : la neutralité doctrinale. Un aspect dont l'enjeu stratégique ne cessera pas, au demeurant, de se renforcer,

---

1. *Fragments d'un ouvrage abandonné*, éd. citée, p. 398. CONSTANT résume sa pensée dans une note : « La monarchie a cet avantage qu'elle constitue dans le pouvoir royal tout à la fois un pouvoir exécutif et un pouvoir neutre entre le pouvoir exécutif et le populaire. Mais elle a ce vice qu'elle cumule le pouvoir exécutif et le pouvoir neutre dans les mêmes mains » (p. 403).
2. *Ibid.*, p. 198.

après 1815, face précisément à l'émergence des philosophies dogmatiques de l'histoire. C'est une autre différence notable de son projet avec celui de Sieyès. Alors que le Collège des conservateurs de ce dernier est conçu pour exercer un pouvoir d'opinion, pour remplir un rôle d'entraînement intellectuel, le pouvoir préservateur de Constant « ne consacre aucune opinion », parce qu'il est au service du mouvement progressif du devenir où le libre entrechoquement des options conduit « à la rectification des idées, à la réforme des abus, à l'amélioration de la morale » [1]. Un motif supplémentaire, donc, de mettre au premier plan la satisfaction de l'impératif de neutralité, telle que la monarchie limitée en offre au moins une approximation, Constant le reconnaît dès 1802. Simplement, à cette date, il est sous le coup de la « question du siècle », qui ouvre un abîme entre le « système électif » et le « système héréditaire ». Il est, d'autre part, sous l'empire de l'ambition de faire mieux, d'amener l'embryon à son complet développement. Il appartient à la République d'élever au statut d'organisation délibérée et systématique ce qui n'était que confusément ébauché dans la Royauté. La longue traversée du despotisme napoléonien se chargera de dégonfler ces vastes prétentions, mais aussi de relativiser l'opposition des « systèmes » : qu'importe le principe des régimes pourvu qu'il soit de fait compatible avec l'exercice de la liberté. Cette neutralité dont il calculait les indispensables effets dans le ciel pur de la spéculation constitutionnelle, Constant sera trop heureux d'en trouver à l'arrivée une incarnation somme toute acceptable dans la neutralisation de la puissance royale.

Et pourtant, au milieu de ce glissement facile, il y a rupture, et une rupture lourde de sens. Dans le passage d'une position à l'autre, il se joue un renoncement capital : le renoncement à *constituer* le pouvoir, à faire sortir l'autorité sociale du droit des individus. Immense commodité de l'héritage, la monarchie vous offre un souverain tout formé dont il ne s'agit plus que d'encadrer les prérogatives afin de les concilier avec l'exigence représentative et avec l'indépendance des personnes. Constant achève ici de rejoindre Necker : il faut que

1. *Ibid.*, p. 417.

le pouvoir soit donné d'abord pour qu'il soit possible ensuite d'efficacement le limiter. La pensée de la liberté redevient une pensée critique, oppositionnelle, en délaissant l'ambition fondatrice et ses affres. On peut dire que, dans cet abandon, avec ce qu'il comporte de reconnaissance de l'excès du problème politique sur la logique des droits, la sortie de l'orbite révolutionnaire est définitivement consommée.

Une autre histoire commence. Elle verra, certes, la revendication républicaine reparaître, mais jamais plus avec cette dépendance envers le fondement qui avait ployé le cours entier de la Révolution sous sa contrainte, y compris chez les plus fervents continuateurs du plus pur jacobinisme. Si la République a pu s'édifier, c'est, entre autres facteurs, moyennant le desserrement de cette obligation de convertibilité des droits en institutions ; ce n'est qu'à la faveur de cette distance qu'il est devenu possible de commencer à satisfaire aux nécessités propres du politique. Cela ne signifie pas qu'on aura échappé pour autant au cercle des questions surgies sous forme d'un nœud inextricable dans le sillage de 89. Elles se reposeront toutes, les unes après les autres, dégagées seulement de cette solidarité d'origine qui les rendait intraitables en imposant de les résoudre en bloc. La République installée verra reparaître en son sein la question des droits, d'abord sous l'aspect défensif de leur protection, mais bientôt ensuite sous l'aspect positif de leur expression. De même, pour finir, la démocratie consolidée, forte de son exécutif restauré, de ses incertitudes parlementaires dominées, n'en verra-t-elle pas moins resurgir la question du pouvoir de garantie contre les pouvoirs – question longtemps reléguée derrière de plus pressantes priorités, et question qu'on eût pu croire devenue sans véritable objet au milieu de la réussite des principes démocratiques. La voici pourtant qui revient, sans la dramatique urgence que l'invasion de l'arbitraire lui prêtait aux yeux d'un Constant, sans doute, mais structurellement la même. Qui dit pouvoirs délégués dit la nécessité d'un pouvoir de contrôle de la délégation, pouvoir problématique de sa nature puisqu'il ne saurait s'agir d'un super-pouvoir décidant par-dessus et à la place des pouvoirs normaux, mais seulement, à l'opposé, d'un pouvoir « neutre », cantonné dans l'assignation des autres pouvoirs à leur mission. Peut-être sommes-nous justement à l'heure où ces différentes questions, après avoir occupé tour à tour le devant de la scène, se recomposent dans leur cohérence d'ensemble. Deux siècles après, parce que nous en avons pris globalement la mesure, à défaut de les avoir résolues, nous voilà pour la première fois en position de démêler dans toutes ses dimensions la formidable coulée de dix ans, éclatée autant que compacte, où elles ont pris corps.

PROCESSUS REPRÉSENTATIF, PROCESSUS RÉFLEXIF

On n'a cessé de le suggérer tout au long de ce parcours, la poursuite du pouvoir manquant, dont nous avons suivi les péripéties d'un bout à l'autre de la Révolution, comporte un double enseignement. Son premier intérêt est de permettre une lecture de l'événement mieux attentive à sa singularité. Elle en éclaire le centre par la périphérie ; elle donne à voir ce qui se joue au cœur de l'expérience politique dans le miroir inattendu que forme la conscience de ce qui lui fait défaut. Mais elle possède, en outre, l'intérêt, bien au-delà de l'histoire révolutionnaire, de jeter une lumière non moins imprévue et non moins vive sur l'organisation représentative en général. Elle invite à en reconsidérer les conditions, telles qu'elles s'incarnent pour une part notable dans l'architecture des pouvoirs. C'est sur ce dernier point que je voudrais revenir pour conclure, afin d'esquisser une systématisation des notes éparses dont la traversée des débats et des textes a fourni l'occasion.

LA VOIE ANGLAISE

Mais auparavant, un petit détour supplémentaire ne sera pas inutile pour situer avec davantage de recul encore ce qui est ultimement en question dans l'insoluble difficulté où s'empêtrent les Français. J'évoquais liminairement l'exemple américain afin de contraster, de manière à coup sûr trop schématique, la réussite américaine en matière d'institutions représentatives et l'échec français. Comparaison obligée, de par la proximité temporelle et la parenté formelle des processus de rupture et de reconstruction révolutionnaires. Elle a toutefois l'inconvénient d'enfermer à l'excès dans la mécanique constitutionnelle, comme s'il s'agissait d'une science pure, suspendue au-dessus des sociétés et de l'histoire. C'est ici que le parallèle avec l'Angleterre révèle ses vertus. Il offre un autre exemple de « réussite » par rapport au même problème, dans des conditions d'effectuation différentes à souhait, sans cassure politique ni réécriture constitutionnelle, qui montre que cet aménagement de la relation représentative relève d'une transformation sociale-historique plus large et plus profonde.

L'évolution coutumière du dispositif institutionnel anglais, sur une cinquantaine d'années, des années 1780 aux années 1830, peut s'interpréter, en effet, comme une prise en compte progressive des réquisitions auxquelles les Français, dans le temps concentré de leur décennie constructiviste, ne sont pas arrivés à satisfaire. Il y va dans ce passage, au-delà de la science des mécanismes politiques, d'un changement d'articulation entre pouvoir et société. C'est lui qui constitue la base et le pivot du processus de représentation, la machinerie des institutions étant là pour lui procurer une forme fonctionnelle. C'est cette dissociation nouvelle entre gouvernants et gouvernés que les Français échouent spécifiquement à saisir et à ordonner.

Son appropriation, dans le cas anglais, est d'autant plus captivante à suivre qu'elle s'accomplit dans le cadre d'un régime représentatif déjà en place. Mais d'un régime où la représentation continue de s'inscrire à l'intérieur de l'incorporation royale. Elle a pour théâtre l'unité souveraine du *King in Parliament* – matérialisation du lien indéfectible entre les corps politiques du royaume et du roi. Au titre du régime mixte, elle prend sens en fonction du schème de l'application et de la conjonction des parties de la Cité, des composantes du corps social, au sein du pouvoir. C'est cette indissociation continuée que modifie insensiblement l'affirmation du rôle du Pre-

mier ministre, de concert avec les deux traits connexes que
sont la solidarité du Cabinet et le rôle institutionnel de
l'opposition. De la crise ouverte par la démission du ministère
North en 1782 au *Reform Bill* de 1832, c'est un autre système
qui se met en place, à propos duquel on peut véritablement
parler de représentation au sens moderne [1].

Les efforts de George III pour ressaisir les rênes du gouvernement dans la première partie de son règne, à partir de 1760,
avaient accentué le trait : le Premier ministre faisait figure
d'agent du monarque – de « créature de l'exécutif » aux yeux
de l'opinion. Les ministres, s'ils admettaient l'existence d'un
coordinateur et porte-parole en la personne du principal
d'entre eux, se voulaient d'abord en rapport direct chacun
avec le Roi, leur seul maître, de même que les députés des
Communes revendiquaient un accès direct aux départements
de l'administration. Avec le primat reconnu du Premier
ministre, tel qu'il s'affirme à partir de Pitt, apparaît une identification de l'exécutif distincte du monarque, même si c'est
officiellement toujours à la confiance du Roi que le P.M. doit
de conduire le gouvernement. Cette identification va se trouver en fait de plus en plus clairement rapportée à la volonté
du Parlement, et des Communes en particulier. Le principe
de la responsabilité collective du Cabinet, admis à partir des
années 1812-1815, va contribuer à rendre cette dépendance
lisible. Parallèlement, la Chambre achève de se structurer
selon le partage gouvernement/opposition (la moitié des
députés, officiellement « indécis », y échappaient encore début
XIXᵉ siècle). Avec l'idée d'une « opposition de Sa Majesté »,
remplissant une fonction indispensable de contrôle et de critique et faisant figure d'alternative immédiatement disponible
en cas de besoin (l'expression est consacrée en ce sens par
Hobhouse en 1826), la perspective de la précarité des gouvernants au regard de la mobilité du corps électoral se trouve ins-

1. Cette transition est éclairée avec une remarquable acuité par André CASTEL,
« Le Premier ministre britannique (1782-1832). Naissance d'une institution
conventionnelle », *Revue historique de droit français et étranger*, 59, n° 2, avril-juin
1981, pp. 199-230. J'ai trouvé, en outre, de précieuses suggestions dans Frank
O'GORMAN, *The Emergence of the British Two-party System, 1760-1832*, Londres,
1982.

crite à l'intérieur même de la représentation. La clé de ce rapport avec l'opinion est détenue par le Premier ministre, justement, qui, en cas de désaccord persistant avec les Communes, peut appeler le peuple à trancher. Au lendemain de l'élargissement du suffrage, en 1834-1835, le retour de Melbourne en fonctions, en dépit de la tentative royale pour l'écarter et imposer Peel à sa place, montrera que le choix du Premier ministre est définitivement passé du côté du peuple.

D'un système qui demeurait moniste, au milieu de la conjugaison d'organes et de volontés dont c'était son originalité de vivre, on a basculé sur un demi-siècle dans un système à base de différences explicitement marquées – différence du Roi qui règne et du Premier ministre qui gouverne, différence du cabinet qui incarne la puissance exécutive et du Parlement législateur, différence des représentants et du peuple représenté [1]. L'essentiel étant que ces différences sont là pour signifier des distances symboliques, lesquelles autorisent à leur tour des relations de correspondance vérifiables. Le corps électoral impose le Premier ministre au Roi en même temps que la majorité parlementaire. Mais la responsabilité collective du Cabinet devant les Communes est là pour rappeler la nécessité d'une ratification permanente de l'accord entre l'exécutif conduit au nom de la Couronne et le législatif parlant au nom du peuple. Qui plus est, la division entre parti du gouvernement et parti de l'opposition fonctionne, dans l'enceinte même des Communes, comme une ouverture et un renvoi permanents en direction du choix populaire – ceux qui

1. Dans son ouvrage classique sur *Le Gouvernement de l'Angleterre*, A. Lawrence LOWELL marque fortement le lien entre ce passage à un système à trois termes, dissociant corps électoral, Communes et Cabinet, et la prépondérance acquise par le suffrage populaire. L'ancienne prépondérance parlementaire impliquait l'image d'une association indistincte du pays à un organe souverain, lui-même indistinct dans sa triplicité de composantes. Quand il devient clair que la politique est dirigée surtout par les ministres et non par le Parlement, le pouvoir de désignation tend à passer directement au corps électoral. « La nation veut décider le choix du Cabinet qui le gouvernera. Sans doute le ministère dépend pour son existence du bon plaisir de la Chambre des Communes ; mais en réalité, c'est du pays qu'il tient son mandat comme résultat d'une élection générale » (*Le Gouvernement de l'Angleterre*, trad. franç., Paris, 1910, t. I, p. 518). L'ouverture démocratique, les élargissements ultérieurs du suffrage ne feront que le confirmer, passe par la distinction des fonctions et des lieux.

sont en place sont faits pour être remplacés, leur critique par les candidats à la relève valant prise à témoin de l'opinion. Ce rapport virtuel, introduisant la voix du pays dans la sphère de la décision politique, le Premier ministre possède, avec la dissolution, la faculté de le rendre effectif. Encore subsiste-t-il au-delà, avec la prééminence symbolique conservée par le monarque au milieu de la neutralisation de son rôle politique, l'arme en réserve d'un dernier recours contre la classe politique coalisée, s'il était besoin. On arrive de la sorte à un système à deux dimensions, où le jeu des pouvoirs entre eux opère comme un moyen d'inclure à toutes les étapes du processus politique la figuration de leur impérative conformité avec le vœu-source du pays. De la présence du corps social dans le pouvoir, et de la représentation comme moyen de l'attester, on est passé à une extériorité soulignée comme telle du corps social vis-à-vis de la scène du pouvoir et à une représentation marchant grâce à cette extériorité. Le contrôle mutuel des organes du pouvoir dans leur sphère, en tant qu'ils sont fondés à exciper chacun d'un rapport direct avec l'opinion, vaut mise en scène de la dissociation entre le lieu d'exercice du pouvoir et le lieu d'où sa légitimité émane. Et c'est parce qu'il y a cette dissociation que le contrôle du pouvoir par la société est mis lui-même en mesure de valablement s'exercer.

La singularité de la voie anglaise réside dans la façon dont cette métamorphose a pu s'accomplir sous le signe de la continuité, sur la base d'une tradition juridique et politique originale. C'est à l'intérieur de l'ancien univers de la solidarité organique que se sont formés les éléments à partir desquels cette double articulation des différences internes du pouvoir et de la différence entre pouvoir et société s'est mise en place, non certes sans tensions, mais sans déchirure. Pluralité (dans l'unité) des organes de la souveraineté, division ritualisée de l'oligarchie, autonomie coutumière des sources et des voies de droit postulée par la *Common Law*, centralité des garanties personnelles à l'encontre de l'autorité au sein des « libertés des Anglais », affirmation précoce d'un pouvoir « censorial » de l'opinion : autant de développements très particuliers de la société des ordres et des corps qui ont fourni un support au déploiement du dispositif moderne de représentation, c'est-à-dire à la subversion de la co-présence entre pouvoir et société qui constituait le pivot de l'ordre traditionnel. Cas unique, où une évolution interne de l'ancienne forme politique allant aux limites des possibilités qu'elle était susceptible d'offrir a permis le passage sans heurt dans une forme nouvelle prenant son contrepied.

C'est très exactement, en revanche, au ratage paroxystique de cette transition que l'on assiste dans le cas français, du sein de la rupture violente avec l'ancienne société. La décennie révolutionnaire, ou l'impossibilité récurrente de faire place à la dissociation représentative. Le problème arrive pourtant à l'ordre du jour avec une incandescente clarté dans l'été 1789. Face à la traditionnelle souveraineté royale, la souveraineté nationale entre irrépressiblement en scène et réclame sa juste part. L'incorporation monarchique n'est manifestement plus capable de contenir un corps social qui exige une reconnaissance à part d'elle. Mais le grand paradoxe est que ce divorce ne s'accomplit qu'en précipitant l'union en profondeur des partenaires qu'il sépare en surface. La rupture avec l'incorporation royale au nom de la nécessaire représentation de la Nation débouche sur une identification de la Nation à la représentation et, plus principiellement encore, sur une identification du nouveau pouvoir à la société nouvelle.

Les voies par lesquelles s'effectue la rupture avec l'ancien ordre, autrement dit, déterminent la résurgence de son schème organisateur au milieu de l'ordre nouveau. Cela en fonction d'un double mécanisme, où les contraintes immédiates de la situation appellent l'infiltration du passé dans le présent. La netteté même du partage joue comme une incitation à la rivalité mimétique. En regard de ce que l'image du Roi conserve de rayonnement symbolique, force est pour les Constituants de mobiliser une puissance au moins équivalente : ils ne peuvent espérer la trouver que dans l'unanime confluence du vœu collectif dans leur enceinte. C'est ici qu'intervient la constitution de la Nation une et indivisible comme moyen de matérialiser cette unanimité. En détruisant l'édifice gothique des privilèges et des particularismes, en décomposant les corps qui dispersent, isolent et disjoignent, on crée les conditions d'une adéquation pleine et entière entre le vœu des éléments premiers du pacte social et la volonté générale. Empruntant ce chemin, les Constituants retrouvent, de l'intérieur même de leur démarche de légitimation, la logique de l'héritage monarchique. Ils se font les continuateurs de ce qu'il y a eu de singulier dans le devenir de l'incorporation royale en France, à savoir son exclusivisme. Si, en Angleterre, sous le coup de l'échec de l'absolutisme consommé par les révolutions de 1640 et de 1688, elle a évolué, avec le Parlement, dans le sens de la manifestation tangible du corps social au sein du corps royal, elle a tourné, de ce côté-ci de la Manche, de par le triomphe de l'absolutisme, dans le sens d'une concentration de la Nation tout entière dans la personne du Roi, sans aucun organe distinct pour l'exprimer. C'est cette inexistence du corps politique en dehors du pouvoir qui le représente dans son unité grâce à sa propre unicité que les Constituants sont amenés à réinventer et à reconduire. D'avoir à s'opposer au Roi leur fait rechausser les bottes du Roi et, d'une certaine manière, mener son œuvre à son terme. Car, au bout de cette incorporation exclusive, il y a de nécessité l'abolition des partages de nature à s'opposer à l'interpénétration complète de l'instance représentative et de la Nation représentée. La fusion révolutionnaire réalisera ce que l'incarnation monarchique, par nature, ne pouvait que laisser inabouti.

On apprécie, par contraste, l'importance que le problème de la construction fédérale de l'établissement d'une autorité centrale par-dessus l'autorité des États a pu revêtir, dans le cas américain, pour interdire toute marche vers semblable absorption et imposer, en sens inverse, la figure d'un pouvoir à la fois en relation directe avec les citoyens et à distance de leur sphère d'appartenance première. L'existence de deux niveaux d'autorité politique a fourni comme un support tangible au déploiement de la différence représentative. En France, l'établissement de la légitimité révolutionnaire est passé, à l'opposé, par la dissolution de tout ce qui, dans l'ancienne organisation non seulement sociale, mais aussi

administrative et territoriale, fournissait un prétexte à
l' « esprit du corps », à une appartenance distincte de l'appartenance d'ensemble. Les divisions ont été redéfinies au service
de l'unité, afin d'aboutir, comme le dit Sieyès, à « cette *aduna-
tion* politique si nécessaire pour ne faire qu'*un* grand peuple
régi par les mêmes lois et dans les mêmes formes d'administration » [1]. Une fois cette incorporation nationale installée en
face de l'incorporation royale, la contestation de cette dernière ne pouvait se radicaliser qu'en entraînant avec elle une
identification toujours plus poussée de la représentation à la
Nation. Plus il s'agira de faire exister le corps politique dans
son autonomie, à part de la matrice monarchique, moins la
différence du pouvoir sera pensable. La façon dont le problème de l'entrée dans l'ère représentative s'est posé pour les
Français a empêché d'emblée qu'il puisse trouver une solution : elle interdisait d'aller vers une figuration de l'extériorité
de la société, et elle l'interdisait d'autant plus que l'exigence
en serait pressante.

Le piège intellectuel une fois refermé, et il se déclenche très
tôt, il n'allait plus être question d'en sortir. Il y a quelque
chose de mystérieux dans la force avec laquelle il a joué et
dans l'irréversible capture qu'il a opérée. Passe qu'il fonctionne à plein durant la phase de radicalisation, de 1789 à
1794. Mais l'énigme de l'impuissance thermidorienne à s'en
délivrer demeure entière. L'enfermement obstiné dans le
dogme, en dépit de la volonté autocritique de s'arracher à ses
effets, pendant ses cinq interminables années d'agonie,
comporte une étrangeté que n'a pas l'adhésion initiale.
Somme toute, le Sieyès de 1789 est beaucoup moins opaque
que le Sieyès de l'an III et de l'an VIII, en ses efforts pour
redresser une doctrine dont il ne pallie les défauts par un côté
que pour s'y enfoncer par l'autre côté.

---

1. *Observations sur le rapport du comité de constitution concernant la nouvelle
organisation de la France*, Versailles, 1789, p. 2.

DU CONTRÔLE CONSTITUTIONNEL

La quête toujours renaissante dont nous avons suivi les étapes est le symptôme compensatoire des impasses de cette idée de la représentation, telle qu'elle s'impose sans retour en 1789. C'est parce qu'il n'y a et qu'il ne peut y avoir, en bonne logique française, que deux vrais pouvoirs tout au plus que la recherche d'un tiers-pouvoir arbitral acquiert un pareil relief. C'est parce que le pouvoir législatif est forcément conçu comme unitaire, en fonction de la même logique, et que sa prépondérance rend, de surcroît, la consistance de l'exécutif incertaine, que la question de son balancement et des moyens de le tenir dans les limites constitutionnelles se met à revêtir une telle acuité. C'est parce qu'il y a substitution virtuelle des représentants à la Nation que le problème de leur surveillance en vient à se poser avec une semblable insistance. Une insistance d'autant plus grande que l'obscurité des procédures électorales nourrit par ailleurs l'interrogation sur la fidélité représentative.

Pour autant, cette quête conjecturale d'un pouvoir contrôleur, régulateur ou préservateur ne se réduit pas à la contrepartie fantasmatique d'une expérience malheureuse dont elle se bornerait à accuser les traits pathologiques – ce qui serait déjà loin d'être négligeable. Le retour du refoulé livre un enseignement capital sur ce qui se trouve de la sorte manqué. Car la logique de l'erreur n'est pas n'importe laquelle : elle est ni plus ni moins celle des principes, mobilisés par les circonstances dans leur plus grande rigueur. Par une conjonction qui donne à penser, la situation qui précipite la ressaisie de l'incorporation royale chez les représentants de la Nation est simultanément celle qui détermine leur appel à la pure raison des fondements. À la base, l'égale liberté des personnes, dont il découle l'unité de la volonté générale, laquelle n'admet pour traduction adéquate que la primauté d'un législatif indivisible – on a suffisamment côtoyé le raisonnement et ses variantes pour qu'il ne soit pas nécessaire de s'y étendre. Les deux logiques, celle de la résurgence du schème identificatoire et celle du recours à l'enchaînement des principes, s'emboîtent exactement. Cela n'est pas sans expliquer quelque peu la solidité de l'attelage, mais aussi l'aveuglement des acteurs sur la nature de l'opération à laquelle ils se livrent : ils peuvent n'apercevoir que la nouveauté du contenu de droit qu'ils mettent en avant, sans discerner qu'elle s'inscrit à l'intérieur de la réinvention d'une forme symbolique ancienne. Il résulte de cette configuration un phénomène quasi expérimental : l'ambition de soumettre l'agencement institutionnel à la logique pure des principes aboutit à mettre en évidence que la construction du système des pouvoirs relève d'un tout autre ordre de considérations, et d'un ordre de considérations qui ne se réduit pas davantage aux réquisitions de la prudence politique. Car c'est sous ce masque qu'elles se présentent d'ordinaire, comme tempérament indispensable aux exigences du système de légitimité. Le mécanisme institutionnel se donne pour un compromis entre les normes fondatrices qui décrètent la souveraineté du collectif à partir de l'autonomie des individus et les nécessités pragmatiques qui recommandent d'arrêter le pouvoir par le pouvoir. C'est entre ces deux pôles qu'on pense le régime représentatif, la représentation n'étant comprise elle-même que comme un pis-aller prudentiel, ou un substitut utilitaire à la Sieyès, dans le cadre d'une division du travail bien comprise. Donc, il faut diviser le législatif pour empêcher la précipitation des décisions, donc il faut pourvoir l'exécutif des armes et des attributs indispensables pour qu'il soit indépendant et efficace, donc il faut prévoir une quelconque puissance arbitrale pour garder des limites constitutionnelles qui sont toujours en péril d'être franchies lorsqu'elles ne sont pas défendues. On se suffit de cet entredeux qui correspond descriptivement à la réalité, mais qui ne rend que très imparfaitement compte de ce qui est en cause sur le fond. Il laisse mal voir les finalités véritables auxquelles obéissent ces mécanismes de balance et d'arrêt. L'apport unique de l'expérience révolutionnaire, de par la démesure qui lui fait tourner le dos avec superbe aux avertissements de la sagesse, c'est de nous autoriser à concevoir l'ordre représentatif en lui-même et pour lui-même, dans sa logique propre. Elle le donne à identifier comme ce qu'elle rate, de l'intérieur de son prodigieux effort pour monter une construction politique qui serait justifiable de part en part. C'est vers lui que font signe ces invocations obsédantes du tiers-pouvoir, d'une autre nature, qui rendait sa fonctionnalité à la machine. La mise entre parenthèses des voies et moyens qui, habituellement, le portent en pratique tout en l'occultant en théorie l'a rendu pour un moment visible.

S'il faut un troisième pouvoir, ce n'est ni au titre de la fidélité aux principes, ni au titre seulement des précautions contre l'infirmité humaine, mais pour des raisons de structure, qui tiennent à l'organisation même du processus représentatif comme processus réflexif. C'est qu'il y a deux dimensions qui s'entrelacent dans la représentation : la dimension explicite de la délégation politique et la dimension implicite de la réflexion sociale. À quelles conditions un régime de réflexivité collective est-il possible ? Voilà en vérité la question autour de laquelle tournent ces propositions d'aménagement institutionnel. L'implicite devient ici discernable dans la mesure où le parti identificatoire qui gouverne centralement la politique révolutionnaire détourne à coup sûr d'en approcher. D'où la surenchère dans l'artifice pour le produire à partir de rien, au moyen d'une savante architectonique des pouvoirs. Démarche vouée d'avance à l'échec, puisqu'elle revient à construire un édifice en l'absence de fondations, mais qui n'en éclaire que mieux, par son impasse même, les termes du problème dans leur formule la plus générale.

Cette formule se résout en deux points principaux :

1. Il est besoin de trois pouvoirs au moins pour que s'établisse une relation réfléchissante entre la sphère du pouvoir et la société. Le rôle de la division des pouvoirs est, en effet, de prêter consistance et lisibilité à la différence entre le lieu d'exercice du pouvoir et le lieu d'où il sort en même temps qu'il s'y applique, cela afin d'autoriser une mesure de l'écart ou de la proximité entre la volonté délégante et l'action déléguée. S'il n'y a qu'un pouvoir de droit ou de fait, il n'y a pas de figurabilité permanente et constitutive de l'état de la rela-

tion entre les pôles du processus politique. Cela n'empêche évidemment pas les citoyens de se former un jugement par-devers eux à l'égard de l'autorité qui les conduit, mais cela interdit à ce jugement d'avoir un support dans l'organisation même de l' « établissement public ». La distribution de l'auto-rité, autrement dit, emporte pour l'un de ses enjeux l'institu-tion tacite de l'opinion en tant que rouage du système poli-tique. Ce n'est que par la discordance, les tensions et le dialogue entre des instances également fondées à s'exprimer au nom de la collectivité que le repérage ou le déchiffrement de ce qui se passe dans la sphère du pouvoir est fondé à s'exer-cer de manière prévisible et constante. Pour qu'un tel dia-logue ait lieu et fonctionne comme une structure de publicité, il faut au moins trois partenaires. À deux, c'est l'oscillation instable entre la coalition, qui ramène au cas du pouvoir unique, et la confrontation, qui tend à substituer la mobilisa-tion des camps dans la société à l'exposition à distance des choix en dispute. Certes, contrairement à ce qu'inclinaient à croire les plus sagaces parmi nos ingénieurs constitutionnels de l'âge révolutionnaire, ce n'est pas le dispositif qui crée la différence entre le pôle politique et le pôle social. Il se borne à l'habiller ; il la suppose dans son épaisseur juridique, écono-mique, culturelle, comme sa condition de possibilité. Mais ce n'est qu'au travers de la mise en forme qu'il en donne qu'elle devient une dimension déterminante du processus politique comme processus cognitif.

Il s'ensuit de ce déplacement dans l'entente de la représenta-tion des conséquences pratiques importantes. Il apporte un surcroît de justifications à un certain nombre de dispositions allant au rebours de la ligne unitaire inlassablement cultivée par les révolutionnaires. On conçoit à sa lumière pourquoi les pouvoirs doivent être à la fois indépendants, c'est-à-dire pour-vus chacun d'une source de légitimité propre, et contraints à composer avec les autres au travers du chevauchement de leurs attributions, n'en déplaise à Sieyès et à son système du concours de fonctions soigneusement séparées. Il est indis-pensable, par exemple, que l'exécutif ait la faculté de se mêler des opérations du législatif, soit sous la forme d'une opposition à ses choix, le veto, soit sous la forme d'une participation à l'initiative des lois. Ce n'est, en effet, que par ce débat des pouvoirs entre eux que leurs opérations arrivent devant le corps social, qu'il s'en trouve saisi, qu'elles lui deviennent représentables. Le débat suppose, pour avoir lieu, que les protagonistes puissent valablement soutenir leur position, à défaut d'être de force comparable ou de « s'équilibrer ». Si l'exécutif ne procède pas directement du suffrage, il faut ainsi qu'il ait la possibilité d'en appeler à lui au moyen de la dissolution. Car le mode de relation des pouvoirs entre eux définit en réalité leur mode de relation à la Nation qui les désigne. C'est l'enjeu latent de la problématique de l'équilibre, recouvert par son enjeu manifeste – arrêter le pouvoir par le pouvoir. Cette neutralisation mutuelle ne se borne pas à exercer un effet protecteur, elle induit, en outre, un effet de connaissance. En « s'équilibrant », ils suscitent une scène de l'action politique, ils la pourvoient d'une consistance autonome, et ils procurent aux citoyens qui suivent les péripéties de la pièce le moyen de savoir où en sont les acteurs, avec les difficultés qui les arrêtent et les dilemmes qui les opposent. L'équilibre est en ce sens la clé de voûte d'un processus d'exotérisation et d'information.

La reconnaissance institutionnelle du partage entre majorité et minorité, entre parti du gouvernement et parti de l'opposition au sein de l'organe législatif, en tant qu'il est supposé refléter le pays dans sa diversité délibérative, répond au même type de nécessité. C'est en tant qu'il est divisé de façon réglée et stable, immédiatement référable à l'épreuve-source du suffrage, qu'il permet aux citoyens d'identifier à tout moment les positions en présence, en les rapportant aux choix qui les ont eux-mêmes déterminés. Se trouve incorporée dans le dispositif, de la sorte, à la fois la continuité traditionnelle du discord et la rotation virtuelle des détenteurs de l'autorité en fonction des fluctuations de l'opinion. Le mécanisme représentatif, en d'autres termes, inclut par ce canal une représentation de lui-même qui achève de l'ériger en machine à rendre intelligible la vie publique.

L'impératif de lisibilité des opérations électorales, lui aussi méconnu avec constance par la Révolution, comme Patrice Gueniffey l'a lumineusement établi, est un élément de la même logique d'ensemble [1]. Une chose est la désignation du personnel des représentants, autre chose est la construction, par la même occasion, d'une image significative du corps électoral aux yeux de ses propres membres, image capable de clarifier pour chaque citoyen isolé la configuration globale où son acte s'insère. Pareille construction suppose de se déterminer par rapport à une offre préalable de candidatures, à l'inverse du rejet révolutionnaire de l'« ambition » et, par conséquent, de la délibération publique sur les personnes et les programmes, qui interdit aux votants de se former une idée claire des termes du choix proposé à tous, au-delà de l'enfermement de chacun dans ses préférences singulières. L'idée sera d'autant plus claire qu'il existe un seul niveau de suffrage et que les termes de l'offre sont homogènes à l'échelle du pays. Il y aura enfin d'autant plus d'intelligibilité du résultat, en termes cette fois de conduite du gouvernement, que la décision quant aux détenteurs des charges suprêmes sort directement du scrutin, sans procéder de distillations ou combinaisons secondes soustraites à la prise du corps électoral. L'optique fait apparaître l'inanité des distinguos entre des pouvoirs qui seraient par nature représentatifs et d'autres qui ne le seraient pas. Tous le sont semblablement, dès lors qu'ils ont affaire aux citoyens et que ceux-ci ont à saisir d'où ils viennent et où ils vont. L'effectivité des opérations de la machine politique exige d'être doublée à tous les niveaux par une réflexivité en acte rendant leurs tenants et aboutissants identifiables par les acteurs sociaux. Telle est l'exigence dont la réquisition des trois pouvoirs forme la clé de voûte. Elle porte en réalité, au-delà de la technique constitutionnelle, sur l'essence du processus représentatif en tant que processus social.

2. Parmi ces trois pouvoirs, il est besoin d'un pouvoir d'une nature spéciale, qu'on pourrait appeler un méta-pouvoir. C'est la partie la plus originale de la critique interne du consti-

---

1. *Le Nombre et la Raison. La Révolution française et les élections*, Paris, Éd. de l'E.H.E.S.S., 1993.

tutionnalisme révolutionnaire que nous avons exhumée. Elle découle de l'impossibilité où les Français se sont trouvés de prendre appui sur un quelconque pouvoir préexistant pour occuper la place du tiers : il était exclu de compter pour le rôle sur un Roi évoluant vers une neutralité à l'anglaise, et la conception unanimement reçue de la loi interdisait de faire fond sur un judiciaire irrémédiablement subordonné. La consistance du judiciaire en tant que pouvoir de plein exercice ne peut être valablement assise que dans l'intrinsèque indépendance intellectuelle de ses opérations : ce à quoi se prête éminemment la tradition de la *Common Law*, de par la manière dont s'y articulent l'autorité coutumière du précédent et la rationalité sédimentaire du droit ; ce que ne permet guère l'idée politique de la loi comme suprême expression de la puissance collective, qui confine le juge dans une tâche d'application sans autorité propre, si grande que soit son indépendance fonctionnelle. Le chemin vers une République juridique à l'américaine était aussi fermé que la marche vers une royauté symbolique à l'anglaise. Faute de pareils supports, nos correcteurs et critiques ont dû imaginer de toutes pièces ce troisième pouvoir qu'ils estimaient indispensable ; ils ont eu à en dégager la nécessité dans l'abstrait et à le monter à partir de la théorie pure.

Ce dont il est en vérité besoin au travers de ce tiers-pouvoir déduit et construit par la théorie, c'est d'un pouvoir au second degré, d'un pouvoir sur les pouvoirs, d'un pouvoir de contrôle ou d'appel à l'égard des autres pouvoirs. En désigner la fonction, c'est indiquer la difficulté pratique de le constituer : comment faire en sorte que ce méta-pouvoir ne devienne pas un super-pouvoir absorbant ou se soumettant les autres, mais reste cantonné dans son rôle spécifiquement « censorial » ?

Il ne suffit pas de la lisibilité collective du processus politique produite par l'entrecroisement et le colloque des pouvoirs dans leur sphère. Il faut, en outre, que la prise ultime du corps politique sur lui-même soit symboliquement assurée par un mécanisme garantissant que les pouvoirs délégués n'échappent pas au contrôle de la puissance délégante. Il faut parmi les pouvoirs délégués, en d'autres termes, un pouvoir chargé de relayer et de concrétiser cette indispensable surveillance collective et de rappeler que les délégués procèdent de la délégation. Pour le dire encore autrement, il faut que la suprématie dernière du peuple souverain soit représentée au sein des pouvoirs qui s'exercent en son nom et qui la dépossèdent, donc, de son exercice direct. Car le peuple ne peut exercer son contrôle sur ses délégués qu'en le déléguant à son tour. On arrive ici au cœur des ambiguïtés les plus profondes du régime représentatif. Il doit incorporer un élément de démocratie directe, sous la forme de cette supériorité examinatrice de la collectivité souveraine ; mais il ne peut valablement la matérialiser qu'en la concentrant dans un rouage représentatif de plus. D'où la difficulté interne de définir ce pouvoir aussi évanescent que capital, représentant ce qui ne saurait être vraiment représenté, mais qui en même temps s'abolirait dans son exercice direct et n'acquiert de réalité que représentativement. Difficulté d'autant plus grande, par ailleurs, qu'il ne saurait s'agir d'un pouvoir d'action, porté à se substituer aux autres, mais uniquement d'un pouvoir d'arrêt. Pour éviter qu'il ne bénéficie d'une légitimité trop forte, qui l'armerait à l'excès aux dépens des instances qu'il a charge de contrôler, on se gardera de le faire procéder de la désignation immédiate par le peuple. Pour éviter qu'il ne pèse directement sur la conduite des affaires, on le bornera à la vérification de la conformité des décisions au cadre constitutionnel, ce qui lui permettra, d'autre part, de s'effacer en tant que représentant derrière une norme qui n'est pas la sienne et de renvoyer à l'indélégable puissance instituante du corps politique tout entier. On arrive ainsi au paradoxe d'une instance soustraite à la responsabilité devant les électeurs, limitée à une mission hautement technique, mais cela afin de remplir, à l'intérieur de ces étroites frontières, une fonction essentielle par rapport au peuple en corps dont elle se tient si loin : celle de prêter figure à cet au-delà ou à cet au-dessus des autorités constituées par rapport auquel la souveraineté de tous se vérifie. Tel est en effet l'enjeu symbolique attaché à la conservation toute pratique des principes constitutifs du corps politique contre ceux qui gouvernent en son nom, voire contre la majorité de ses membres. Le contrôle constitutionnel forme l'unique défilé par lequel faire passer l'édification de ce pouvoir tiers si problématique à établir. Il est le lieu géométrique où les tensions afférentes à sa construction se résolvent tant bien que mal. Beaucoup des « énigmes » qu'on s'est plu à souligner dans le statut de cette juridiction d'un genre très spécial se dissipent lorsqu'on les rapporte à cette matrice définitionnelle [1]. Simplement, lorsque le principe des cours constitutionnelles s'est imposé un peu partout, dans la période récente, au-delà du cas américain, longtemps isolé, il l'a emporté par une de ces subites contagions de l'évidence que l'on nous donne pour dictées par le « pragmatisme », quand elles ne sont que le produit différé d'une gestation rendue obscure par l'oubli. Car, en fait, le problème avait été fermement posé sur le fond, à une époque où il n'avait guère de chance de trouver une issue concrète. Il n'est que temps de remettre ensemble ces interrogations natives provoquées par l'impossibilité d'aboutir et ces aboutissements portés par une maturation démocratique devenue, à la mesure même de sa force, ignorante de ses raisons.

On peut formuler ce problème de construction d'une manière plus abrupte en mettant l'accent sur les effets de structuration de l'espace politique que ce tiers-pouvoir a pour vocation d'induire. Il a charge d'instaurer un jeu à trois termes : le peuple en corps, les pouvoirs délégués et le contrôle de la délégation. C'est parce qu'il y a ce troisième et dernier terme que le peuple souverain peut se représenter sa supériorité principielle sur ce qui émane de lui. Il ouvre au corps poli-

---

1. Soit par exemple ces lignes de Mario CAPPELLETTI, qui donnent un bon résumé de l'argument : « Bien que dans le monde entier ou presque, on veuille y recourir, le contrôle juridictionnel de constitutionnalité des lois repose sur une énigme. Il joue un rôle principalement dans les États qui professent des philosophies prônant la démocratie et pourtant il opère pour mettre en échec, dans certaines situations, la volonté de la majorité. Les décisions qui interviennent en suite de ce contrôle sont d'une nature essentiellement politique et pourtant elles sont rendues par des juges qui ne sont pas responsables devant les électeurs. Le pouvoir qui est donné selon la théorie aux juges de la constitutionnalité des lois est imposant et pourtant en fin de compte ce pouvoir n'est assorti de nul glaive et de nulle possibilité financière et il dépend d'autres autorités de donner effet aux décisions qu'il prononce », *Le Pouvoir des juges*, Paris, Economica, 1990, p. 213.

tique la possibilité de vérifier son propre pouvoir, sous les traits d'un recours contre les instances qui prêtent forme à celui-ci. Perspective qui donne sens à l'exercice effectif du pouvoir d'opinion, qui fait de l'opinion un pouvoir. C'est grâce au relais d'un tel surplomb civique à l'intérieur des institutions que la pesée critique des citoyens à l'extérieur acquiert sa pleine dignité de fonction politique à leurs propres yeux. Comment maintenant aménager la position de cet indispensable, mais tout autant improbable, tiers ? Il ne tombe pas du dehors ou d'ailleurs, en effet, même s'il lui revient de matérialiser ce point d'appui situé quasiment à l'extérieur du processus politique et grâce auquel il est maîtrisable. Il ne peut s'agir que d'un hybride complexe. Il fait forcément partie de la sphère des pouvoirs délégués, puisqu'il a une fonction doublement représentative : il prononce au nom du peuple, et il rend sensible, il donne à voir une puissance dont la collectivité a besoin de se former l'idée. Mais ce qu'il a charge de représenter, c'est précisément un au-delà de la délégation. Il fait signe vers un plus haut qu'elle autorisant à juger ses actes. Encore ne peut-il indiquer ce plus haut qu'en marquant expressément qu'il n'est pas le sien, qu'il ne réside pas en lui. À la différence du pouvoir d'appréciation et de décision qu'incarne l'exécutif, à la différence du pouvoir de délibération que constitue le législatif, l'un et l'autre fortement personnalisés par nature, ce tiers-pouvoir arbitral se doit d'être fortement impersonnel, aussi anonyme que possible, retranché derrière une norme intangible. D'autre part, s'il prononce au nom du peuple, il ne peut qu'être indépendant de lui : s'il était directement et explicitement le bras armé du peuple, il cesserait d'être un arbitre, on retomberait exactement dans la situation dont il s'agissait de sortir et dans le problème du contrôle du contrôleur. Ce pouvoir n'a d'efficacité restitutive vis-à-vis du peuple souverain que parce qu'il est posé qu'il n'est pas immédiatement le sien. Double dépossession nécessaire, du contrôleur par rapport à la fonction qu'il remplit et du peuple au service duquel le contrôle fonctionne, qui impose de recourir à la codification constitutionnelle comme la seule pierre de touche permettant de satisfaire à toutes les réquisitions à la fois. Elle concilie l'indépendance vis-à-vis du peuple du moment et la soumission à la volonté du peuple, telle que matérialisée dans un texte qui l'exprime dans sa dimension de durée. Elle accorde la restriction impersonnelle des décisions et l'extension générale du domaine de contrôle. Voilà pourquoi l'efficacité politique du pouvoir tiers est suspendue à une démarche d'allure juridique – et pourquoi le débat sur sa nature juridique ou politique est impossible à trancher : le juridique est ici le vecteur du politique. Mais ce qu'il faut bien voir, c'est que cette voie étroite du droit est l'issue finale d'un problème qui engage l'organisation et l'essence du système politique en son entier.

On conçoit que, dans un premier temps, cette tension entre l'importance de la fonction et la minceur obligée des attributions ait paru rédhibitoire à nombre des plus convaincus dans le principe de la nécessité d'une telle institution tierce. D'où, d'ailleurs, chez quelques-uns des plus aigus parmi nos auteurs, le refus de concentrer cette indispensable faculté de recours dans une institution particulière, fatalement trop précaire dans son statut et trop discrète dans ses effets, pour l'étendre au contraire aux proportions d'une propriété du système. On comprend de la même manière qu'un roi respectueusement dépouillé de ses prérogatives en matière de conduite du gouvernement ait pu sembler finalement l'incarnation la plus convaincante d'un tel pouvoir neutre : son indépendance est patente, il ne doit rien aux électeurs, il est à l'abri des pressions, la tradition lui procure une autorité éclatante en même temps qu'elle l'érige en représentant d'une alliance pérenne et profonde avec le pays. Seul inconvénient : il n'a de poids que coutumier, à la mesure du souvenir de son rôle d'autrefois. Lorsque, avec le temps, sa neutralisation devient totale, la place qu'il était supposé remplir finit par s'avérer vacante. Force est d'en revenir à un mécanisme institutionnel de moindre lustre, à coup sûr, mais irremplaçable en sa modestie. C'est en somme ce qui s'est passé, du point de vue des modèles politiques. Ce rouage calculé par la raison, mais que les difficultés de son mode de détermination semblaient vouer à un avortement fatal, a gagné vraisemblance et réalité sur la durée. Il s'est universellement imposé plus d'un siècle et demi après avoir été conçu, au milieu de la stabilisation démocratique, sans qu'on ne sache plus trop, dans le moment de son triomphe pratique, à quelles finalités de fond il répondait. C'est de cette façon déjà qu'il était apparu dans le cadre américain, lentement et tardivement, à partir des années 1810-1820, par la simple évolution des usages au sein d'un dispositif politique qui permettait de lui faire place, mais qui n'en avait aucunement prévu l'éventualité [1]. Ce problème que les Américains ont résolu sans se l'être posé, les Français, eux, l'avaient clairement identifié et théorisé, parce qu'ils se trouvaient dans l'impossibilité de le résoudre. En suivant leurs débats et leurs dilemmes, on comprend à quoi sert au juste ce mystérieux juge politique dont nous avons l'emploi sans vraiment savoir la fonction.

Cet étrange méta-pouvoir est la clé de voûte de l'exercice représentationnel de la souveraineté du peuple. Car c'est le caractère que met en évidence le déploiement de la démocratie sur deux siècles. Il s'est effectué aux antipodes de ce que voulait Rousseau, mais avec Rousseau. La souveraineté non seulement existe, mais elle doit régner dans toute son étendue,

---

1. Cf. sur ce point l'important renouvellement de la chronologie reçue apporté par Sylvia SNOWISS, *Judicial Review and the Law of the Constitution*, Yale, 1991, et l'analyse de Denis LACORNE, « La Cour suprême américaine. Une institution antimajoritaire ? », *Commentaire*, été 1993, n° 62, pp. 297-302.

La construction de la procédure s'effectue en trois temps, montre S. Snowiss. Dans un premier moment, le simple fait de l'existence d'une constitution écrite suffit à créer une contradiction avec le style de l'omnipotence parlementaire à l'anglaise, style qui n'a pu se développer précisément qu'à la faveur de l'absence d'un tel document. Il en résulte un péril de subversion surmonté dans un second moment, durant la période qui va du *Fédéraliste 78* à l'arrêt *Marbury* de 1803, grâce à l'admission du problème devant les tribunaux, qui joue comme un substitut à la révolution. Encore faut-il un traitement approprié pour les cas ordinaires, ceux où la violation n'est pas flagrante, mais relève de l'interprétation. Il suppose de traiter la constitution non comme une loi fondamentale, mais comme une loi ordinaire suprême, relevant des règles de l'exposition statutaire définies par la tradition de la *Common Law*. Cette judiciarisation du texte constitutionnel est menée à bien, de manière graduelle, dans un troisième temps qui s'étend de l'arrêt jusqu'à la fin de la Cour Marshall. Ou comment, moyennant non un coup de génie, mais une lente et laborieuse opération, un problème politique a pu recevoir une solution technique par l'interprétation judiciaire. Ou comment les Américains ont pu établir empiriquement un dispositif qu'ils n'avaient pas théorisé, là où les Français, au même moment, l'ont clairement conçu, sans parvenir à le concrétiser.

sauf que cette intégralité suppose qu'elle s'applique par représentation. Nous retrouvons ici l'un des thèmes obsédants de la Révolution, la souveraineté selon Rousseau, mais une souveraineté représentée, contre Rousseau – à ceci près que les révolutionnaires qui l'orchestrent ne savaient pas ce que c'était que représentation. Pour prévaloir dans sa plénitude, la souveraineté du corps collectif à l'égard de lui-même doit être montrée, exhibée, ce qui suppose sa mise en suspens pratique, ou plus exactement sa désubstantialisation, son arrachement à quelque incarnateur concret que ce soit. Elle doit être mise en relation entre les termes du corps politique sans s'arrêter ni se matérialiser nulle part. Ce n'est qu'à cette condition qu'elle s'impose en s'exposant comme souveraineté véritablement de tous. C'est de ce suspens ou de cette extériorisation de la souveraineté par rapport à ses agents effectuants que le pouvoir tiers est le garant. Il l'est en tant que pouvoir conservateur. Il n'est pas que gardien de la constitution. Il est gardien du principe de composition du corps politique. C'est le sens profond de la protection des libertés individuelles. Jusqu'au sein du collectif souverain agissant comme un tout, les individus doivent rester des individus. Ils sont à préserver de toute atteinte qui pourrait leur être infligée par l'incorporation contrainte dans l'ensemble social. Dans le même sens, à l'autre bout, le pouvoir tiers est le gardien de ce qu'on pourrait appeler l'ouverture temporelle du corps politique. C'est le sens profond de la défense contre les empiétements et les abus de la majorité. Il s'agit d'empêcher que la partie ne se donne pour le tout, à la fois au présent et dans la durée – ce qui n'est jamais que l'actuel, c'est-à-dire le provisoire, ne saurait valoir pour le définitif. Non seulement la minorité doit être prise en compte en quelque façon au titre du tout, mais la continuité du corps politique à travers le temps doit être ménagée, avec les droits de l'avenir, au-delà de la succession de ses membres mortels. Car le tout ne saurait se confondre avec la somme momentanée des présents-vivants : il n'a de consistance comme tel que par une certaine identité à lui-même au milieu du devenir. Pas plus que la souveraineté de tous ne saurait devenir la propriété d'un homme, d'une assemblée ou d'une partie du peuple sans se renier, elle ne saurait être la propriété d'une génération. Elle n'existe et ne pèse que par cet écart maintenu qui lui interdit de coaguler dans un être, singulier ou collectif, comme de s'arrêter dans un temps. Ce n'est qu'à la condition qu'elle reste de la sorte *entre* les hommes qu'il peut être symboliquement posé et pensé que tous en participent. La prise commune passe en fait par la dépossession des individus particuliers, non par leur immersion dans le général. Tout l'art institutionnel est d'aménager cette mise en suspension qui est en même temps une mise en représentation au sens d'une mise en publicité. Car c'est à la faveur de cette circulation obligée extériorisant le choix souverain par rapport à ses agents et supports qu'il se trouve principiellement exposé aux yeux de tous, que son objet acquiert visibilité d'essence. Ni l'implication des citoyens ni le statut public de ce sur quoi ils ont à délibérer ne sont de pures données de fait : ils ont à être rendus possibles, ils doivent être symboliquement produits, et c'est en cela que l'exercice de la souveraineté exige représentation. Dans la mesure où il dépend de lui, en dernier ressort, de garantir aux membres du corps politique à la fois l'intégrité de leur condition d'individu et leur inscription au sein d'un tout qui n'existe comme tel que par sa transcendance sur toute actualisation possible, le pouvoir de surveillance des autres pouvoirs est une pièce maîtresse de ce procès d'institution symbolique du souverain.

LA REPRÉSENTATION APRÈS LA RELIGION

Dans sa *Théorie de la Constitution*, Carl Schmitt introduit une distinction entre deux sens de la représentation politique : la représentation-mandat et la représentation-présentification d'un invisible [1]. Cette seconde acception est ce que tend à méconnaître le parlementarisme libéral-bourgeois ; il valorise indûment la représentation comme

1. *Théorie de la Constitution* (1928), trad. franç., Paris, 1993, en particulier pp. 342-357. Voir également l'étude d'Olivier BEAUD, « " *Repräsentation* " *und* " *Stellvertretung* " : sur une distinction de Carl Schmitt », *Droits*, n° 6, 1987, pp. 11-20.

délégation, comme commission « juridico-technique », sans en discerner les limites. Il y a toujours, en fait, une autre représentation à l'œuvre, parce que aucun peuple ne vit dans l'identité immédiate avec lui-même, mais suppose, pour être constitué, la « présentation » de son unité politique. Il faut que ce tout qu'il forme et qui lui donne forme d'État soit en quelque manière rendu visible « par le truchement d'un être publiquement présent » [1]. « L'unité politique d'un peuple en tant que telle, dit Schmitt, ne peut jamais être présente sous une identité réelle [...] elle doit toujours être représentée personnellement par des hommes. [2] » La monarchie est ce régime qui tend vers la « représentation absolue », en donnant la priorité à la concentration figurative de l'unité de la Nation dans un être, même si cet absolu est une limite qui ne saurait aller jusqu'à se réaliser « en faisant fi du peuple toujours existant et présent ». Le régime parlementaire, en revanche, met au premier plan et tend à ne considérer que la relation utilitaire du peuple réellement existant avec les mandataires chargés de défendre ses intérêts, même s'il ne s'agit là, de nouveau, que d'une limite qui ne l'empêche pas de faire droit à une inéliminable part d'incarnation de la transcendance du tout.

Le propos ouvre sur une vérité essentielle. Il existe indéniablement, en effet, un tel dédoublement d'aspect de la représentation. Il correspond au partage entre face visible et face cachée de la société des individus : si celle-ci se pense explicitement comme produite par une composition contractuelle de volontés singulières, elle n'en demeure pas moins implicitement une société, définie par une précédence et une transcendance de l'ensemble sur les individus qui exigent d'être symboliquement manifestées. Une société dont tout le problème est d'articuler ces deux dimensions, celle qu'elle revendique et la seule qu'elle veut connaître et celle qui la contraint, même lorsqu'elle tend à l'ignorer. C'est notamment ce qui fait qu'à côté de la dimension procédurale et pratique de la délégation par laquelle les individus commettent la défense de leurs intérêts, il existe une dimension symbolique

---

1. *Théorie de la Constitution*, *op. cit.*, p. 347.
2. *Ibid.*, p. 342.

de la représentation proprement politique au travers de laquelle s'exhibe et s'atteste le primat du tout. Dimension symbolique qui passe par la différence ostensible du pouvoir et par une irréductible personnification de celui-ci – il faut que soit quelque part marqué aux yeux de tous qu'un vaut pour tous, que l'ensemble se ramène à une personne. Le pouvoir représentatif comporte une part probablement incompressible d'incarnation. Et si le trait est spectaculairement concentré au sommet, il n'est pas moins présent et actif, de manière diffuse, dans l'ensemble du système : les représentants sont toujours autre chose que de simples et transparents porteurs de procurations, ils sont des personnificateurs, avec tout ce que cela signifie et requiert du point de vue de l'organisation du suffrage. C'est en ce sens très précis qu'on peut parler du côté « aristocratique » de l'élection.

Cela accordé, on n'a encore fait que la moitié du chemin. Schmitt s'arrête en route, victime de son parti polémique qui le fait se satisfaire d'avoir pris en défaut la naïveté libérale-bourgeoise. Il ne suffit pas de débusquer un mode de représentation symbolique « à l'ancienne » subsistant au milieu de l'univers individualiste et moderne du mandat. Car il existe un troisième sens de la représentation, spécifiquement moderne celui-là, bien que de part en part symbolique, un sens qui ne se confond aucunement avec la présentation-présentification de type monarchique, même s'il lui arrive d'en épouser les voies. La meilleure façon de la cerner est d'interroger, justement, le passage de l'univers hiérarchique-monarchique à l'univers démocratique. Schmitt se contente d'une notion étrangement étroite de ladite monarchie. Tout catholique qu'il est ou qu'il se veut, il la réduit à un principe purement politique. Elle a pu effectivement s'y restreindre dans une phase de transition, dont les formules de Vattel invoquées par Schmitt, relativement au « caractère représentatif que l'on attribue au souverain », constituent une parfaite expression. Mais ce n'est peut-être pas dans ce langage fonctionnel et séculier de la mi-XVIIIe siècle qu'il faut aller chercher l'essence du phénomène, qui est d'abord religieuse. Quand on ne voit plus dans le monarque, comme Vattel, que l'être qui

« réunit en sa personne toute la majesté qui appartient au corps entier de la Nation », c'est que la fin de la monarchie, dans la plénitude traditionnelle de sa forme, est proche. L'invisible que présentifie le Roi est l'au-delà législateur, et c'est au travers de cette représentation de la surnature qu'il est accessoirement, ou en tout cas secondairement, représentant de l'éminence collective. L'incarnation monarchique s'entend à l'intérieur et comme rouage d'une détermination par le dehors, où elle opère physiquement et mystiquement la conjonction de l'ordre humain avec son fondement divin. Matérialisation médiatrice de l'autre, elle est le pivot de l'union avec le radicalement séparé. De là l'identification, la condensation symbolique du corps collectif dans sa pluralité au sein du corps royal : non seulement il est impensable à part de ce foyer qui lui donne forme, mais il ne saisit et ne se déchiffre qu'en lui. Le pouvoir « représente » la société en ceci qu'il vaut pour elle, qu'il la contient, qu'elle est infigurable en dehors de lui – à tel point qu'il n'y a pas de notion de « société » possible.

Pour saisir la suite, il faut remonter jusqu'à la logique du dispositif. Il faut saisir en particulier le sens et la finalité de ce détour par le dehors. La dépossession est le moyen de se posséder. Au travers de cette dépendance envers l'autre sacral qui lui est signifiée par le médiateur royal, médiateur dans le corps duquel il se rassemble et s'unit au plus haut que lui, le corps politique se sait et se maîtrise dans toutes ses parties. C'est cette logique paradoxale qui se retourne, en engendrant de nouveaux paradoxes, lorsque le pouvoir devient représentatif au sens moderne, c'est-à-dire lorsqu'il cesse d'incarner le dehors pour être explicitement produit par la société. Cela n'empêche pas forcément la royauté de subsister, mais dans un rôle qui n'a plus rien à voir avec l'emboîtement de l'ici-bas dans l'au-delà. Elle ne « représente » plus que la continuité d'une tradition et la grandeur du passé. D'une manière plus générale, cela n'empêche pas la question de la prééminence du collectif de se poser, comme on l'a vu, et d'exiger personnification – mais sur un plan purement politique et terrestre, sans qu'il soit besoin d'en appeler aux ressources du ciel. Dans tous les cas, ces formes de présentification qui perdurent ou renaissent s'inscrivent dans le cadre d'un rapport entre pouvoir et société complètement transformé. Le pouvoir cesse de contenir symboliquement la société ou de la résumer en cessant de matérialiser son articulation avec l'ordre surnaturel. La déliaison du ciel et de la terre se prolonge en dissociation du corps politique et du gouvernement – un corps politique désormais conçu comme formé de volontés individuelles et un gouvernement posé comme devant sa légitimité à la désignation des citoyens. Une collectivité politique supposée se produire elle-même en produisant le pouvoir qui s'exerce sur elle ne peut se penser qu'en extériorité vis-à-vis de celui-ci, même s'il reste le pôle par rapport auquel son identité se définit. Simplement, ce qui passait par l'identification se joue dorénavant dans l'élément de la relation entre des termes disjoints. La fonction symbolique que remplissait l'incorporation royale se recompose à l'intérieur de la procédure démocratique de délégation. La grande différence est qu'elle s'exerçait de manière directement et expressément symbolique alors qu'elle devient, lors de cette refonte, souterraine ou subreptice. Le secret de l'ordre représentatif gît dans cette métamorphose. Son déploiement répond à la nécessité d'aménager un équivalent de la lisibilité et de la maîtrise de soi qu'assurait la concentration du corps collectif au sein du corps royal. D'où l'écartèlement des instances d'autorité destiné à ouvrir intelligiblement l'un sur l'autre un pouvoir et une société disposés à distance l'un de l'autre. D'où le recours à une instance tierce chargée de prêter figure au contrôle de l'autorité déléguée. D'où, de façon générale, le redoublement des procédures politiques effectives, les seules officiellement reconnues, par un processus de restitution symbolique du corps politique à lui-même. Redoublement ou infléchissement, comme lorsqu'il s'avère que l'exigence de signifier l'exercice de la souveraineté implique de limiter son exercice de fait. L'impératif d'image et de sens, pour insu qu'il demeure, peut être plus fort que le principe explicite.

Dans ce processus, la personnification-présentation chère à Schmitt constitue un aspect ou un moment, mais rien de plus. Elle est l'un des vecteurs parmi d'autres de cette mise en forme de la visibilité pour soi et de la prise sur soi du corps social. C'est l'ensemble qu'il faut considérer si l'on veut saisir l'essence du phénomène. À cet égard, la continuité avec la monarchie est trompeuse. Elle dissimule ce qu'était le système de l'incarnation royale en sa logique religieuse. Elle cache ce que devient le système lorsqu'il se rétablit selon d'autres voies à l'intérieur d'un monde en principe transparent à la volonté des hommes. Il est parfaitement exact qu'il y a une face cachée du mécanisme représentatif. Mais il n'est pas vrai qu'elle se ramène à une simple rémanence ou insistance d'une représen- tation-présentification à l'ancienne. Elle correspond au redé- ploiement en règle dans l'univers des individus de la saisie symbolique du collectif par lui-même dont le monarque était l'instrument dans l'univers des dieux. La clé de l'organisation représentative, c'est le pouvoir sans plus d'appui de l'invisible, avec la nécessité, du coup, pour l'ordre politique, de signifier par ses seuls moyens ce qui depuis toujours venait d'ailleurs. Il est encore exact que l'aménagement d'un tel ordre ne pouvait aller sans de considérables difficultés, dont la Révolution fran- çaise a offert le raccourci inaugural et paroxystique, puisqu'il lui fallait s'effectuer à tâtons, sans possibilité de nommer et de penser la dimension avec laquelle il s'agissait de composer. Mais il n'est pas plus vrai pour autant que le régime libéral- bourgeois souffrirait d'une sorte d'infériorité constitutive par rapport à sa tâche politique. On s'arrange confusément, sous la contrainte, de ce qu'on ne domine pas délibérément. Les incertitudes initiales ont fini par être apprivoisées. Au bout du compte, il y a équivalence des fonctionnements symboliques. Ce qui s'exhibait ostensiblement dans la dépendance identifi- catoire envers une altérité magnificente n'est pas moins assuré, sans qu'on le sache ou sans qu'on le voie, au milieu des sobres procédures de l'autonomie souveraine. Car il est plus important pour les acteurs que l'appartenance au souverain leur soit signifiée ou que sa maîtrisabilité leur soit garantie que de participer à son expression en acte – leur participation pratique est suspendue à cette assurance symbolique. Cette dimension n'a pas de place dans nos considérations officielles, qui ne veulent et ne peuvent connaître que la littéralité des règles, l'effectivité des moyens et la matérialité des résultats ; elle n'en modèle pas moins de part en part l'ordonnancement du champ politique. Nous nous plions assez bien aux exigences de ce que nous ne savons pas vouloir.

Le partage est-il définitif ? Peut-on imaginer l'entrée de ces réquisitions implicites dans l'explicite du système politique ? Alors commencerait une nouvelle étape de l'histoire du gouvernement représentatif.

Quoi qu'il doive en advenir, que le point finisse par perfuser dans la conscience collective ou qu'il nous faille continuer à l'ignorer, il contient notre destin. Nous sommes entrés dans l'ère de la représentation en sortant de l'âge des Dieux ; la relation réfléchissante entre pouvoir et société est la forme obligée qu'emprunte l'ordre politique quand les hommes cessent de gouverner au nom de plus haut qu'eux pour se mettre en quête d'eux-mêmes ; chaque pas qui marque un approfondissement de cette condition nouvelle appelle un déploiement supplémentaire de l'appareil de procédures et d'institutions grâce auquel la communauté des égaux se constitue en un soi qui se sait et dispose de lui-même. Nous n'avons pas fini de chercher la meilleure façon d'assurer cet improbable lien de semblance qui nous permet de nous gouverner nous-mêmes au travers d'autres hommes qui nous gouvernent.

BIBLIOTHÈQUE DES HISTOIRES

Volumes publiés

GEORGES DUBY : *Dames du XIIe siècle. I. Héloïse, Aliénor, Iseut et quelques autres.*

ALPHONSE DUPRONT : *Du Sacré. Croisades et pèlerinages. Images et langages.*

MICHEL FOUCAULT : *Histoire de la folie à l'âge classique.*

MICHEL FOUCAULT : *Surveiller et punir.*

MICHEL FOUCAULT : *Histoire de la sexualité, I, II et III.*

BÉATRICE FRAENKEL : *La Signature. Genèse d'un signe.*

GILBERTO FREYRE : *Maîtres et esclaves.*

FRANÇOIS FURET : *Penser la Révolution française.*

MARCEL GAUCHET : *La Révolution des droits de l'homme.*

BRONISLAW GEREMEK : *La Potence ou la pitié.*

JACQUES GERNET : *Chine et christianisme. Action et réaction.*

JACQUES GERNET : *L'Intelligence de la Chine. Social et mental.*

CARLO GINZBURG : *Le Sabbat des sorcières.*

AARON J. GOUREVITCH : *Les Catégories de la culture médiévale.*

G. E. VON GRUNEBAUM : *L'Identité culturelle de l'Islam.*

SERGE GRUZINSKI : *La Colonisation de l'imaginaire.*

BERNARD GUENÉE : *Entre l'Église et l'État. Quatre vies de prélats français à la fin du Moyen Âge.*

BERNARD GUENÉE : *Un meurtre, une société. L'assassinat du duc d'Orléans, 23 novembre 1407.*

FRANÇOIS HARTOG : *Le Miroir d'Hérodote. Essai sur la représentation de l'autre.*

E. J. HOBSBAWM : *Nations et nationalismes depuis 1780.*

PHILIPPE JOUTARD : *La Légende des camisards.*

ERNST KANTOROWICZ : *L'Empereur Frédéric II.*

ERNST KANTOROWICZ : *Les Deux Corps du Roi.*

LUCIEN KARPIK : *Les Avocats, entre l'État, le public et le marché, XIIIe-XXe siècle.*

ANNIE KRIEGEL : *Communismes au miroir français.*

JACQUES KRYNEN : *L'Empire du roi. Idées et croyances politiques en France, XIIIe-XVe siècles.*

RICHARD F. KUISEL : *Le Capitalisme et l'État en France.*

JACQUES LAFAYE : *Quetzalcoatl et Guadalupe.*

DAVID S. LANDES : *L'Europe technicienne.*

JACQUES LE GOFF : *Pour un autre Moyen Âge.*

JACQUES LE GOFF : *La Naissance du Purgatoire.*

JACQUES LE GOFF : *L'Imaginaire médiéval.*

EMMANUEL LE ROY LADURIE : *Le Territoire de l'historien, I et II.*

EMMANUEL LE ROY LADURIE : *Montaillou, village occitan de 1294 à 1324.*

EMMANUEL LE ROY LADURIE : *Le Carnaval de Romans.*

GIOVANNI LEVI : *Le Pouvoir au village.*

MOSHE LEWIN : *La Formation du système soviétique.*

ANDREW W. LEWIS : *Le Sang royal.*

BERNARD LEWIS : *Le Retour de l'Islam.*

BERNARD LEWIS : *Race et esclavage au Proche-Orient.*

ÉLISE MARIENSTRAS : *Nous, le peuple. Les origines du nationalisme américain.*

HENRI MASPERO : *Le Taoïsme et les religions chinoises.*

SANTO MAZZARINO : *La Fin du monde antique. Avatars d'un thème historiographique.*

JULES MICHELET : *Cours au Collège de France.* I. *1838-1851,* II. *1845-1851.*

ARNALDO MOMIGLIANO : *Problèmes d'historiographie ancienne et moderne.*

CLAUDE NICOLET : *Le Métier de citoyen dans la Rome républicaine.*

CLAUDE NICOLET : *L'Idée républicaine en France.*

CLAUDE NICOLET : *Rendre à César.*

THOMAS NIPPERDEY : *Réflexions sur l'histoire allemande.*

OUVRAGE COLLECTIF (sous la direction de François Furet et Mona Ozouf) : *Le Siècle de l'avènement républicain.*

OUVRAGE COLLECTIF (sous la direction de Jacques Le Goff et Pierre Nora) :
Faire de l'histoire, I : *Nouveaux problèmes.*
Faire de l'histoire, II : *Nouvelles approches.*
Faire de l'histoire, III : *Nouveaux objets.*

OUVRAGE COLLECTIF (sous la direction de Pierre Nora) : *Essais d'egohistoire.*

OUVRAGE COLLECTIF (sous la direction de Pierre Birnbaum) : *La France de l'affaire Dreyfus.*

MONA OZOUF : *La Fête révolutionnaire, 1789-1799.*

MONA OZOUF : *L'École de la France.*

MONA OZOUF : *L'Homme régénéré.*

GEOFFREY PARKER : *La Révolution militaire. La guerre et l'essor de l'Occident, 1500-1800.*

MAURICE PINGUET : *La Mort volontaire au Japon.*

KRZYSZTOF POMIAN : *L'Ordre du temps.*

KRZYSZTOF POMIAN : *Collectionneurs, amateurs et curieux. Paris, Venise :* XVIᵉ-XVIIIᵉ *siècle.*

ÉDOUARD POMMIER : *L'Art de la liberté. Doctrines et débats de la Révolution française.*

GÉRARD DE PUYMÈGE : *Chauvin, le soldat-laboureur. Contribution à l'histoire des nationalismes.*

PIETRO REDONDI : *Galilée hérétique.*

ALAIN REY : *« Révolution » : histoire d'un mot.*

PIERRE ROSANVALLON : *Le Sacre du citoyen. Histoire du suffrage universel.*

JEAN-CLAUDE SCHMITT : *La Raison des gestes dans l'Occident médiéval.*

JEAN-CLAUDE SCHMITT : *Les Revenants. Les vivants et les morts dans la société médiévale.*

JERROLD SEIGEL : *Paris bohème, 1830-1930.*

CHRISTOPHE STUDENY : *L'Invention de la vitesse. France, XVIIIe-XXe siècle.*

ALAIN WALTER : *Érotique du Japon classique.*

BIBLIOTHÈQUE ILLUSTRÉE
DES HISTOIRES

Composé et achevé d'imprimer
par la Société Nouvelle Firmin-Didot
à Mesnil-sur-l'Estrée, le 4 septembre 1995.
Dépôt légal : septembre 1995.
Numéro d'imprimeur : 31322.
ISBN 2-07-074297-8/Imprimé en France.